IELTS
ブリティッシュ・カウンシル公認
本番形式問題3回分

ブリティッシュ・カウンシル 著　旺文社 編

旺文社

©2014 British Council

IELTS Essential Guide 2014.7
British Council and Beijing Language and Culture University Press
ISBN978-7-8619-3900-0

はじめに

本書はIELTS（アイエルツ）の共同運営を行っているブリティッシュ・カウンシルの著書である*IELTS ESSENTIAL GUIDE*を日本市場に向けて翻訳・改編するシリーズの第2弾です。2015年9月に刊行した第1弾の『IELTSブリティッシュ・カウンシル公認問題集』には、IELTS対策の詳しい解説と練習問題、1回分の模擬試験を収録しました。本書にはそちらに掲載しきれなかった3回分の模擬試験を収録しています。本書はIELTSアカデミック・モジュールに特化しています。

本書には、以下の内容を収録しています。
・IELTSの基本情報からコツ、普段の学習法までをまとめた「IELTS攻略法」
・3回分の問題と解答解説
　（すべての解答解説に和訳、ライティングとスピーキングには解答例つき）
・ライティング・スピーキングの基本情報と役立つ表現をまとめた「WSサポートブック」
・無料でダウンロードできる解答用紙と問題音声

IELTSは世界で年間250万人以上の受験者数を誇ります。英語圏の大学、大学院への留学に必要な英語力評価テストとしての役割のみならず、近年では日本における大学入試の外部英語検定試験、国家公務員採用総合職試験などにも活用範囲が広がっています。

IELTSの指導にも携わっているブリティッシュ・カウンシルによる本書が、皆様のIELTS受験における成功と目標スコア獲得のお役に立つことを願っています。

2016年8月　　　　　　　　　　　　　　　　　　　　　　　　　　　　　　編者

もくじ

はじめに 3
本書の使い方 6
ダウンロード音声・解答用紙について 8

IELTS Information

IELTSとは 10
試験内容 11
バンドスコア 14
申し込み方法 16
IELTS for UKVIとは 19

IELTS攻略法

学習計画編 24
リスニングテスト編 25
リーディングテスト編 31
ライティングテスト編 38
スピーキングテスト編 46
語彙・文法編 51
イギリス英語編 55

TEST 1

LISTENING 62
READING 68
WRITING 79
SPEAKING 81

TEST 2

LISTENING	84
READING	89
WRITING	101
SPEAKING	103

TEST 3

LISTENING	106
READING	112
WRITING	125
SPEAKING	127

執筆協力●British Council，内宮慶一，Kevin Dunn
翻訳・編集協力●斉藤敦
編集協力●鹿島由紀子，Jason A. Chau
本文デザイン●尾引美代
装丁デザイン●牧野剛士
録音●ユニバ合同会社
ナレーション●Donna Burke，Michael Rhys，Rachel Smith

本書の使い方

本書はIELTSを初めて受験される方々から、スコアアップを目指される方々を対象としており、アカデミック・モジュールに特化しています。

構成
- **本冊** IELTS攻略法＋模擬試験3回分の問題
- **別冊** 模擬試験3回分の解答・解説
- **小冊子** WSサポートブック（基本情報と役立つ表現）

IELTS Information

- **試験内容** IELTSとはどのような試験なのか、モジュールの違いから試験内容の詳細までを説明しています。
- **バンドスコア** IELTSのバンドスコア評価、日本人の平均バンドスコア、他の英語能力試験とのスコア比較を掲載しています。
- **申し込み方法** 受験料、受験地、試験実施日、申し込み方法、試験当日の持ち物・注意点、結果の通知などを説明しています。

IELTS攻略法

試験の基本情報から解答のコツ、普段の学習法まで、IELTS受験にあたってぜひ知っておくべき内容をまとめました。
リスニング・リーディング・ライティング・スピーキングと、語彙・文法、イギリス英語について、それぞれ情報をまとめています。

※『IELTSブリティッシュ・カウンシル公認問題集』の「完全対策」において詳しく説明されている情報を、本書にあわせて簡潔にまとめ直し、新たに加筆したものです。

模擬試験

本番と同じ形式の問題を3回分収録しています。詳しい解答解説はもちろん、ライティング・スピーキングの解答例と評価基準がついています。予想バンドスコア換算表もついているので、現時点での自分のバンドスコアの目安を把握できます。1回目は試験を知るため、2回目は実力が上がったかどうかを見るため、3回目は対策の総仕上げなど、1回ごとに用途を変えて利用するとよいでしょう。

WS サポートブック

日本人が慣れていないライティングとスピーキングでよいスコアが取れるよう、基本情報と役立つ表現を小冊子にまとめました。切り離して、移動時間や試験直前に活用してください。

音声・解答用紙無料ダウンロード

模擬試験におけるリスニング・スピーキングの音声はウェブサイトから無料でダウンロードできます。また、解答用紙もダウンロードできるので、コピーして何度でも使っていただくことができます。（詳しくはp. 8参照）

ダウンロード音声・解答用紙について

模擬試験の解答用紙と、リスニングとスピーキングの音声をすべて無料でダウンロードできます。

音声(MP3ファイル)

🎧01 ～ 🎧10	TEST 1	リスニング・スピーキング
🎧11 ～ 🎧20	TEST 2	リスニング・スピーキング
🎧21 ～ 🎧30	TEST 3	リスニング・スピーキング

ダウンロード方法

1 パソコンからインターネットで専用サイトにアクセス
（※検索エンジンの「検索」欄は不可。またスマートフォンからはダウンロードできません。）

下記のサイトにアクセスします。

http://www.obunsha.co.jp/service/ieltsbc3kai/

※旺文社のホームページからもアクセスできます。トップページにある「おすすめコンテンツ」内の「特典ダウンロード」をクリックして、「IELTS ブリティッシュ・カウンシル公認 本番形式問題3回分」をお選びください。

2 パスワードを入力

画面の指示に従い、下記のパスワードを入力して「ログイン」ボタンをクリックしてください。

パスワード：**bchbsta**（※すべて半角アルファベット小文字）

3 ファイルを選択して、ダウンロード

各ファイルの「ダウンロード」ボタンをクリックしてダウンロードしてください。
（※詳細は実際のサイト上の説明をご参照ください。）

4 音声ファイルを展開（解凍）して、オーディオプレーヤーで再生

音声ファイルは ZIP 形式にまとめられた形でダウンロードされます。展開（解凍）後、デジタルオーディオプレーヤーなどでご活用ください。
（※デジタルオーディオプレーヤーへの音声ファイルの転送方法は、各製品の取扱説明書やヘルプをご参照ください。）

＜注意＞
・音声はMP3ファイル形式となっています。音声の再生にはMP3を再生できる機器などが別途必要です。
・解答用紙はPDFファイル形式となっています。PDFを閲覧できる機器などが別途必要です。
・ご使用機器、音声再生ソフト等に関する技術的なご質問は、ハードメーカーもしくはソフトメーカーにお願いいたします。
・本サービスは予告なく終了される事があります。

IELTS Information

IELTSとは ································· 10
試験内容 ································· 11
バンドスコア ····························· 14
申し込み方法 ····························· 16
IELTS for UKVIとは ····················· 19

IELTS Information

▶ IELTSとは

IELTS（アイエルツ）はInternational English Language Testing Systemの略で、英語力を証明するための試験です。英語圏の大学、大学院留学を目指している方向けのアカデミック・モジュールと、イギリス、カナダ、オーストラリアなどへの海外移住申請を希望する方向けのジェネラル・トレーニング・モジュールの2つのタイプがあります。4技能を筆記試験（ライティング、リーディング、リスニング）と面接試験（スピーキング）でバランスよく測定します。所要時間は約3時間、受験料は1回25,380円(税込)です。試験日まで有効なパスポートがあれば受験が可能で、推奨年齢は16歳以上です。

日本全国主要都市（東京・横浜／川崎・大阪・名古屋・福岡・京都・仙台・札幌・金沢・長野／松本・静岡・神戸・広島・岡山・熊本）に試験会場が設けられており、年間最大48回の受験日が設定されています。（会場により設定受験日は異なります）。

IELTSの運営団体はケンブリッジ大学英語検定機構、ブリティッシュ・カウンシル、IDP:IELTSオーストラリアの3団体です。日本では2010年4月より、公益財団法人 日本英語検定協会とブリティッシュ・カウンシルが共同で運営を行っています。

世界140以上の国と地域、そして約11,000の高等教育機関、政府機関、国際機関や企業がIELTSを採用しており、年間300万人以上が受験しています。日本では、日本英語検定協会とブリティッシュ・カウンシルとの共同運営開始以来、受験者数が伸びており、入試で採用する日本国内の大学、団体受験を行う教育機関や団体も全国で増加しています。

また、上記のIELTSとは別に、IELTS for UKVIという試験もあります。p.11からの説明はIELTSについてのものです。IELTS for UKVIについては、p.19をご覧ください。

IELTS Informationはすべて2022年11月現在の情報です。今後、更新される場合もありますので、IELTSの最新情報は、ブリティッシュ・カウンシルおよび公益財団法人 日本英語検定協会のウェブサイトでご確認ください。
https://www.britishcouncil.jp/exam/ielts
https://www.eiken.or.jp/ielts/

▶ 試験内容

IELTSにはアカデミック・モジュールとジェネラル・トレーニング・モジュールの2種類があります。

アカデミック・モジュール
受験生の英語力が、英語で授業を行う大学や大学院に入学できるレベルに達しているかどうかを評価する試験。
※留学希望者はこちらのモジュールです。

ジェネラル・トレーニング・モジュール
英語圏で学業以外の研修を考えている人や、イギリス、カナダ、オーストラリア、ニュージーランドへの移住申請を行う人を対象とした試験。

どちらのモジュールも4技能（ライティング、リーディング、リスニング、スピーキング）をテストします。このうちリスニングとスピーキングは共通の問題ですが、ライティングとリーディングはモジュールによって問題が異なります。

IELTSペーパー版は以下の流れで実施されます。

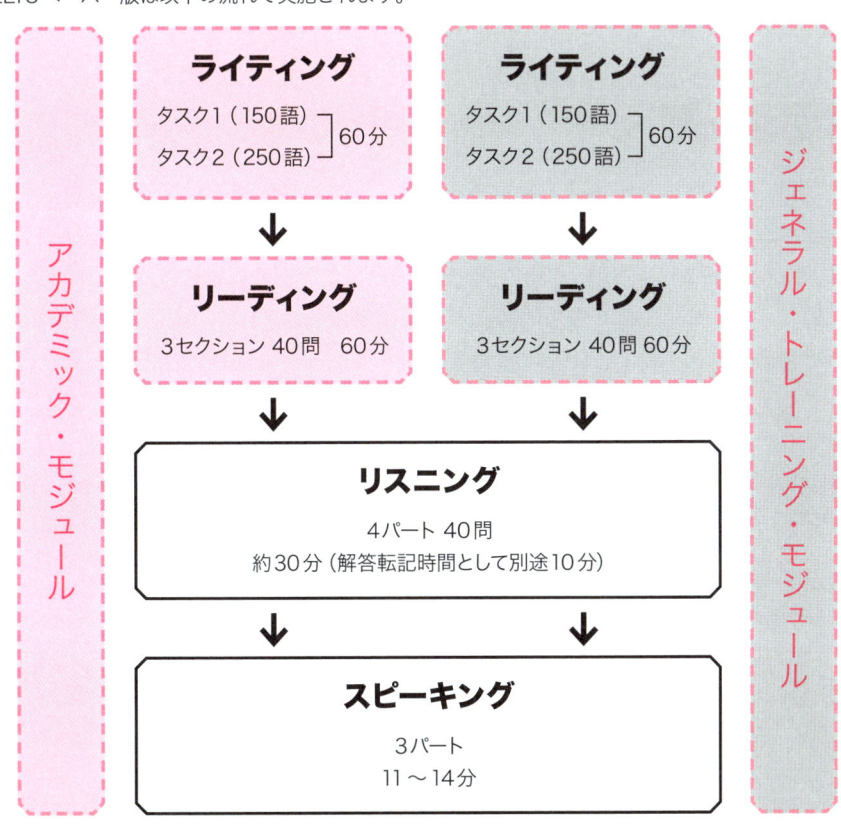

IELTS Information

ライティング　🕐 **60分　2題（タスク1、タスク2）** ※アカデミック・モジュール

罫線の入った解答用紙に手書きで書き込む形式で、2種類のタスクで構成されています。

> タスク1（最低150語）：グラフや図表などの視覚的な情報が与えられ、それらを分析し、自分の言葉で説明します。
> タスク2（最低250語）：与えられたトピックについて、自分の意見や主張を論理的に述べます。

以下の項目で採点されます。
1. タスクの達成・応答　　2. 論理的一貫性とまとまり
3. 語彙の豊富さと適切さ　4. 文法の幅広さと正確さ

タスク1、2ともに、指定された語数に達しないと減点されます。スペルミス、文法ミス、読み取れない文字も減点対象となります。

リーディング　🕐 **60分　40問（パッセージ1～3）** ※アカデミック・モジュール

選択肢問題、質問文に対する答えを記述するもの、文章や図表完成問題、出題文や図表に見出しをつけるなどの問題に答えます。問題数は基本的に、パッセージ1と2は13問ずつ、パッセージ3は14問です。3つのパッセージの総語数は約2,150語～2,750語で、本、雑誌、新聞や専門誌などから出題されます。パッセージは後半になるほど難易度が高くなり、少なくとも1つのパッセージは論理的な内容を扱います。しかし、どのパッセージも一般向けに書かれており、専門的な知識を必要とするものではありません。

正答1問につき1点（40点満点）
リスニング同様の項目が減点対象となります。また、リスニングと違い、解答を解答用紙に転記する時間は設けられていないので気を付けましょう。

リスニング　約30分+10分（転記時間）　40問（パート1～4）

会話やモノローグを聞きながら、様々なタイプ（選択問題、記述式問題）の問題に答えます。音声は一度しか聞く事ができませんが、メモを取ることはできます。また、音声には様々なアクセント（イギリス、アメリカ、オーストラリア、カナダ、ニュージーランド等）の英語が出てきます。設問を先に読むための時間が与えられ、その後に問題の音声が流れます。問題は後半になるにつれて難易度が高くなります。解答に語数制限が設けられている問題もあり、スペルミスは不正解になります。

パート1：日常生活における複数の人物による会話（話者2人）

パート2：日常生活におけるモノローグ（話者1人または2人）

パート3：教育の現場における複数の人物間の会話（話者2人以上）

パート4：学術的なテーマに関するモノローグ（話者1人）

正答1問につき1点（40点満点）
スペルミス、文法ミス、語数制限を超えた解答、読み取れない文字は減点対象となるので要注意です。

スピーキング　約11分～14分　パート1～3

試験官と1対1のインタビュー形式で、3つのパートで構成されています。会話はすべて録音されます。

パート1：インタビュー
受験者の簡単な自己紹介、受験者の家族、出身地、仕事、勉強、趣味、日常生活などが問われます。

パート2：スピーチ
トピックと話すべきポイントが書かれた「Topic Card」とメモを取るための紙と鉛筆を渡され、1分間の準備時間を与えられます。その後、1～2分間のスピーチを行い、続いて試験官から同じトピックについて1～2つほど質問されます。

パート3：ディスカッション
パート2で話した内容に関する社会的なトピックについて、試験官とディスカッションを行います。

パート1～3をまとめて、以下の項目で採点されます。
1. 話の流暢さと論理的一貫性　　2. 語彙の豊富さと適切さ
3. 文法の幅広さと正確さ　　　　4. 発音

IELTS Information

▶ バンドスコア

テストの結果は1.0（初心者レベル）から9.0（ネイティブレベル）までの0.5刻みのバンドスコアで表示され、合格・不合格はありません。成績証明書にはリスニング、リーディング、ライティング、スピーキングそれぞれのバンドスコアと、4技能のスコアを単純平均した総合評価としてのオーバーオール・バンドスコアが示されます。

● IELTS　バンドスコア

9	Expert user エキスパートユーザー	英語を自由自在に使いこなす能力を有する。適切、正確、流暢、完全な理解力もある。
8	Very good user 非常に優秀なユーザー	不正確さや不適切さがみられるが、英語を自由自在に使いこなす能力を有している。慣れない状況下では誤解が生ずる可能性もある。込み入った議論にも対応できる。
7	Good user 優秀なユーザー	不正確さや不適切さがみられ、また状況によっては誤解が生ずる可能性もあるが、英語を使いこなす能力を有する。複雑な言葉遣いにも概ね対応でき、詳細な論理を理解できる。
6	Competent user 有能なユーザー	不正確さ、不適切さ、誤解も見られるが、概ね効果的に英語を使いこなす能力を有する。特に、慣れた状況下では、かなり複雑な言葉遣いの使用と理解ができる。
5	Modest user 中程度のユーザー	不完全だが英語を使う能力を有しており、ほとんどの状況でおおまかな意味を把握することができる。ただし、間違いを犯すことも多い。自身の専門分野では、基本的なコミュニケーションを取ることが可能。
4	Limited user 限定的なユーザー	慣れた状況においてのみ、基本的能力を発揮できる。理解力、表現力の問題が頻繁にみられる。複雑な言葉遣いはできない。
3	Extremely Limited user 非常に限定的なユーザー	非常に慣れた状況において、一般的な意味のみを伝え、理解することができる。コミュニケーションの断絶が頻発する。
2	Intermittent user 散発的ユーザー	慣れた状況下で、その場の必要性に対処するため、極めて基本的な情報を片言で伝える以外、現実的なコミュニケーションを取ることは不可能。英語の会話や文章を理解することは困難である。
1	Non user 非ユーザー	単語の羅列のみで、基本的に英語を使用する能力を有していない。

● 日本人の平均バンドスコア　※2021年　アカデミック・モジュール

リスニング	リーディング	ライティング	スピーキング	オーバーオール
5.98	6.12	5.70	5.53	5.90

●他の英語能力試験とのスコア比較

IELTS、TOEFL iBT、英検のスコア比較をCEFR(※)を基準に以下の表にまとめました。

IELTS	TOEFL iBT	英検	CEFR
8.5 – 9.0	—	—	C2 聞いたり読んだりした、ほぼすべてのものを容易に理解することができる。いろいろな話し言葉や書き言葉から得た情報をまとめ、根拠も論点も一貫した方法で再構築できる。自然に、流暢かつ正確に自己表現ができる。
7.0 – 8.0	95 – 120	1級	C1 いろいろな種類の高度な内容のかなり長い文章を理解して、含意を把握できる。言葉を探しているという印象を与えずに、流暢に、また自然に自己表現ができる。社会生活を営むため、また学問上や職業上の目的で、言葉を柔軟かつ効果的に用いることができる。複雑な話題について明確で、しっかりとした構成の、詳細な文章を作ることができる。
5.5 – 6.5	72 – 94	準1級	B2 自分の専門分野の技術的な議論も含めて、抽象的な話題でも具体的な話題でも、複雑な文章の主要な内容を理解できる。母語話者とはお互いに緊張しないで普通にやり取りができるくらい流暢かつ自然である。幅広い話題について、明確で詳細な文章を作ることができる。
4.0 – 5.0	42 – 71	2級	B1 仕事、学校、娯楽などで普段出会うような身近な話題について、標準的な話し方であれば、主要な点を理解できる。その言葉が話されている地域にいるときに起こりそうな、たいていの事態に対処することができる。身近な話題や個人的に関心のある話題について、筋の通った簡単な文章を作ることができる。
		準2級	A2 ごく基本的な個人情報や家族情報、買い物、地元の地理、仕事など、直接的関係がある領域に関しては、文やよく使われる表現が理解できる。簡単で日常的な範囲なら、身近で日常の事柄について、単純で直接的な情報交換に応じることができる。
		3級以下	A1 具体的な欲求を満足させるための、よく使われる日常的表現と基本的な言い回しは理解し、用いることができる。自分や他人を紹介することができ、住んでいるところや、誰と知り合いであるか、持ち物などの個人的情報について、質問をしたり、答えたりすることができる。もし、相手がゆっくり、はっきりと話して、助けが得られるならば、簡単なやり取りをすることができる。

(※) CEFRはCommon European Framework of Reference for Languages（ヨーロッパ言語共通参照枠）の略で、欧州評議会で2001年に公開された枠組みです。外国語学習者のレベルを示す尺度として用いられています。

IELTS Information

▶ 申し込み方法

IELTSのどのモジュールを受験するのか明確にしましょう。以下はIELTSのアカデミック・モジュールとジェネラル・トレーニング・モジュールの申し込み方法です。IELTS for UKVIについてはp.22をご覧ください。

> どのモジュールを受験するにも、16歳以上であることが推奨され、申し込み時から試験日まで有効なパスポートが必要です。他の身分証明書(運転免許証など)では受験できません。

受験料 25,380円(税込)

受験地 全国主要都市 ※会場は試験実施日によって異なる場合があります。
東京、横浜/川崎、大阪、名古屋、福岡、京都、仙台、札幌、金沢、長野/松本、静岡、神戸、広島、岡山、熊本

試験実施日 年間最大48回 ※会場によって設定受験日が異なります。

申し込みについて

申し込みの締め切りは、公開会場(個人受験)の場合は筆記試験の5日前の正午までです。申込期間中に定員に達した場合は、その時点で締め切りとなるのでご注意ください。申し込みは、インターネットから行ってください。

■ **インターネット**:下記のリンクから、手順を追って申し込んでください。
URL:https://www.eiken.or.jp/ielts/

東京・横浜/川崎・札幌・仙台・金沢・長野/松本・静岡・名古屋会場

IELTS公式東京テストセンター
〒162-8055
東京都新宿区横寺町55
Email:jp500ielts@eiken.or.jp
TEL:03-3266-6852
FAX:03-3266-6145

大阪・京都・神戸・広島・岡山・福岡・熊本会場

IELTS公式大阪テストセンター
〒530-0003
大阪市北区堂島1-6-20 堂島アバンザ4階
Email:jp512ielts@eiken.or.jp
TEL:06-6455-6286
FAX:06-6455-6287

試験当日の持ち物

- 受験申込時に使用したパスポート（有効期限内）
- パスポートのカラーコピー（有効期限内）
- 黒鉛筆（シャープペンシル、キャップ不可）
- カバーをはずした消しゴム
- 無色透明なボトルに入った水（ラベルやカバーは不可、水以外の飲み物は不可）

※会場によって規定が異なる場合がありますので、受験票でご確認ください。

試験当日の注意点

- 貴重品（財布、腕時計、電子機器など）は荷物置き場に置く。
  ※不必要な貴重品は試験会場に持っていかないようにする。
- 試験実施部屋には、掛け時計、鉛筆削り機、ティッシュペーパーが用意されている。
- 試験問題と解答用紙の持ち出しは不可。

試験当日のタイムスケジュール（目安）

時間	内容	
8:00 〜	受験者集合・受付開始	
8:55 〜	説明開始	
9:00 〜 10:00	ライティング	ライティング、リーディング、リスニングは同じ日の午前中に受験。
10:10 〜 11:10	リーディング	
11:20 〜 12:00	リスニング	
12:10	一時解散	
13:00 〜 18:00	スピーキング（指定された時間に随時集合。面接時間は約11分〜14分）	スピーキングは筆記試験と同日、または前後一週間以内に実施されます。

会場によって当日の流れは変わります。インターネットで申し込みする際に取得する、マイページ内の受験確認書でご確認ください。

※2019年4月13日より、筆記試験科目順序が変更されました。
※IELTSコンピューター版では筆記試験科目の順序、開始時間等が異なります。

IELTS Information

結果

IELTS公式の成績証明書（Test Report Form）には、総合評価としてのオーバーオール・バンドスコアと各技能それぞれのバンドスコアがテスト結果として表示されます。IELTSのテスト結果は、通常、筆記試験の13日後の13：00からマイページで確認できます。また、同日夕刻に、公的に使用できる成績証明書が発送されます。
※電話やEメールでの結果の通知はありません。

▶ IELTSコンピューター版

　PC上で受験できるIELTSコンピューター版という方式もあります。
- ライティング、リーディング、リスニングはPC上で受験します。スピーキングは、紙と鉛筆で受験するIELTSと同じく、試験官との1対1の対面またはリモートによる面接形式で行われます。
- 試験の内容、採点基準、試験時間は、紙と鉛筆で受験するIELTSとまったく同じです。
- タイピングなどPC操作に慣れている人にとっては受験しやすく、また、成績証明書が試験後3～5日で発行されるというメリットがあります。
- 詳細は、ブリティッシュ・カウンシルまたは、公益財団法人 日本英語検定協会と日本英語検定協会管轄のテストセンターである株式会社バークレーハウスの公式サイト等で、最新の情報をご確認ください。
  https://www.eiken.or.jp/ielts/cdielts/
  https://www.britishcouncil.jp/exam/ielts

▶ IELTS for UKVI とは

英国政府は2015年2月20日、ビザの取得を目的とした「Secure English Language Tests (SELT)」(英国政府が認めた英国ビザ申請のために必要な英語能力証明テスト)に関する変更事項を発表し、英国国外で受験できるSELTは、英国ビザ・イミグレーションのためのIELTS (IELTS for UKVI) のみとなりました。IELTS for UKVIはブリティッシュ・カウンシル、IDP：IELTSオーストラリア、ケンブリッジ大学英語検定機構 (Cambridge English Language Assessment) で構成されるIELTS SELT Consortiumが運営しています。IELTS for UKVIの日本での申し込みは、紙と鉛筆で受験するものは公益財団法人 日本英語検定協会が、コンピューターで受験するものはブリティッシュ・カウンシルが、受け付けています。

IELTS for UKVIには「IELTS for UKVI Academic」、「IELTS for UKVI General Training」があり、通常のIELTSと試験内容は同じですが、英国政府の規定により試験実施の際の本人確認が厳格化されており、試験会場はすべてビデオ録画されています。また、英国政府が認定したテスト会場でのみ受験が可能です。

この変更に伴い、2技能をテストする新しい形式のIELTS、「IELTS Life Skills A1・B1」が導入されました。

「IELTS Life Skills」は、ビザ申請の際、スピーキングとリスニングにおいてCEFR (ヨーロッパ言語共通参照枠) で示されるA1もしくはB1レベルであることを証明しなくてはならない方を対象にしています。

英国ビザ・イミグレーションに関するより詳しい情報は、英国政府Webサイト https://www.gov.uk/ をご覧ください。

各ビザで必要とされる目安のスコアとして以下の表をご参照ください。

ビザの種類	求められるCEFRレベル	技能	IELTSテストと要求されるスコア
Tier1 (一般) ビザ	C1	リーディング、ライティング、スピーキング、リスニング	IELTS for UKVI-7.0 総合評価および各4技能について
Tier1 (例外的技能者) ビザ	B1	リーディング、ライティング、スピーキング、リスニング	IELTS for UKVI-4.0 総合評価および各4技能について
Tier1 (起業家) ビザ	B1	リーディング、ライティング、スピーキング、リスニング	IELTS for UKVI-4.0 総合評価および各4技能について

IELTS Information

Tier1 (大学卒業生起業家) ビザ	B1	リーディング、ライティング、スピーキング、リスニング	IELTS for UKVI-4.0 総合評価および各4技能について	
Tier2 (一般) ビザ -大部分のケース	B1	リーディング、ライティング、スピーキング、リスニング	IELTS for UKVI-4.0 総合評価および各4技能について	
Tier2 (スポーツ選手) ビザ	A1	リーディング、ライティング、スピーキング、リスニング	IELTS for UKVI-4.0 [1] 総合評価および各4技能について	
Tier2 (宗教活動家) ビザ	B2	リーディング、ライティング、スピーキング、リスニング	IELTS for UKVI-5.5 総合評価および各4技能について	
Tier4 (一般) 学生ビザ -学士号取得未満レベルおよび学期前コース	B1	リーディング、ライティング、スピーキング、リスニング	IELTS for UKVI-4.0 総合評価および各4技能について	
Tier4 (一般) 学生ビザ -学士号取得以上のレベル	B2	リーディング、ライティング、スピーキング、リスニング	IELTS for UKVI*-5.5 総合評価および各4技能について *要求されている場合のみ—申請先機関にIELTS for UKVIテストを受験する必要があるか要確認 [2]	
永住者の家族ビザ	A1	スピーキング、リスニング	IELTS Life Skills A1-合格 IELTS for UKVI-4.0 スピーキングとリスニング [3]	
無期限滞在(永住)許可または市民権	B1	スピーキング、リスニング	IELTS Life Skills B1-合格 IELTS for UKVI-4.0 スピーキングとリスニング [3]	

1　IELTSはCEFRレベルB1に相当するバンドスコア4.0以上でUKVIに受け入れられます。
2　UKVIのTier4スポンサーのリストにHighly Trusted Sponsor (HTS) として掲載されている高等教育機関は、SELTが要求されていない場合、独自で受け入れる試験の種類を設定します。これらの試験には日本英語検定協会で実施しているIELTSも含まれる場合があります。
3　IELTS for UKVIはIELTS Life Skillsが必要とされる場合にも活用できます。この場合受験者にはスピーキングとリスニングにおいて4.0以上のスコアが求められます(リーディングとライティングのスコアは無視されます)。
※2020年より英国政府はTierという名称の使用を中止しました。英国政府公式サイト等で最新情報をご確認ください。

これらの変更は、欧州連合、欧州経済地域、スイス、英国内務省が規定する「英語が主要言語と見なされる国」(https://www.gov.uk/english-language) の人がIELTSを利用する場合には適用されないのでご留意ください。

IELTS Life Skillsについて

IELTS Life Skillsはスピーキングおよびリスニングのテストで、CEFRレベルA1とCEFRレベルB1に相当する2種類があります。同テストは、家族ビザおよび永住権申請に際し英国ビザ・入国局の要請を満たすよう設計されています。

IELTS Life Skillsの試験形式は、通常のIELTSと異なります。受験者2名に対し、1人の試験官でテストが行われます。一回のテストでスピーキングとリスニングの能力を評価します。

試験時間は、CEFRレベルA1で16～18分、レベルB1で22分です。

資格を持つIELTS Life Skills試験官が、以下の基準に基づきリスニング、スピーキングテスト全体を通じて能力を評価します。

- 情報を取り入れる能力
- 情報を伝達する能力
- コミュニケーションがとれるスピーキング力
- 議論に参加する姿勢

IELTS Life Skillsの成績は通常試験後7日で発行されます。成績証明書は受験者に1通のみ発行されます。この試験は、合格か不合格かで評価されます。一旦合格すると、同一レベルの試験をその後2年間受験することができません。

IELTS Life Skillsの無料のサンプル問題はwww.ielts.org/uk/lifeskillsでご覧ください。

IELTS Information

IELTS for UKVIの申し込み

受験申し込みと受験に際しては、有効期限内のパスポートが必要です。パスポートを忘れた場合、また登録したパスポート情報と試験当日に持参したパスポートの情報が一致しない場合は受験できません。

定員に達した際には、その時点で締め切りとなるのでご注意ください。クレジットカード（VISA, MasterCard, Diners Club, JCBもしくはAmerican Express）で支払いを受け付けています。

受験料
- IELTS for UKVI：29,400円（税込）
- IELTS Life Skills：20,500円（税込）

※IELTS for UKVIの受験料は、英国政府の指示で定期的に改定されます。最新の受験料は下記サイトでご確認ください。

申し込み期限

IELTS for UKVI：試験日6日前の0：00AMまで
IELTS Life Skills：試験日3日前の0：00AMまで

問い合わせ先

紙と鉛筆での受験
　　公益財団法人　日本英語検定協会　IELTSテストセンター
　　https://www.eiken.or.jp/ielts/ukvi/
　　jp500seltielts@eiken.or.jp

コンピューターでの受験
　　ブリティッシュ・カウンシル
　　https://www.britishcouncil.jp/exam/ielts-uk-visa-immigration
　　exams@britishcouncil.or.jp

IELTS攻略法

学習計画編	24
リスニングテスト編	25
リーディングテスト編	31
ライティングテスト編	38
スピーキングテスト編	46
語彙・文法編	51
イギリス英語編	55

※2020年1月11日より、リスニングテストにおいて以下の点が変更になりました。本書では変更前の形式を扱っていますが、内容への影響はありません。
・Sectionという名称がPartに変わりました。
・Part 1にあったExampleが削除されました。

IELTS 攻略法

学習計画編

1　まずは状況を知る

　留学したいと思ったら、まず必要なのは情報収集です。ブリティッシュ・カウンシルなどの公的機関、自分の学校、留学予備校などを利用して、行きたい大学と、入学するために必要なスコア、スコア提出までにどれくらいの準備期間があるのかを知りましょう。複数回受験する余裕がある人は、1回目では理想のスコアを取れない可能性も考慮しておくとよいでしょう。

2　試験を知り、自分の実力を把握する

　状況がわかったら、問題を解いてみて、試験がどのようなものかを体感します。本書を利用する場合は、3回分の問題が掲載されているので、試験を知るためにまず1回分を解いてみましょう。実際の試験のようにすべて連続して解くのが理想ですが、まとまった時間が取れなければ、何度かに分けてもよいでしょう。答え合わせが済んだら、自分の実力を確認します。自分が得意なところと苦手なところを把握します。リスニングか、リーディングか、ライティングか、スピーキングか。例えばリスニングが苦手なのであれば、音が聞き取れないのか、語彙が足りないのか、内容が難しくて理解できないのか、あるいは集中力の問題なのか。できるだけ具体的に理解するようにします。

3　計画を立てて、問題を解いていく

　次に、何をどれくらいの期間で行うかの目標を立てます。目標スコアまであとわずかという人は、本書の問題を解いて、間違えたところを復習するだけで十分かもしれませんが、まだまだという人は、ただ問題を解くだけでは伸びません。語彙が足りない人は、語彙を増やすよう努めましょう。4つの分野すべてをまんべんなく学習するのが理想的ですが、時間がなければ、苦手な分野を克服する、得意な分野を伸ばすなど、自分に合った方針を検討しましょう。

4　最後に、仕上げとして問題を解く

　ひととおり対策が済んで、受験できる実力がついたと思ったら、最後の仕上げとして本書の3回目の問題を解いてみましょう。その際、できる限りまとまった時間を取って、本番の試験のように続けて解くようにしましょう。

　次のページからは、IELTS攻略法として、学習のコツや普段の学習法などを説明しています。自信があるところは読み飛ばしても構いません。苦手な分野がある人は、ぜひ一度目を通してから問題を解くとよいでしょう。

| IELTS攻略法 | リスニングテスト編 |

① テストの概要

| 1 | テストの流れ |

セクション	時間	問題数・配点	話者の人数と内容	流れ
セクション1	6-8分	10問 各1点	2人：日常・社会的な内容 友人同士の会話、電話による問い合わせ、店員との会話など	①例題 ②プレヴュー(20-30秒) ③英文(前半の問題) ④プレヴュー(20-30秒) ⑤英文(後半の問題) ⑥解答の確認(30秒)
セクション2	6-8分	10問 各1点	1人または2人： 日常・社会的な内容 ラジオ放送、旅行ガイドの説明、録音されたメッセージなど	①プレヴュー(20-30秒) ②英文(前半の問題) ③プレヴュー(20-30秒) ④英文(後半の問題) ⑤解答の確認(30秒)
セクション3	6-8分	10問 各1点	2人以上：学術的・教育的な内容 学生同士のディスカッション、個別指導など	①プレヴュー(20-30秒) ②英文(前半の問題) ③プレヴュー(20-30秒) ④英文(後半の問題) ⑤解答の確認(30秒)
セクション4	6-8分	10問 各1点	1人：学術的・教育的な内容 講師による講義、講演など	①プレヴュー(40-50秒) ②英文(10問) ③解答の確認(30秒)
転記	10分		解答を解答用紙に書き写す	

・ナレーションは、イギリス英語だけでなくアメリカ、オーストラリア、ニュージーランドなどさまざまな種類の英語が流れます。
・音声はすべて1度しか放送されません。
・英文が放送される前に、質問を先読みするプレヴューの時間が与えられます。
・質問は、放送で流れる順番で出題されます。

2 解答のルール

以下のようなルールがあります。減点になるものにはよく注意しましょう。

✗ 減点対象になるもの
- つづりのミス
- 文法ミス
  単数か複数かなど
- 指定された語数を守らない
  ハイフンでつないだ語は1語とする
- 字が読みにくい

○ 減点対象にならないもの
- 大文字・小文字
- 句読点など
  pmかp.m.か、onlineかon-lineかなど
- イギリス英語・アメリカ英語
  centreかcenterかなど
- 算用数字かつづりか
  200かtwo hundredかなど

3 問題形式

以下のような問題形式をいくつか組み合わせて出題されます。

1 用紙完成問題（Form Completion）

(例) Complete the form below.
Write **ONE WORD ONLY** for each answer.
（次の用紙を完成させなさい。それぞれ1語で答えを書きなさい）

→用紙の空所を埋める問題です。解答に使用できる語数や数字の数が指示されます（下記2参照）。音声に出てくる語を使用して解答します。日付や時間、人名のつづりなど、細かい情報を聞き取る必要があります。

2 制限内の語数で答える問題（Short-Answer Questions）

(例) Answer the questions below.
Write **NO MORE THAN TWO WORDS AND/OR A NUMBER** for each answer.
（次の質問に答えなさい。それぞれ2語以内か数字1つ、あるいはその両方で答えを書きなさい）

→音声に出てくる語（文字や数字）を使用して答える問題で、解答に使用できる語や数字の数が制限されています。1つの質問で2つか3つの解答が求められる場合もあります。

3 マッチング問題（Matching Information）

(例) Choose **THREE** answers from the box and write the correct letter, **A-D**, next to questions 1-3.
（囲みの中から3つ答えを選び、質問1-3の解答欄にA-Dのうち正しい文字を書きなさい）

→囲みの中の選択肢（A, B, Cなど）が人、場所、出来事、物などのリストになっており、その中から、各質問に対する答えを選ぶ問題です。各質問に対して1つの答えを選びます（問題よりも選択肢の数が多い場合もあります）。

4　多項選択問題（Multiple Choice）

(例) *Choose the correct letter, **A, B** or **C**.*
（A, B, Cから正しい文字を選んで書きなさい）

→問題文に対して、複数ある選択肢から最も適切なものをいくつか選ぶ問題です。質問に対する答えを選ぶものと、途中で途切れている問題文の続きを選ぶものがあります。2つ以上の答えを選ぶ場合もあるので、いくつの答えが求められているかよく確認しましょう。

5　図表完成問題（Plan, Map, Diagram Labelling）

(例) *Label the plan below.*
*Write the correct letter, **A-J**, next to questions 21-24.*
（次の図面を完成させなさい。質問21-24の解答欄にA-Jのうち正しい文字を書きなさい）

→音声に関連した図表を完成させる問題です（設備の図、建物の図面、町の地図など）。図表をよく見ながら場所や物の説明を聞き、図表と関連付けて理解するようにしましょう。

6　文完成問題（Sentence Completion）

(例) *Complete the sentences below.*
*Write **NO MORE THAN THREE WORDS** for each answer.*
（次の文を完成させなさい。それぞれ3語以内で答えを書きなさい）

→内容をまとめた文に空所があり、音声に出てくる語句を使用してその空所を埋める問題です。指示文に語数制限の指定がある（上記2）ので注意しましょう。完成した文は文法的に正しくなければならないので、品詞などが正しいかよく確認しましょう。

7　メモ・表・フローチャート・要約完成問題（Notes, Table, Flow-Chart, Summary Completion）

(例) *Complete the summary below.*
*Write **NO MORE THAN TWO WORDS** for each answer.*
（次の要約を完成させなさい。それぞれ2語以内で答えを書きなさい）

→音声の一部または全部を要約したものの空所を埋める問題です。メモ（notes）、表（table）、フローチャート（flow-chart）、要約（summary）があります。要約は上記6同様、文の形で書かれており、答えはその文に文法的に合わなければならないので、注意しましょう。解答はリストから選択するか、空所に合う語を音声から特定します。

② 解答のコツ

1　問題を先読みして聞き取るべきポイントを押さえる

　問題を先読みする「プレヴュー」の時間では、①何が問われ、②何を書けばよいのか、を確認しましょう。漠然と問題に目を通すだけではだめです。先読みの「質と量」が問題です。

　「質」の基本中の基本は、問題のキーワードに印をつけていくことです。問題用紙への書き込みを禁止している英語検定試験もありますが、IELTSでは書き込みは自由です。この時間をどれだけ有効に使うかが最終的な得点を大きく左右します。

　「量」というのは、できるだけ先の方まで目を通すことです。通常セクション１の情報量は少なめですので、セクション１が始まる前に、セクション２にも可能な限り先読みを進めておくわけです。いわば「先読みの貯金」です。同様に常に１つ先のセクション分まで先読みをしておくことによって、情報量の多いセクション３・４での負担を軽減しましょう。

2　空所の前後にあるキーワードに注目

　空所補充問題の場合には空所の前後、表完成問題の場合には空所の上下左右の項目に解答のヒントとなるキーワードがあります。これらは「間もなく答えが述べられますよ」という合図の役割を果たします。ただしこのキーワードは、リスニング音声中の単語を言い換えたものであることが多いので、問題用紙に書かれているのと同じ単語が聞こえてくるのを待ち構えていると解答を聞き逃してしまいます。先読みの段階で、キーワードに印をつけながら同義語が頭の中にひらめく（例：difficult→not easy）ようにしていきましょう。

3　空所に入るべき単語の種類を確認

　空所に入る語の品詞は、事前に把握しておかなくてはいけません。例えばNationality（国籍）という項目にはAustraliaのような名詞ではなく、Australianのような形容詞が入ります。また、空所補充問題で最も多いのが、名詞の単数・複数の間違いです。表やメモのように項目になっている場合、単数形の冠詞は書かなくても構いませんが、複数形の -s は聞こえた通りに書かなければなりません。一方、文の一部が空所になっている場合には、完全な文として成立する形にしなければならないので、可算名詞の単数形には適切な冠詞、複数形には -s が必要です。

4　聞こえた単語に飛びつかないよう注意

　多項選択問題においては、基本的に、放送文でまったく言及されない情報だけの選択肢はありません。ですから、選択肢の中にある単語が聞こえてきただけでその選択肢に飛びついてはいけません。むしろ、リスニング音声と完全に同じ単語が含まれている選択肢は引っかけであることが多く、逆に、正解の選択肢は言い換えによってリスニング音声とは別の表現になっていることがよくあります。従って、言い換えを見つけることができたなら、その選択肢は正解である可能性が高いと言えます。

5　リスニング中は完璧な答えを書く必要はない

　リスニングテストでは、放送終了後に10分間の解答転記時間があります。解答用紙への記入はこの時間に行うようになっているので、リスニングの最中に問題冊子に完璧な答えを書こうとするのは百害あって一利なしです。つづりが思い出せないときは、ひとまず曖昧なつづりやカタカナでも構いませんから、とりあえず書いておきましょう。答えに自信がない問題があっても、そこで悩んでいると次の問題の答えを聞き逃してしまうので、単語の最初の2〜3文字くらいだけを急いでメモしましょう。

6　聞き逃しても、気持ちを切り替える

　IELTSのリスニングテストで何としても避けたい最悪の事態は、1問逃したことが尾を引いて「連敗」を続けることです。満点を狙っているのでなければ、1問聞き逃してしまったからといって大きな影響はありません。過ぎ去った問題で一喜一憂せずに、今目の前で起こっている問題に集中して最善を尽くしましょう。

　「連敗」を引き起こすもう一つのパターンは、今何番の話をしているのかわからなくなり、「迷子」になってしまうことです。この状態が最も起きやすいのは、セクション4です。最も難易度の高いセクションだからというだけでなく、問題と問題の間に、解答に直結しない話が比較的長く続くことがあるためです。この場合、自分が1問聞き逃してしまったのか、それとも単にまだ述べられていないだけなのかを判断する必要があります。

7　10分の解答転記時間を最大限に生かす

　10分の解答転記時間は、1問当たり15秒ということになり、確認の時間を含めると短いものです。悩んだ問題も含めてまず40問すべての解答をいったん記入し、その後で、つづりの間違いや複数の -sの書き忘れなどのケアレスミスがないかを必ず確認しましょう。たった1問の差がバンドスコア0.5の差につながる場合があるのです。悩んだ問題を再度考えるのは、あくまで確認の後で時間があればにしましょう。音声を再び聞くことはできませんから、次のリーディングに向けて気持ちを切り替えることの方が重要です。

8　間違えるリスクの少ない表記で書く

　解答の際、つづりを間違えてしまうと、せっかく聞き取れているにもかかわらず不正解になってしまいます。間違えやすいのは、曜日ではWednesday、月ではFebruaryです。完全な形で書いても構いませんが、少なくとも自信のないものに関しては3文字の略語で書きましょう。曜日・月の略語は採点基準として認められていますし、わずかですが時間の節約にもなります。日付は -st, -nd, -thを付けず、数字だけで構いません。1th(正しくは1st)、2th(正しくは2nd)のような間違いをしてしまう人がいますが、数字だけを書けば避けられるミスです。日付以外の数字に関しても、桁数の多いmillion(出題されたことはありますがまれです)以外は算用数字を書きましょう。ミスが避けられますし、より速く書けるはずです。

③ 普段の学習法

1 精聴

　まず受験者が肝に銘じておかなければならないのは、IELTSのリスニングテストは正確な聴解を試すものだ、ということです。「細かいところはわからないけれど、大枠はなんとなくわかった」では正解できません。それに加えて、正しく書き取れないと正解にならない問題があります。IELTS対策としてのリスニング学習の基本は、正確な聞き取り・書き取り能力を養うもの（精聴）でなければなりません。

　そのための最善の方法は、ディクテーション（書き取り）です。1文またはひとかたまりの語句の単位でリピートできる機器かアプリを使って、①1回聞いて書く→②もう1回聞いて抜けている部分を書く→③どうしてもわからなければスクリプトを見て確認→④自分でもできるだけそっくりに発音、というプロセスで練習しましょう。ディクテーションには時間がかかるでしょうから、1日30分や1時間、と時間を決めて、日々の基礎トレーニングとして行うことをお勧めします。IELTSはテスト自体にディクテーションの問題があるわけですから、その練習を怠ってはテスト対策になりません。

2 多聴

　精聴がリスニングの「質」を高めるトレーニングであるのに対して、多聴は、「量」を増やすことによって耳や脳を英語モードに慣れさせるトレーニングです。素材はインターネット上にあふれていますが、IELTS対策としては以下のような条件を満たすものが望ましいと言えます。

できる限りイギリス英語またはオーストラリア英語のもの

　IELTSのリスニングテストに登場するナレーターのほとんどは、イギリス英語またはオーストラリア英語を話します。北米の英語の場合もありますが、頻度は圧倒的に低いと言えます。今までの英語学習がアメリカ英語中心だった人は、「食わず嫌い」をやめて、IELTS対策のためにイギリス英語・オーストラリア英語という別の流派に挑戦してみましょう。文字通り英語の地平線が広がり、IELTS受験が終わった後もずっと役に立ち続けること間違いなしです。

現在の英語力でおおむね理解できるもの

　わからないものを我慢して聞き続けても、楽しくないだけでなく力もつきません。精聴が現在の力よりも上のものを苦労して聞き取るトレーニングなのに対して、多聴は、（聴解の点で）おおよそ現在の力と同等かそれ以下のものを楽しみながら聞いて英語に慣れるためのトレーニングです。その意味では、やはりネイティブスピーカー向けのものよりは学習者用の素材の方がお勧めです。英語教材はインターネット上にあふれていますから、自分に合ったものを見つけられるといいのですが、迷ったらBBC Learning Englishというサイトの6 Minute Englishがいいでしょう。IELTS受験者にとって適度なレベルで、トピックも興味深くバラエティーに富んでいます。もちろんスクリプトがあるだけでなく、語彙のまとめもあります。

| IELTS 攻略法 | # リーディングテスト編 |

① テストの概要

1 テストの流れ

パッセージ	時間	問題数・配点	内容
パッセージ1	20分 (目安)	13問 各1点	
パッセージ2	20分 (目安)	13問 各1点	いずれも本、雑誌、新聞から引用されたパッセージ。一般の読者を想定しており、専門知識を問うものではない。
パッセージ3	20分 (目安)	14問 各1点	

2 解答のルール

以下のようなルールがあります。減点になるものにはよく注意しましょう。

✗ 減点対象になるもの
- つづりのミス
- 文法ミス
  単数か複数かなど
- 指定された語数を守らない
  ハイフンでつないだ語は1語とする
- 字が読みにくい

○ 減点対象にならないもの
- 大文字・小文字
- 句読点など
  pmかp.m.か、onlineかon-lineかなど
- イギリス英語・アメリカ英語
  centreかcenterかなど
- 算用数字かつづりか
  200かtwo hundredかなど

3　問題形式

以下のような問題形式をいくつか組み合わせて出題されます。

1　制限内の語数で答える問題（Short-Answer Questions）

(例) *Answer the questions below.*
*Choose **ONE WORD ONLY** from the passage for each answer.*
（次の質問に答えなさい。それぞれパッセージから1語を選んで書きなさい）

→パッセージに出てくる語（文字や数字）を使用して答える問題で、解答に使用できる語や数字の数が制限されています。

2　情報を特定する問題（Identifying Information）

(例) *Do the following statements agree with the information given in Reading Passage 1?*
In boxes 31-33 on your answer sheet, write

TRUE　　　　if the statement agrees with the information
FALSE　　　if the statement contradicts the information
NOT GIVEN　if there is no information on this

（次の記述はリーディング・パッセージ1で与えられている情報と合致するか。解答用紙の解答欄31-33に、記述が情報と合致するならTRUE、記述が情報と矛盾するならFALSE、これに関する情報がないならNOT GIVEN、と書きなさい）

→問題文がパッセージの内容に合致するか否かを答える問題です。TRUEかFALSE、あるいはパッセージからは判断できない場合はNOT GIVEN、という3つのいずれかを書きます。TRUE, FALSE, NOT GIVENについても、つづりが誤っていると不正解と見なされるので注意しましょう。

3　文完成問題（Sentence Completion）

(例) *Complete the sentences below.*
*Choose **NO MORE THAN TWO WORDS** from the passage for each answer.*
（下の文を完成させなさい。それぞれパッセージから2語以内を選んで書きなさい）

→パッセージに関する文の空所を、パッセージに出てくる語句を使用して埋める問題です。完成した文は文法的に正しくなければならないので、品詞などに注意しましょう。

4　メモ・表・フローチャート完成問題（Notes, Table, Flow-Chart Completion）

(例) *Complete the table below.*
*Choose **NO MORE THAN TWO WORDS** from the passage for each answer.*
（次の表を完成させなさい。それぞれパッセージから2語以内を選んで書きなさい）

→メモ、表、フローチャートの空所を、パッセージから抜き出した語句を使って埋める問題です。解答に使用できる語や数字の数が指示されますが、選択肢のリストから答えを選ぶ場合もあります。

5　図表完成問題（Diagram Label Completion）

(例) *Label the diagram below.*
*Choose **NO MORE THAN TWO WORDS** from the passage for each answer.*
（下の図表を完成させなさい。それぞれパッセージから2語以内を選んで書きなさい）

→パッセージに関連した図表を、パッセージから抜き出した語句で完成させる問題です。解答に使用できる語や数字の数が指示されます。

6　特徴マッチング問題（Matching Features）

例 *Classify the following statements as referring to*

A *a census*
B *a sample survey*
C *administrative data*

（以下の記述が次のどれを指しているか分類しなさい。A　国勢調査、B　標本調査、C　行政データ）

→パッセージの内容について書かれた文に合致する選択肢を選ぶ問題です。使わない選択肢や複数回使う選択肢もあるので、指示文を注意深く読みましょう。

7　情報マッチング問題（Matching Information）

例 *Reading Passage 1 has seven paragraphs, **A-G**.*
Which paragraph contains the following information?
*Write the correct letter, **A-G**, in boxes 1-5 on your answer sheet.*

（リーディング・パッセージ1にはAからGまで7つの段落がある。どの段落が以下の情報を含んでいるか。A-Gから正しい文字を選んで解答用紙の解答欄1-5に書きなさい）

→パッセージにおいて、ある機能（定義、理由、比較、説明、例など）を果たしているのがどの段落であるかなどを答える問題です。段落などを全部使わないことや、1つに対して2つ以上の情報があることもあります。

8　多項選択問題（Multiple Choice）

例 *Choose **TWO** letters, **A-E**.*

（A-Eから2つの文字を選んで書きなさい）

→問題文に対して、複数ある選択肢から最も適切なものをいくつか選ぶ問題です。

9　文末マッチング問題（Matching Sentence Endings）

例 *Choose the correct letter, **A, B, C** or **D**.*
Write the correct letter in boxes 14-17 on your answer sheet.

（A, B, C, Dから正しい文字を選んで書きなさい。正しい文字を解答用紙の解答欄14-17に書きなさい）

→パッセージの主旨について書かれた文の前半が与えられ、文を完成させるために選択肢から最適なものを選ぶ問題です。質問よりも多くの選択肢が与えられます。

10　見出しマッチング問題（Matching Headings）

例 *Reading Passage 3 has five paragraphs, **A-E**.*
*Choose the correct heading for paragraphs **A-E** from the list of headings below.*

（リーディング・パッセージ3にはA-Eの5つの段落がある。段落A-Eに対する正しい見出しを下の見出しリストから選んで書きなさい）

→各段落などに対して、主旨やテーマを表す見出しをリスト（i, ii, iiiなど）から選ぶ問題です。必要数以上の見出しが選択肢にあるので、すべての見出しを使用することはありません。それぞれの見出しは1度だけ使用できます。

11 筆者の見解/主張を特定する問題（Identifying Writer's Views/Claims）

例 *Do the following statements agree with the views of the writer in Reading Passage 3?*
In boxes 32-37 on your answer sheet, write

YES　　　　　*if the statement agrees with the views of the writer*
NO　　　　　*if the statement contradicts the views of the writer*
NOT GIVEN　*if it is impossible to say what the writer thinks about this*

（下の記述はリーディング・パッセージ3での筆者の見解と合致するか。解答用紙の解答欄32-37に、記述が筆者の見解と合致するならYES、記述が筆者の見解と矛盾するならNO、この点に関して筆者がどう考えているか判断できなければNOT GIVEN、と書きなさい）

→問題文が、パッセージで述べられている筆者の見解や主張と合致するか否かを答える問題です。YES, NO, NOT GIVENのいずれかで答えを記入します。

12 要約完成問題（Summary Completion）

例 *Complete the summary below.*
*Choose **NO MORE THAN THREE WORDS** from the passage for each answer.*

（次の要約を完成させなさい。それぞれ本文から3語以内を選びなさい）

→パッセージについて書かれた要約文の空所を埋める問題で、解答はパッセージの語句を使用する（語数制限を確認します）か、リストから選びます。

② 解答のコツ

1　読み始める前にキーワードに印をつける

　問われていることがわかって答えを探しながら読むのと、何が問われているのかわからずに読むのとでは、天と地ほどの差があります。しかもIELTSのパッセージは短くても700語程度、長いものは1,000語を超えます。パッセージを全文読んだ後で問題を見たのでは、細かい内容は忘れているでしょうから、正しく答えることは困難です。パッセージを読み始める前に必ず問題に目を通して、①問題のタイプ、②解答方法（何を書くのか、同じ記号を複数回選ぶことがあり得るかなど）、③各問題のキーワード、を2分を目安に確認し、キーワードには印をつけましょう。

2　問題を分類する

　IELTSのリーディングの問題は、ほとんどが①段落に関する問題、②特定の箇所に関する問題の2種類に分類されます。（パッセージ全体の主題・タイトル・結論に関する問題もありますが、40問中の1問から2問です。）後者の特定箇所問題は、問題のキーワードを探して、本文でそれに対応する箇所を読むことで解答できますから、限られた時間でも何とかできる問題です。しかもこれらは、パッセージで述べられている順番と出題順が基本的に同一ですから、情報検索すべき範囲をかなり限定することが可能です。時間が少なくなっても、無解答のまま終わることのないようにしましょう。

3　特定箇所問題はキーワードの順、段落問題は解きやすいものから

　特定箇所問題では、キーワードに対応する箇所を探しながらパッセージを読み始めます。問題は必ずしも問題順に解答していくわけではなく、該当する箇所が見つかった順番に解答していきましょう。段落に関係する問題は、序盤の段落が難しければ無理に答えを決めないようにしましょう。最初の方で間違った選択肢を使ってしまうと、他の問題にも重大な悪影響が出てしまうので、段落に関係する問題は、答えやすいものから答え、徐々に選択肢を狭めていくのが基本です。

4　目標バンドスコアと現在の実力に合った時間配分を

　問題作成者は3つのパッセージを「やや易しい→標準→やや難しい」という構成にすることによって、幅広いレベルの受験者の英語力を正確に測定しようとしています。やや難しい問題に解答するのに時間がかかるのは当然ですから、3パッセージ目に十分な時間を残しておくのが理想です。特にリーディングでバンドスコア7.0以上を目標としている方は、最終的には「15分＋20分＋25分」に近い時間配分にしていきましょう。一方、リーディングのバンドスコア6.0を目標としている方や読むのに時間がかかる方は、パッセージ1と2に時間をかけて正答率を上げ、パッセージ3に関しては特定の箇所に関係する問題だけに集中し、短時間で解きやすい問題だけを正解することを狙うという方法もあります。

5 固有名詞や数詞などのヒントを活用

　問題のキーワードを見つける際の最大のヒントは、固有名詞や数詞のように言い換え不可能なものです。(例外として数詞で唯一注意を要するのは、1950やthe 1950sのような年または年代のthe mid-twentieth centuryのような世紀への言い換えです。)次に重要なキーワード候補は、例えばTV/televisionのように、固有名詞ではないけれども言い換えが難しいものです。(ちなみにTV/televisionの場合は、言い換えの可能性が最も高い表現はmass mediaです。)

6 キーワードの言い換えに注意

　キーワードを正しく選定できても、本文でその単語そのものを探してしまうと、見つからずに時間を浪費したり、出題者の用意したわなに引っかかったりしてしまいます。固有名詞や数詞以外は、ほとんど常に言い換えられていると思っていた方がいいでしょう。問題作成者は、この言い換えの程度によって問題の難易度を調整するのです。1語の言い換え、数語単位の表現の言い換え、パッセージ中の複数のセンテンスから成る部分からまったく別の表現への言い換えまで、いくつかのパターンがあります。キーワードに印をつけていく際には、同時にその同義語を考えるのが理想です。

7 トピックセンテンスを意識しながら読む

　英語の段落構成の大原則は「1段落1トピック」で、トピックは通常、段落の最初の文で示すのが決まり事です。従って、段落に関する問題でまず注目すべきなのは、段落の冒頭です。ただし、2文目が逆接表現(Butなど)を含む文の場合は、その文がトピックセンテンス、もしくは第1文と第2文のセットでトピックを提示している可能性が高いので、要注意です。

　しかし、段落に関係する問題のすべてを、最初の文または第2文だけで正解できるわけではありません。次に注目すべきなのは、段落の最後の文です。ここに「1段落1トピック」のまとめとなる文が配置されていることがあるからです。これでも答えを出しにくい場合には、第3の出題パターン「段落中に散りばめられている情報をまとめる」を考えることになります。例えば、さまざまな数字の引用によってある事柄を説明していて、正解の選択肢がThe figures... となっているような場合がこれに当てはまります。

8 すべての単語を理解する必要はない

　バンドスコア9.0を取れる人でも、パッセージ中のすべての単語を知っているわけではありません。学問分野やトピック特有の専門用語が出てくることもありますが、これらは「Xが原因でYが生じた」のように記号として理解していけばよいのです。例えば日本語でも、「粥腫ができて血管の中が狭くなり」という文で、「粥腫(じゅくしゅ)」が読めなくても大体の意味はわかるのと同じです。ただしこれは、「単語は重要ではない」という意味ではありません。一般的な語彙に関しては、ほとんど常に言い換えられたものが正解になりますので、日常の学習においては常に同義語を意識することが必要です。

③ 普段の学習法

1　単語学習

　リーディングで単語学習が重要なのは当然ですが、今まで「英単語＝日本語の意味」という形で単語を覚えてきた方は、今後IELTS対策としては「英単語＝同義語」という学習方法に切り替える必要があります。IELTSでは、日本語訳がわかっても英語での言い換えがわからなければ正解できないからです。普段、電子辞書を使用する際には、英和辞書を引いた後でジャンプ機能を使って英英辞書での定義を読んでみるとよいでしょう。また、単語集では『実践IELTS英単語3500』（旺文社）のように、日本語の意味だけでなく同義語が載っているものを活用し、セットで覚えていきましょう。

2　精読

　本書などの問題集のパッセージを使い、意味が取れない部分がないようにしていきましょう。意味を取りづらい部分があれば、それこそが読解力をつけるための最高の教材です。決してわからないままにせず、知らない単語を調べて覚え、和訳や解説を読み、それでもわからなければ英語の先生などに質問してみましょう。地道な作業ですが、このようにして「×（わからない）を○（わかる）にしていく」ことが読解力をつけるための王道です。

3　多読

　英語の長文を読むこと自体に慣れていない方は、英文読解に対する抵抗感を減らす必要があります。上記の精読は絶対に必要ですが、逆にそれだけでは修行のようで楽しくないのも事実でしょう。そこで精読を補完する役割を果たすのが多読です。ペンギン・リーダーズなどの学習者用にレベル分けされたリーディング教材の中から、自分の英語レベルと興味に合ったものを選び、内容を楽しみながら読むことによって、長文読解に慣れ親しみ、「英語脳」を作っていく学習方法です。ただし、IELTS対策には多読だけでは不十分ですから、他の3つの学習方法と並行して行ってください。

4　実践形式演習

　試験対策ですから、最終的には実践形式演習が欠かせません。学習初期の段階では、1パッセージ20分（パッセージ3は25分）を目標に、1パッセージごとに解いて学習するとよいでしょう。受験が迫ってきたら、3パッセージ40問を60分で解答する練習をしましょう。いずれの場合も、テキストに直接書き込むのではなく、できればコピーを取るか2冊買うかして、必ず後でもう一度解いてみましょう。2度とも間違えてしまった問題があれば、それが自分の弱点だとはっきりします。間違えた原因がどこにあるのか（語彙・キーワード選定の間違い・構文理解・時間配分など）を究明して対処することで、得点力がついていきます。

| IELTS攻略法 | # ライティングテスト編 |

① テストの概要

1 テストの流れ

タスク	時間	解答の語数	内容
タスク1	20分（目安）	150語以上	グラフや図表などの視覚的な情報が与えられ、それを文字で説明します。 ・自分の意見や感想を述べるのではなく、グラフや図表を見ていない人にそのイメージを伝えることが重要です。 ・与えられた情報のすべてを説明するのではなく、重要な情報を選択し、体系立てて説明することが求められます。
タスク2	40分（目安）	250語以上	与えられたトピックについて、自分の意見や考えを述べることが求められます。 ・トピックを正しく理解し、英文エッセイの構成を使いながら、論理的に意見をまとめます。 ・あるトピックのメリットとデメリットを論じる、ある主張に対して賛成か反対かを論じる、あるテーマの原因と解決策を論じるなどが、タスク2で頻繁に扱われる問題のスタイルです。

・タスク1とタスク2はそれぞれ、次のページの4つの基準に基づいて採点されます。これらの基準はいずれも、1から9まで0.5点刻みで採点され、その平均が最終スコアとなります。それぞれの評価基準の比重は4分の1ずつです。

例えば、タスク1で〈タスクの達成〉が6.0、〈論理的一貫性とまとまり〉が7.0、〈語彙の豊富さと適切さ〉が7.0、〈文法の幅広さと正確さ〉が6.0の場合、タスク1の最終バンドスコアは(6.0＋7.0＋7.0＋6.0)÷4＝6.5となります。

※これらの計算方法は旺文社独自の調査に基づいたものです。

2　評価基準

1　Task Achievement〈タスクの達成〉（タスク1）
　　Task Response〈タスクへの応答〉（タスク2）

タスクの要求をどの程度カバーできているか、タスクの内容にどの程度取り組めているかが問われます。タスク1であればグラフや図表の情報を正確に読み取り、的確にまとめ、説明できているか、タスク2であればトピックに関する立場を明確に示し、論理的で明確な議論ができているかがそれに当たります。

2　Coherence and Cohesion〈論理的一貫性とまとまり〉

文章の論理の一貫性とまとまりが問われます。エッセイ全体、そして各段落が論理的に一貫した構成で書かれているか、文と文をつなぐ表現がスムーズで読みやすくまとまっているかが問われます。

3　Lexical Resource〈語彙の豊富さと適切さ〉

同じ語彙の反復ではなく、豊富な語彙を使うことができているか、それが文脈上適切であるかが問われます。コロケーションを理解していることも重要です。スペルミスがないか見直すことも必要です。

4　Grammatical Range and Accuracy〈文法の幅広さと正確さ〉

幅広い文法が正確に使われているかが問われます。無理に複雑な文法を使うことが求められているのではなく、語彙と同じく、文脈上適切な形でさまざまな文法が使われていることが重要です。

3　タスク1の問題形式

出題されるグラフや図表には、以下のようにさまざまな種類があります。1種類だけの場合もあれば、2種類以上の組み合わせ（「円グラフ＋表」など）の場合もあります。

1　line graphs（折れ線グラフ）

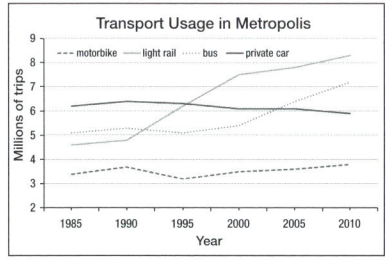

→時間的な変化や推移を表すときに用いられます。どんな傾向（上昇か下降かなど）を示しているかを理解し、特徴的な変化や増減を説明することが求められます。適切な時制を使うよう注意しましょう。

2 pie charts（円グラフ）

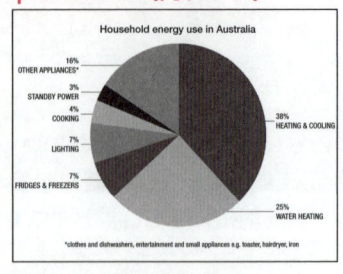

→構成比（割合）の比較が容易なのが円グラフです。それぞれのカテゴリーが占める割合を比較することが求められます。

3 bar charts（棒グラフ）

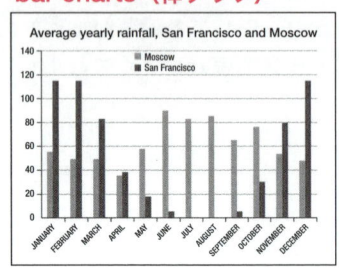

→数値の高低の差を比較しやすいのが特徴です。高低の比較に焦点を当てながら説明することが求められます。

4 tables（表）

Amount of electricity used in a typical Australian home

Number of people in the house	Electricity used: kilowatt-hours (kWh) per year
1	5,000 — 6,500
2	6,000 — 8,000
3	7,500 — 10,000
6 or more	12,000 — 16,000

→数値の時間的変化や構成を対比するもの、情報を一覧にまとめたものなど、さまざまな種類があります。行や列を確認して、変化または比較のどちらを書くべきかを考えます。

5 diagrams or maps（図解や地図）

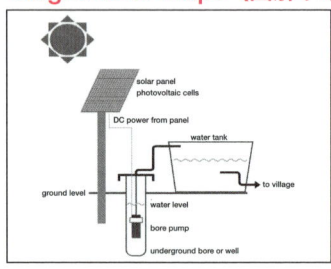

→工程を表す図や地図の変化について出題されます。図に描かれている情報は、基本的にすべて説明することが必要です。単純な流れだけでなく、位置情報や形状などについて説明を加えることで表現力を発揮しましょう。

4 タスク2の問題形式

　課題に対する自分の考えを答えるのがタスク2ですが、さまざまなパターンがあり、正確に理解していないと高いスコアを取ることができません。大きく分けると以下のようになります。それぞれを十分に理解して対策をしておきましょう。

1 　メリットとデメリットを比較する

Over the past twenty years there has been a big rise in international tourism.
What are some of the advantages and disadvantages of this growth?
（過去20年間で国際観光は大きく発展しました。この成長のメリットとデメリットにはどんなものがありますか。）

→このパターンでは、エッセイにはメリットとデメリットの両方を含める必要があります。To what extent is globalisation a positive or negative development? のようなパターンもあります。

2 　社会問題の原因とその影響について述べる

Many people now travel overseas for their holidays, rather than staying in their own countries.
What are some reasons for this change?
What problems does the rise in international tourism cause?
（今では、多くの人が休暇には自国にとどまらず海外旅行をします。この変化の理由にはどんなものがありますか。国際観光の成長はどのような問題を引き起こしますか。）

→このパターンでは、原因とその影響の両方をエッセイに含める必要があります。

3 　社会問題の原因とその解決策を述べる

Tourism is becoming increasingly popular, and this can affect some beautiful natural places.
Why does this happen? What can we do to prevent further damage?
（観光の人気はますます上昇していますが、これは美しい自然の場所に影響を与えることがあります。なぜこのようなことが起こるのですか。さらなる損害を防ぐために私たちに何ができますか。）

→このパターンでは、エッセイには問題の原因とその解決策の両方を含める必要があります。What measures could be taken to solve them? のように、measures（方策、手段）が使われることもあります。

4 　対立する2つの意見について論じ、自分の意見を述べる

Some people say that holding huge international events is a great advantage for a country, while others say that this is a costly mistake.
Discuss both these views and give your opinion.
（大規模な国際イベントの開催は国にとってとても有益なことだと言う人もいますが、大きな損害を出す過ちだと言う人もいます。この両方の見解について論じ、あなたの意見を述べなさい。）

→このパターンでは、対立する2つの意見についてエッセイで論じた上で、自分の意見も述べる必要があります。What is your opinion about these two views? などと聞かれる場合もあります。

5 　ある主張に賛成か反対かを述べる

It is often said that exams are a poor way of evaluating students' ability, and that they cause a great deal of unnecessary stress.
To what extent do you agree or disagree with this opinion?
（試験は生徒の能力を評価する方法としては不十分で、多量の不要なストレスを引き起こすとよく言われます。あなたはどの程度この意見に賛成ですか、または反対ですか。）

→このパターンでは、どの程度賛成か反対かを述べ、その根拠や理由を示す必要があります。

② ライティングの基礎知識

英文ライティングには基本的なルールがあり、それに沿って書けているかどうかが重要な評価基準になります。どれほど妥当な内容であっても、書き方がルールに沿っていなければ高いスコアを取ることはできません。正しく理解しておきましょう。

1 解答の構成

1 Introduction

まず、Introductionの段落を1つ作ります。解答の導入であり、主張を述べる部分でもあります。まずは課題を一言でまとめ、次いで解答の要点を述べます。タスク1であればグラフや図表が表す内容を、タスク2であれば課題に対する自分の主張を書きます。

2 Body

次に、Introductionで述べたことを具体的に掘り下げていく部分であるBodyを複数書きます。数は決まっていませんが、タスク1は2つか3つ、タスク2は3つ程度が妥当でしょう。タスク1では、グラフや図表が表す情報をいくつかのグループに分けて書いていきます。タスク2でも同様に、主張したいことをいくつかに分けて書きます。例えば、あることのメリットとデメリットを比較するのであれば、まずメリットを1段落で書き、次の段落でデメリットを、最後にどちらが上回るかを書く、といった構成が考えられます。

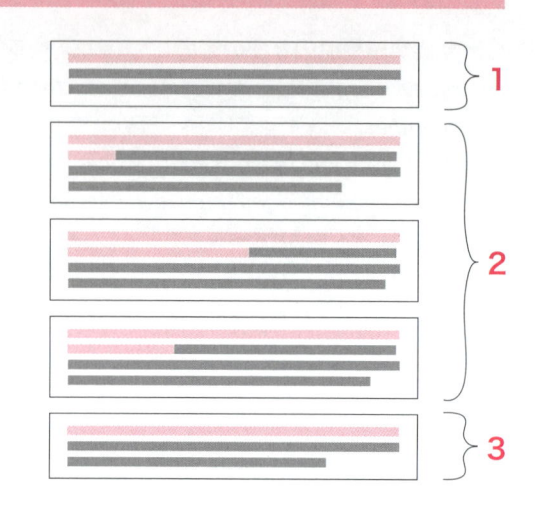

3 Conclusion

最後の1段落で結論を述べます。結論は必須ではなく、特にタスク1では省略されることが少なくありません。Bodyで説明した詳細を踏まえて、Introductionで述べた結論をもう一度述べますが、Introductionと同じ表現は避け、異なる語彙や表現を使って書くようにしましょう。

2 段落内の構成

段落で言いたい内容は1つに絞り、それを段落の最初の1文で述べるのが基本です。その文を「トピックセンテンス」と言います（上の図の色で示した部分）。最初の文ではない場合も、明確にわかりやすいトピックセンテンスがない場合もあります（特にタスク1）が、特にタスク2では、トピックセンテンスを意識して書くと論理の展開がわかりやすい文章を書くことができます。

最初に言いたいことを述べるので、続く文はそれをより具体的に説明する文ということにな

ります。具体例を順に挙げていったり、あるいは抽象的な文→より詳しい説明→具体例のように、具体性の度合いを1つずつ上げていったりして説明していきます。

3 よくあるミス

1つの段落で言うことは1つだけ！

　各段落は、あくまで「言いたいこと（トピックセンテンス）1つとその説明」だけで終わっていなければなりません。慣れないうちは、これがなかなかできません。書いているうちに話が逸れて、段落の最後にはトピックセンテンスと関係のない話になっていたり、最終的には筋が通っているものの、途中で関係のない話題が書かれていたり、ということがよくあります。これを避けるためには、事前にきちんと計画を立ててから書くことが重要です。

「論理的な流れ」ができているか確認を！

　論理的な文章を書くのに慣れていない人にありがちなのは、論理を適切に展開させられないことです。英文のライティングでは、1つ1つ丁寧に論理を展開させていくことが求められます。トピックセンテンスを具体的に発展させたつもりが、よく読むと同じ内容をただ言い換えただけだったり、書き手の頭の中だけでわかる論理のつながりによって展開が飛躍していて、客観的に読むと関係のない話になっていたり、といったことがよくあります。普段から解答例をよく読んで、自分とは考え方や知識が異なる相手にも伝わる書き方を意識するようにしましょう。

避けた方がよい表現は使わない！

　英語のエッセイには、通常避けられる表現があります。まず、I think ... などの表現は、使用しないのが原則です。自分の意見を表すのに使わないのは不思議に思えるかもしれませんが、自分の意見が客観的に見て妥当であることを主張するよう求められているのですから、I think ... は自分の考えでしかないことをことさらに強調することになり、適切ではありません。一人称のIを多用したり、個人的な感情を表現したりすることも不適切です。また、同様に、and so onやetc. などの表現は曖昧で妥当性を弱めるように聞こえるので、避けた方がよいでしょう。さらに、don'tやhe'sなどの短縮形はカジュアルな表現なので、do notやhe is / he hasと分けて書くようにしましょう。

③ 解答のコツ

1　計画は入念に立てる

　すでに述べたことの繰り返しになりますが、出題内容を読んでいきなり書き始めてはいけません。よほど慣れているのでなければ、確実に失敗するでしょう。なんとなく課題に答えた形になっていればよいのではなく、各段落で言いたいことが明確で、論理が外れずに明瞭に展開されていなければなりません。解答の要点は何なのか、その具体的な説明として、各段落に何を書き、それにどのような説明や例をつけるのか。できるだけ具体的に考えてから書き始めましょう。

2　大切なのは、書きやすく、論理的であること

　受験者にありがちな失敗として、「自分の正直な意見を書きたくなってしまうこと」があります。しかし、正直な気持ちかどうかを試験官は気にしていませんし、それを知ることもできません。賛否両論のあるトピックに対しては、複雑な意見を持っている人も多いでしょう。しかし、それを正確に書くだけの英語力が身についているかどうか、よく考えてみてください。試験では、自分の複雑な意見を簡素化したり、あるいはどうしても書きにくければ、自分の気持ちとまったく異なる意見を書いたりしても構わないのです。自分が英語で書きやすい意見を選びましょう。また、「面白い考え」や「人と違う考え」を書く必要もありません。

3　同じことをできるだけ別の表現で書く

　英語では、同じ語や表現の反復を避けることが好まれます。すでに述べたとおり、〈語彙の豊富さと適切さ〉が評価基準に含まれていますので、同じ語を繰り返したり、goodやbadのような単純な語彙しか使わなかったりすると、どうしても高いスコアは取れなくなってしまいます。対策としては、解答例を見て自分で使えそうな語彙をピックアップし、まねをして使ってみることが重要です。また、自分が書いた解答を読み返して、何度も使ってしまう語があれば、類語辞典（シソーラス）、英和辞典、単語集などを調べて、類語を確認しましょう。特によく使う語だけでも類語をリストアップして使えるようにしておくと、スコアに大きな違いが生まれます。

4　書いた分量がわかるようにする

　規定の語数があるので、何語書いたかわからなければ、落ち着いて解答することができません。かといって、少し書き進めるたびに1語ずつ数えていたら、時間を浪費してしまいます。よい方法は、普段から1行10語などと決めておくことです。そうすることで、何行書けば最低限の語数を満たせるかが簡単にわかるようになります。また、実際に書く練習を何度もしていると、自分が書いたものが十分な語数に達しているかどうか、ある程度は感覚でわかるようになります。

| 5 | まとまりで消去する場合は、消しゴムを使わない |

　入念な準備をして書き始めたとしても、ときには大きく書き直したくなることもあるでしょう。単語や語句でなく、文をまとまりで消したい場合は、消しゴムを使わずに取り消し線を引けば、その文は消去されたものと見なされます。また、途中に文を挿入したい場合は、解答用紙の下の方などに書いた文のまとまりをはっきりと囲って、矢印などで挿入箇所を明示すれば問題ありません。特にライティングでは時間をいかに効率よく使うかがポイントの1つなので、消しゴムで消す時間も節約したいものです。

| 6 | ケアレスミスを減らす |

　どれほどよい内容の解答が書けていても、ささいな文法のミスがいくつもあれば、それだけ低い点になってしまいます。試験では、できるだけ最後に何分かは残すようにして、三人称単数現在のsや冠詞の書き忘れ、主語と動詞の不一致、動詞の時制の誤りなどの単純なミスがないか、よく見直すようにしましょう。また、急いで書いたためにaとuが判別できなかったり、単純なつづりの誤りなどで読めないと判断されたりしても減点につながるので、丁寧に書きましょう。

④ 普段の学習法

| 1 | まずは何でもよいので書く |

　英語で書くことに慣れている人は、どんどん問題を解いて、そこで使われている表現をできるだけ覚えて自分のものにするようにすれば、おのずと力がついていくでしょう。しかし、書こうと思っても何をどのように書けばいいかわからないという人は、まずは何でもよいので、英語で文を書くことに慣れましょう。日記をつけることでも、友人にメールを書いたりメッセージを送ったりすることでも、何でも構わないので、英語でものを書くということを始めます。

　そして、徐々に使える表現を増やしましょう。本書の解答例や、付属の小冊子「WSサポートブック」にあるような定型的な表現を覚えて、使えるようにすることが重要です。使ったことのない語彙や表現も、繰り返し使って問題を解いていけば、少しずつ身についてきます。書こうと思ってもまったく書くことができない状態で、ただ問題を読んで模範解答を見て終わり、ではいつまでたっても英文を書けるようにはなりません。

| 2 | 普段から社会的なテーマについて考える習慣をつける |

　タスク2では、日本語で書こうと思っても簡単ではないような時事問題や社会問題がトピックとして出題されます。プランを立てる段階にかける時間を少しでも減らすためには、日本語でも構わないので、普段から社会的なテーマについて考えておくことが必要です。その際、自分の考えを持つことも大切ですが、自分とは反対の考えを持つ人の意見も知っておくことが重要です。IELTSでは2つの意見を比較する問題がよく出るからです。そうすることで、2つの意見を比較することが可能になり、また自分の意見にもより深みが出るようになるでしょう。

| IELTS 攻略法 | スピーキングテスト編 |

① テストの概要

1 テストの流れ

タスク	時間	内容
イントロダクション	30秒	名前、国籍、本人確認
パート1	3.5〜4.5分	**インタビュー** 出身地、家族、仕事、趣味、子どものころの話など、受験者自身の個人的な嗜好や体験などについての簡単な会話です。関連しない2つのトピックにつきそれぞれ4つ程度の質問がされます。
パート2	3〜4分	**スピーチ** 最初に、トピックが書かれたカードとともに紙と鉛筆が渡されます。トピックについて1分間の準備時間が与えられ、1〜2分間、受験者自身の経験を基にしたスピーチをします。その後、試験官がスピーチに関連する質問を1つか2つします。
パート3	4〜5分	**ディスカッション** パート2のスピーチに関連する、社会的なトピックについてのディスカッションです。1つのトピックに対して2つから3つのサブカテゴリーに分かれて質問されます。

・後述の4つの基準はいずれも0.5点刻み、9.0満点で採点され、平均が最終スコアとなります。例えば、〈話の流暢さと論理的一貫性〉が6.0、〈語彙の豊富さと適切さ〉が5.0、〈文法の幅広さと正確さ〉が5.0、〈発音〉が6.0の場合、(6.0＋5.0＋5.0＋6.0)÷4＝5.5となります。
※これらの計算方法は旺文社独自の調査に基づいたものです。

2 評価基準

1　Fluency and Coherence〈話の流暢さと論理的一貫性〉
コミュニケーションとして自然なテンポで会話ができるか、意見やアイデアを論理的に組み立てながら話すことができているかを測定します。

2　Lexical Resource〈語彙の豊富さと適切さ〉
受験者が幅広い語彙を正確に使うことができるかを測定します。

3   Grammatical Range and Accuracy〈文法の幅広さと正確さ〉
受験者が幅広い文法を正確に使うことができているかを測定します。

4   Pronunciation〈発音〉
受験者がどの程度聞き取りやすい英語を話しているかを測定します。発音の明快さ、話のリズム、抑揚などが自然だと、よい評価につながります。

3　問題形式

どのようなことが尋ねられるのか、ここでは各パートの例を見てみましょう。

パート1
例 **Clothes**
- *What do you like to wear when you are at home?* [*Why?*]
- *What do people in your country like to wear to parties?* [*Why?*]
- *Do you like to try different kinds of fashion?* [*Why/Why not?*]
- *Do people in your country usually like to wear formal or casual clothes?* [*Why?*]

→身の回りのことについて質問されます。yesかnoかなど質問に対する答えだけを言っても、高いスコアは取れません。理由や関係するエピソードなど、何かを加えて補足しましょう。

パート2
例 *Describe a decision you made that was difficult.*
You should say:
  what it was
  when you made it
  why it was difficult
and explain how it has changed your life.

→何かについて詳しく説明することを求められます。自分の経験、自分の好きなもの、自分にとって印象的だった過去の出来事などがよく質問されます。質問の内容（例ではwhat, when, why, how）すべてに的確に答えるようにしましょう。

パート3
例 **Making decisions in general**
- *What are some decisions that most people need to make these days?*
- *Who do people think usually gives the best advice in your culture?* [*Why?*]
- *What disadvantages are there when other people give you advice, when you have to make a decision?*

→パート2で尋ねられた内容に関して、より幅広い抽象的なテーマで質問されます。それに対して自分の意見を答えますが、パート1同様、ただ答えだけを述べるのではなく、理由や具体例などを論理的に説明することが求められます。

② 回答のコツ

1　発音は最低限、伝わるように

　ネイティブ並みの発音でなければよいスコアを取れないのではないか、と考えている人がもしいたら、それは誤解です。重要なのは言いたいことが明確に伝わるかどうかであり、多少の癖があっても問題にはなりません。しかしそれは、発音をまったく気にしなくてよいという意味ではありません。少しぐらい日本人らしい癖が残っていても問題ありませんが、例えばRとLの区別など、相手に伝えるために必要な最低限の正しい発音はできなければなりません。模範回答を聞いて、正しい発音をまねて練習しましょう。

2　伝わるスピードで話す

　同様に、早口で話さなければならないのかと思っている人もいるようですが、これも誤解です。むしろゆっくりと落ち着いて話すようにしましょう。流暢に話せない人が無理に速く話そうとしたら、かえって不明瞭な発音になってしまいます。また、もし流暢に話せたとしても、過度に早口なのはよくありません。試験官が聞き取りやすいスピードとはっきりとした発音で答えましょう。考えなければ答えられないような質問をされているのですから、速く話せないのは当然のことです。もちろん、極度にゆっくりではいけません。たどたどしく、聞いている人がいらいらしてしまうようなスピードではなく、自然な会話が成り立つ程度のスピードを心がけましょう。

3　積極的に話を広げる

　会話に慣れていないと、Yes. やI'm a student. のように、質問への答えだけを言って終わりにしてしまうことがありますが、それでは高いスコアは望めません。そこに内容を加える習慣をつけましょう。理由を述べたり、具体的な事例や自分の経験などを説明したりして、話を広げるようにします。本書の回答例を見て、各パートの質問に対してどれくらいの発言をすることが必要かを理解したら、それを目指して発言を増やしましょう。

4　難しい内容は必要ない

　非常に興味深い考えや人と違った考えを話さなければならない、と思っている受験者がもしいたら、そんなことはありません。自分の意見を明確に表現できればよいだけであり、それが素晴らしい考えである必要はまったくありません。必要なのは、論理的にわかりやすく話すことです。その中身が「よいかどうか」については、あまり気にせずに話しましょう。

5　幅広い文法や語彙を活用

　ライティング同様、〈語彙の豊富さと適切さ〉が評価基準にあるので、幅広い語彙を使いこな

す必要があります。スピーキングではライティングほど難しい語彙を使えないのが当然ですが、日常的な語彙であっても、同じ語彙ばかり繰り返さないようにすることは可能です。付属の小冊子「WSサポートブック」にある表現をぜひ活用して、適切な語彙で回答できるように練習しましょう。

6　わからないとき、迷うときは、思いつく限り話す

　自分が詳しくないトピックについて質問されることが、当然あります。どう答えてよいかわからなくても、「わかりません」だけで終えてしまうと、高いスコアにはつながりません。高いスコアを取れる人は、どんな質問が来ても完璧な答えができるわけではなく、答えにくいトピックに対してもなんとか答えられる人なのです。詳しくないことを伝えた上で自分の意見を述べたり、「それについてはわかりませんが、〇〇については……」と、関連する別の話題に触れたりして、とにかく何か話を続けるようにしましょう。本書の回答例にもそのようなパターンが含まれていますので、参考にしてください。

　また、難しい質問をされれば、すぐに考えをまとめて話すことができないのは当然です。少し考える時間を取ることは問題ありません。Let me seeなどの表現で時間を稼ぎながら、考えを練る間、沈黙が続かないようにしましょう。「あー」、「えっと」、「なんだっけ」などのように日本語を話すのは絶対に避けるべきなので、つい口をついて出てしまう人は、そうならないよう練習しましょう。こうした表現についても、付属の小冊子「WSサポートブック」に便利な表現がまとまっていますので、活用してください。

③ 普段の学習法

1　まずはよく聞いて、よくまねる

　とにかく大切なのは、本書などの問題集の模範回答を読んだ後は、音声をよく聞いて自分でも発音し、できる限りそっくりになるようまねをしてみることです。そうすることで、発音やイントネーションなどを正確に理解することができます。さらに、何度も何度も繰り返せば、頭の中に残り、自分が話すときに口から出やすくなります。スピーキングでは、いちいち日本語で考えて英語に直すということをやっていては時間がかかってしまい、よいスコアになりません。いかに多くの語句や表現が、自然に口をついて出てくるかが重要です。

2　ネイティブがいなくても大丈夫

　身近にネイティブの人がいなければ対策ができないのではないか、と心配する人がいます。実際、IELTSのスピーキングテストは面接形式であり、人とやりとりをすることになるので、先生など練習の相手をしてくれるネイティブの人がいればぜひお願いするべきですし、オンラインの英会話レッスンなども利用するとよいでしょう。

　ですが、そうした機会がない人でも、できることはたくさんあります。パート2は出題されたトピックに対して制限時間内に答えを考えて話すだけですから、練習するのに相手は必要ありません。パート1と3はやりとりがありますが、質問されて答えるだけですから、質問を確実に聞き取るリスニング力さえあれば、質問に答えるという点ではパート2と変わりません。自分にできることの練習を重ねましょう。

3　難しいなら、まずはできることから

　それなりに話せる人であれば、本書の問題などを見てどんどん練習を重ねればよいでしょう。しかし、話すべき内容が思いつかない、何も話せないという人は、まずできることから始めましょう。

　例えばパート2で内容を思いつかない場合は、模範回答を見ながら、日本語でもよいので、言うべき内容を考えましょう。what, when, whyなどに対して簡単な答えを書き出し、大まかにプランを立てたら、模範回答を参考にしたり、本書の「WSサポートブック」などの表現を使ったりして、それを英語にしていきます。初めは1つの回答を作るのに時間がかかるでしょうが、何度か繰り返すうちに自分が使いたい表現に慣れ、かかる時間が減っていきます。

　もちろん、スピーキングでは時間が限られており、そのようにじっくりと回答を考えることはできないので、いずれは即興で回答を作れるようにならなければなりません。しかし、準備段階としては、日本語も使いながら時間をかけて考えることは、非常に意味のあることです。

IELTS攻略法　語彙・文法編

① 求められる語彙力

　母語・外国語の別を問わず、語彙力はパッシブ・ボキャブラリー（読んで・聞いてわかる語彙）とアクティブ・ボキャブラリー（話す・書くのに使える語彙）の2種類に大別されます。従来、日本の英語教育は前者偏重の傾向がありましたが、4技能すべてが均等に評価されるIELTSの受験者は、両者をバランスよく伸ばしていく必要があります。

1　パッシブ・ボキャブラリーとは

主にリーディングで必要とされるフォーマルな語彙（例: rudimentary 初歩的な）
主にリスニングのセクション1で必要とされる日常的な語彙（例: fridge 冷蔵庫）

　IELTSのリスニングとリーディングテストで必要とされるパッシブ・ボキャブラリーには、上記の2種類があります。このうちIELTS全体のスコアに影響し、重要度が高いのは、前者のフォーマルな語彙です。大まかなレベルは本書のリーディング・パッセージを1つ見るだけでもある程度わかりますが、全体像をつかむためには、『実践IELTS英単語3500』（旺文社）を見るとよいでしょう。実際に出題された語彙を言語学的データに裏付けられたレベルに分けて収録してありますので、各レベルを一瞥するだけでも現在の自分の語彙レベルを確認できるはずです。

　一方、後者の日常的な語彙は、日本人英語学習者にとって盲点となっている部分です。上記の例fridgeはrefrigerator（冷蔵庫）の略語ですから、生活の中で英語を覚えた人にとっては極めて平易な単語です。しかし日本人学習者には日常生活の語彙に弱い傾向があり、知らない・書けない人が意外に多いものです。

2　アクティブ・ボキャブラリーとは

主にスピーキング・パート1で必要とされる、自分自身について語る語彙
　例　My family consists of four members. うちは4人家族です。
社会的事柄（文化・仕事・環境など）に関して書く・話す際に使える語彙
　例　This leads to better employment prospects. これがよりよい雇用の見通しにつながる。

　アクティブ・ボキャブラリーは、上記の2種類に分類することができます。このうち、前者の自分自身について語る語彙をまず固めましょう。自分自身に関することはある程度、事前に準備して練習しておくことができます。暗記したものを思い出しながらではなく、完全に自分のものとして自然な感じで話せるようにしておきましょう。スピーキングのパート1で幸先のよいスタートが切れるかどうかで、自分自身の気持ちも試験官に与える印象も大きく違ってきます。

後者の社会的事柄に関する語彙は、一朝一夕に身につけられるものではありませんが、この学習が英語力向上に最も大きく貢献すると言えます。語彙は使うことで記憶に定着しますから、リスニングとリーディングで覚えた語彙をどんどん使っていきましょう。

② 語彙を増やすコツ

1　パッシブ・ボキャブラリーを覚えるには

　IELTSに限らず、試験対策としての語彙習得には、①問題中の語彙の学習、②単語集を用いた語彙の学習、の2つの方法があります。栄養摂取にたとえると、前者が食事そのもの、後者がサプリメントに相当します。栄養のある「食事」を取った上で、高濃度のサプリメントも併用すると相乗効果があるので、本書と単語集を並行して使用し学習を進めるのがお勧めです。

　問題中の語彙を覚える際、重要なポイントが2つあります。第1に、同義語とセットで覚えることです。リスニングやリーディングでは、解答のカギとなる部分はほとんど常に違う語や表現に言い換えられていますから、同義語を覚えることがスコアアップに直結します。さらに、同義語とセットで覚えることで、記憶から抜け落ちにくくなり、ライティングとスピーキングで同じ単語や表現を繰り返し使うことを避けるのにも役立ちます。

　第2に、パッシブ・ボキャブラリーをアクティブ・ボキャブラリーに転化することを意識することです。リスニングとリーディングテストの中の語彙や表現の中で、ライティングとスピーキングで使えそうなものがないか常に目を光らせていれば、インプットとアウトプットの間に有機的つながりができ、学習を加速させることができます。

　単語、特に日常的な語彙を覚える際には、記述式問題として出題されることを想定して、正しい発音を覚え、正しく書けるようにしておかなければいけません。例えば本書の問題にも登場するcupboard（収納庫、戸棚）は、日本語では「カップボード」と言いますが、正しい発音は大きく異なります。実際の音をよく聞いておきましょう。

2　アクティブ・ボキャブラリーを覚えるには

　自分自身について語る語彙については、必要な語彙のうち、英語でどう表現したらよいかわからないものは和英辞書で調べて、原稿を作り上げておきましょう。自分の書いた英語に自信がなければ、英語の先生に見てもらうのがベストなのは間違いありませんが、それができなければ、インターネットでその表現を検索してみるのが次善の策です。自分の書いたものと同じ表現が多数見つかれば正しい可能性が高く、類似のもっとよい表現が見つかることもあります。

　社会的事柄に関して書く・話す際に使える語彙に関しては、本書の解答例から自分が使いたい語彙や表現を拾って、ネタ帳にまとめていくのが最もよい学習方法です。その際、スピーキングで使いたいものは覚えるまで繰り返し発音し、ライティングで使いたいものは正しいつづりが書けるように繰り返し書く、という練習を必ず行いましょう。ライティングとスピーキングの評価項目の中に、語彙の豊富さが含まれていることを常に意識し、本試験で自分がその語彙や表現を使っている場面を想像するイメージトレーニングを行うとさらに効果的です。この練習が生かされたときの喜びは何にも代えがたいものになります。

③ 求められる文法知識

1　明示的知識を暗示的知識に

　言語学では、文法知識を明示的知識（explicit knowledge）と暗示的知識（implicit knowledge）に分類します。明示的知識とは、文法規則に関して「語ることができる意識的な知識」のことです。例えば、「3単現の -s」（例：He studies ...）の説明ができるなら明示的知識がある、ということになります。一方、暗示的知識とは、「実際に言語を使用する際に用いられる無意識的な知識」のことです。この区別はIELTS受験者には極めて重要ですので、言語学専攻以外の方もぜひ覚えておいてください。

　では、IELTSはこの2種類の文法知識のうちどちらを試しているかというと、暗示的知識の方です。唯一明示的知識が役に立つのは、ライティングを見直す際に文法チェックをするときだけです（スピーキングで文法の間違いに気付いたときに即座に訂正する際にも必要ですが、これは流暢さを犠牲にすることになるので諸刃の剣となってしまいます）。

　以前は、多くのテストが受験者の明示的知識を測っていました（文法知識を直接出題していた）が、現在では言語運用能力を直接測定することを意図して作られた（文法知識は言語運用能力を通して判断する）テストがあり、その代表格がIELTSです。しかし、強調しておかなければいけませんが、文法学習が無用ということではありません。何事においても（特に学習の初期段階において）明示的知識は必要であり、これがないと学習効率が大幅に悪化してしまいます。「理論」は重要なのですが、それだけでは不十分なので、「実践」によって明示的知識を暗示的知識に転化する努力が必要なのです。IELTS受験者は「理論」→「実践」→「理論」→「実践」というサイクルを常に回すことで、2種類の知識を身につけていくことを意識した学習を行わなければなりません。

2　IELTSで重要な文法知識とは

　では、具体的に、どのような文法項目の知識が重要なのかを考えてみましょう。文の最小構成単位は主語と動詞であり、ほぼすべての文に必要です。この2つを正しく、高いレベルで使えるかどうかは、特にライティングとスピーキングのスコアを大きく左右します。では、この2つの要素のうち、受験者による差がより大きいのはどちらでしょうか。正解は動詞です。英語の動詞は①主語との呼応（例：○People are, ✕People is）、②時制、という難題を学習者に課すからです（相対的に重要度が低いものとして③態もあります）。

　①主語との呼応は日本語にはありませんから、日本人は間違えがちです。ですがネイティブスピーカーには単純な間違いに見えるため、試験官に与える印象は非常に悪くなってしまいます。このような間違いが見受けられるようだと、バンドスコア6.0は難しいと言われています。②時制は、受験者によって大きな差が開く部分です。高いスコアを得るためには、さまざまな時制がコンスタントに正しく使えることが必要ですが、初・中級者にはなかなかそれができません。そのためには日々の学習において、できるだけ幅広い時制を使いながら解答をするよう努力しましょう。

　次に、文の最小構成単位のうちのもう1つ、主語の重要ポイントを考えてみましょう。主語

として最も一般的な品詞は名詞です。名詞は主語だけでなく目的語や補語にもなりますから、最も頻度の高い品詞であると言えます。名詞を正しく使えるかどうかもまた、スコアを大きく左右することになるのです。では、名詞を使う際に気を付けるべきことは何でしょうか。それは、①可算・不可算、②単数・複数の区別です。これらもまた日本語にはないものですので、日本人は間違えがちで、スコアを下げる要因となります。普段英語を読む際に、使われている名詞それぞれの可算・不可算を自分が理解しているかを確認し、可算の場合にはなぜ単数形または複数形が使われているのか、自分は同じように使えるのか、常に考える習慣をつけましょう。特に可算か不可算かを知らなかった単語に関しては、辞書を引いて例文まで読むべきです。

　以上で文の最重要構成要素である主語と動詞についての注意事項を確認しましたので、それ以外の構成要素で重要なものを考えてみます。受験者の話す・書く英文をちょっと聞く・読むだけで、すぐにはっきりとレベルの違いがわかるのは、1文の長さです。上級者の英語の1文1文が相対的に長いのは、単にandでつないでいるからではありません。適切な接続詞や関係詞（関係代名詞と関係副詞）を使って文と文を接続することができているからであり、このことで高く評価されるのです。初級者がまず使えるようにしなければならないのが、when, while, till, until, because, though, although, ifなどの接続詞で、これらを正しく使えるかどうかで英文のレベルがまったく違ってきます。中級者は関係代名詞や関係副詞を正しく使えるようにしましょう。上級者は、特にifやas if, as thoughを用いた仮定法過去や仮定法過去完了という大技を披露することを目指しましょう。

④ 文法習得のコツ

　前述のように、「理論」の学習と「実践」演習の両方が必要です。前者については、IELTS受験者に最もお勧めの学習書はEnglish Grammar in Use（Cambridge University Press）シリーズです。日本の受験英語的な文法学習ではなく、自ら使うことを目的としたもので、文法書としては異例の世界的ベストセラーになっています。解説も英語ではよくわからないという方には、翻訳版があります。自分の苦手分野や強化したい文法項目がわかっている場合は、そうした課題に優先的に取り組むとよいでしょう。

　「理論を学んだら、次は実践」が普通ですが、IELTS受験者にはその前にもう1段階するべきことがあります。リーディングやリスニングの教材の中に、自分が使いたい文法・表現・単語がないか常に目を光らせて、見つけ次第「ネタ帳」に書き込んでストックすることです。上記のような学習をした項目は目に留まりやすいものですし、学習したものが実際に使われているのを見ると一気に定着しやすくなります。

　最後は、明示的知識を暗示的知識に転化していく段階です。そのためには実践の場が必要です。完全独学の場合は、時間制限を設けて書いたものや話して録音したものを自分で添削しなければなりません。可能なら、英語の先生に見てもらうのがよいでしょう。幸いIT革命のおかげで居住地による学習環境の差がほとんどなくなり、スカイプなどを利用してインターネット経由で指導を受けることが可能です。体験レッスンを行っているところが多くありますので、皆さん自身で自分に合ったものを見つけてください。その際最も重要な判断基準は、ただネイティブならよい、というのではなく、講師や学校がIELTSをよくわかっているかどうかですので、注意しましょう。

IELTS攻略法 イギリス英語編

　イギリス英語とアメリカ英語にはさまざまな違いがあります。文法、つづり、句読点、発音、語彙と表現など多岐にわたります。このうち、文法、つづり、句読点については、一定のルールを理解していればIELTSではそれほど問題になりません。発音については、アメリカ英語だけに慣れてしまっていると苦しいかもしれません。本書のようなIELTS対策書（本書ではイギリス人ナレーターを中心に音声を収録しています）や、イギリス英語を扱った書籍などをチェックして、慣れておくようにしましょう。

　ここでは、特に注意しておくべき語彙と表現の違いについて説明します。これらは知らないと正解できるかどうかに関わってきますので、正確に理解できるようにしておきましょう。

1　学生生活・教育

canteen
　图「(学校などの) 食堂」の意味で、アメリカ英語ではcafeteriaを用います (アメリカ英語でcanteenは主に「兵営などの売店兼娯楽場」を意味します)。

coursebook
　图「(特定の教科課程で使用する) 教科書」の意味で、アメリカ英語ではtextbookを用います。なお、coursebook、textbookともに1語の複合語ですので、course book、text bookのように2語に分けて書かないように気を付けてください。

diploma
　图　アメリカ英語では「(高校・大学の) 卒業証書」の意味ですが、イギリス英語では「(高等教育専門機関の学位を伴わない) 課程修了証明書、免許状」の意味でも用いられます。

form
　图「(英国のpublic schoolやその他の中等学校の) 学年、学級」の意味で、通例first formからsixth formまであります。なお、sixth formは大学進学に必要なA level試験の準備クラスで、通例2年間にわたります。一方、アメリカ英語では小・中・高を通してgradeを用います。小学校から通算して数えるので、例えば日本の高校1年はtenth gradeとなります。

hall / hall of residence
　图「寮」の意味ですので、キャンパス英語としては必須ですが、アメリカ英語のdormitory / dormしか知らない人は要注意です。なお、hallとholeの発音は異なりますので、確認しておきましょう。

module
　图　モジュール (主に英国の大学の教科課程の単位。いくつかのモジュールが集まって1つの教科課程となる)。

postgraduate
　形　大学院の　图　大学院生 (アメリカ英語ではgraduate。「学部の (学生)」はイギリス・アメリ

55

カ共通でundergraduate)。

pupil
图 イギリス英語では「小・中・高の生徒」の意味で用い、IELTSでもfourteen-year-old pupilsのように出題されています（一方、アメリカ英語ではpupilは主に小学生を指します）。ただし、イギリス英語でもpupilは古くなりつつあり、studentが用いられるようになってきていますので、今後はIELTSでの出題も減るかもしれません。

schoolchild / schoolchildren
图 「学童」という日本語に相当し、主に小学生を指します。

sit
動 「試験を受ける」の意味で、アメリカ英語のtakeに相当します。このsitには自動詞・他動詞の両方の用法があり、他動詞の場合にはsit an exam、自動詞の場合にはsit for an examのように使います。resitは「再試験を受ける」という意味になります。

tertiary education
图 「高等教育」の意味のイギリス英語で、アメリカ英語のhigher educationに相当します。tertiary自体は「3番目の」という意味で、primary education→secondary education→tertiary educationという順番です。IELTSではtertiary education、higher education両方とも出題されています。

tutorial
图 「(大学の)個別［グループ］指導時間［授業］」の意味で、大人数のクラスを個人別または小グループに分けてtutorが指導する授業のことです。日本のゼミに似ていますが、「ゼミ」が主に3年次から始まるのに対して、tutorialは1年から行われます。

uni
图 「大学」の略語で、学生同士の会話では頻繁に使われます。

2　日常生活

bookshop
图 アメリカ英語ではbookstoreです。bookshop, bookstoreいずれもbookを強く発音します。shopやstoreの方を強く発音しないように気を付けましょう。

cater for ...
動 「(宴会・グループなど)の料理を賄う、〜の要求を満たす」の意味で、アメリカ英語ではcater to ... を用います。

cinema
图 「映画館」の意味で、アメリカ英語ではmovie theaterを用います。

cooker
图 「料理用こんろ・レンジ」の意味で、アメリカ英語ではstoveやrangeを用います。なお、「料理人」はcookerではなく、cookやchefと言います。

cot
图 「ベビーベッド」の意味で、アメリカ英語ではcribを用います。

en suite [(英)ɔn swíːt | (米)àːn-]

形 副 〈バスルームが〉寝室に隣接した［て］；〈寝室が〉バスルーム付きの［で］（フランス語より）。

fortnight

名 「2週間」の意味。極めて日常的であるにもかかわらず、アメリカ英語を習うことが多い日本人英語学習者の認識率が非常に低い要注意単語です。可算名詞なので、for a fortnight（2週間の間）のように冠詞を付けて用います。fourteen nightsに由来します。アメリカ英語ではあまり用いられず、ごく普通にtwo weeksと言います。

garage [(英)gǽrɑːʒ, -rɑːdʒ, -rɪdʒ, gərɑ́ːʒ | (米)gərɑ́ːʒ, -rɑ́ːdʒ]

名 イギリス英語・アメリカ英語ともに「車庫、自動車修理［整備］工場」の意味がありますが、イギリス英語では「ガソリンスタンド」（イギリスでは他にpetrol station、アメリカではgas station）の意味でも用います。発音もイギリスとアメリカでは異なり、イギリス英語では第1音節の「ガ」が強く発音されます。

general practitioner

名 「（専門医に対して）一般診療医、開業医」という訳語だけでは必ずしも正しく理解できません。イギリスではNational Health Serviceという制度により、general practitioner（GP）への登録が義務づけられており、病気になるとまずこのGPの診察を受けた後で、専門医に回されます。IELTSのリスニングでもまさにこの登録に関するトピックが出題されたことがあります。

go shares

口語で「均等に負担する、割り勘にする」の意味です。口語表現ですので、リスニングで出題されています。同じ意味の他の表現としては、イギリス英語・アメリカ英語ともにsplit the bill / split the cost / go Dutchが用いられます。

the ground floor

名 「1階」の意味です。2階がthe first floor、3階がthe second floorとなりますので、アメリカ英語の数え方と1階ずつずれることになります。日常生活では大きな問題になりかねませんが、IELTSではthe ground floorが「1階」であることさえ知っていれば問題ありません。

hire

動 イギリス英語では「～を（料金を払って一時的に）借りる、賃借りする」という意味があり、hire a carのように用います。この意味のアメリカ英語はrentです。また、「（人）を雇う」という意味でもイギリス英語とアメリカ英語ではやや意味が異なります。イギリス英語ではhireは主に「短期的に雇い入れる」の意味で、hire a lawyer（弁護士を雇う）のように用います。

minder

名 「（子どもなどの）世話をする人」の意味で、アメリカ英語ではcaregiverを用います。なお「ベビーシッター」は英米共通でbabysitterですが、イギリス英語では両親が共働きの子を自宅で預かる人をchildminderと言います。

minibus

名 初見でもわかりやすいものですが、主にイギリス英語で「（近距離用で10～15人乗りの）小型バス、マイクロバス」の意味です。なお、「（長距離用）大型バス」はcoachと言います。

mobile (phone)

名 「携帯電話」の意味で自分が使う場合はアメリカ英語のcellphoneでも構いませんが、イ

ギリス英語のmobile (phone) も知っておく必要があります。なお、「スマホ」はsmartphone / smart phoneで、smartの方を強く発音します。

motorway
图「高速道路」ですが、日本と異なり無料です。アメリカ英語ではexpressway、freewayを用います。highwayは「主要［幹線］道路」の意味ですので、気を付けましょう。

newsagent / newsagent's
图「新聞［雑誌］販売店」ですが、日本のように鉄道駅構内限定ではありません。逆に日本のキオスクと同様、新聞や雑誌以外にお菓子やたばこなども扱っています。

overheads
图 商業用語で「一般経費、間接費」の意味で、アメリカ英語との違いは -s の有無だけです。リスニングの選択肢で出題されたことがありますので、社会人以外の人も覚えておく必要があります。

pence
图 penny（英国の貨幣単位のペニー）の複数形で、1ペニーは1ポンドの100分の1です。リスニングで出題されると正しいスペルを書けない人が多い単語です。スペルに自信がない場合は、例えば50 penceなら、ただ50pのように書けばいいと覚えておきましょう。

postcode / postal code
图「郵便番号」の意味で、アメリカ英語のzip codeに相当します。なお、zip codeは日本と同じく数字だけですが、postcodeは文字と数字の組み合わせです。

practice
图「診療所、開業場所」の意味で用いるのは主にイギリス英語です。リスニングでもリーディングでも出題されています。

primary education
图「初等教育」です（アメリカ英語ではelementary education）。「中等教育」はsecondary education、「高等教育」はtertiary education（イギリス英語）、higher education（アメリカ英語）。

prospectus
图「学校案内書」の意味で、アメリカ英語ではcatalogと言います。より一般的に用いられ、適用範囲の広い語はbrochure [(英)bróuʃə, broʃúə | (米)brouʃúər]（小冊子、パンフレット）です。

pudding
图 イギリス英語では「穀物と果物、牛乳などで作る温かい菓子」の意味ですが、IELTSではデザートであることさえわかれば解答上の問題はありません。

redundant
形「余剰人員の」の意味で、be made redundant「解雇される」という表現で使われることが多い語です。同じことをアメリカ英語ではbe laid offと表現します。特に社会人の方はスピーキングで雇用関連のことを話さなければならないことがありますので、使えるようにしておきましょう。

referee
图 イギリス英語では「（人物などの）保証［推薦］人、身元照会先」の意味で用いることがあります。同じ意味のreferenceはイギリス英語・アメリカ英語共通に用いられます。IELTSではreferee、referenceどちらも出題されています。

resident
名「居住者」という意味をまず覚えなければいけませんが、それ以外にイギリス英語では「(ホテルなどの)滞在客」の意味があります。「滞在客でない人」はnon-residentです。

ring
動「電話をかける」という意味では主にイギリス英語です。ringとcallの言い換えで正解になる出題例があります。

socket
名「(電球の)ソケット」の意味でも、「(差し込みプラグ用の)壁ソケット」つまり「コンセント」の意味でも使われます。後者の意味のアメリカ英語はoutletで、イギリスではpower pointとも言います。なお、「コンセント」は和製英語で、consentとは言いませんから気を付けてください。

surgery
名「(医者の)診療時間」という意味を知らないと、相当戸惑うはずです。アメリカ英語のoffice hoursに相当します。例えばmorning surgery / afternoon surgeryのように使われます。その他「(外科)手術」という意味では、イギリス英語・アメリカ英語共通です。

takeaway
形 名「持ち帰り用の(食事、店)」の意味で、アメリカ英語のtakeoutに相当します。

transport
名「輸送、交通機関」という意味の名詞(不可算)としても用いる点がアメリカ英語との違いです。動詞としては違いはありません。public transport「公共交通機関」という組み合わせで使われることが最も多く、スピーキングとライティングでもtrainやbusなどの代わりに使えるようにしましょう。

trousers
名「ズボン」の意味で、アメリカ英語のpantsに相当します。イギリス英語でpantsは通常「(下着の)パンツ」の意味で用いられます。スピーキングとライティングで「ズボン」の意味でpantsを使っていけないことはありませんが、どちらかというとtrousersの方が無難です。

vacuum flask
名「魔法瓶」の意味で、thermos flaskとも言います。アメリカ英語のvacuum bottleやthermos bottleに相当します。

windscreen
名「(車の)フロントガラス」の意味で、アメリカ英語ではwindshieldと言います。なお、「フロントガラス」は和製英語ですので、気を付けてください。

3 その他の語

amongst
前 amongと同じ意味ですが、主にイギリス英語で用いられ、amongよりも正式です。amongst others「数ある中で(例えば)、とりわけ」という熟語でも出題されています。

brilliant
形「素晴らしい、見事な」の意味では、アメリカ英語よりイギリス英語でよく用いられます。口語的な語ですので、リスニングで出題されることが多い単語です。

call (on 人) / (at 場所)
動「(人を)ちょっと訪ねる、(場所に)立ち寄る」の意味です。日本の英語教育でも教えられることがありますので、ご存じの方も多いかもしれません。どちらかというとイギリス英語であるとされます。callは、文脈から「電話をかける」の意味か「訪ねる」の意味かを判断しなければならない場合があります。

Dame
名 デイム、つまりナイト(knight)と同等の位を持つ女性の称号で、男子のSirに相当します。

gone
前「(年齢・時刻などについて)～を過ぎた(past)、～を越した」の意味で、an old man gone eighty「80過ぎの老人」のように使います。イギリス英語特有の用法で、リスニングで出題されています。頻度の高いものとは言えませんが、知っていれば遭遇した際に戸惑わずにすみます。

keen
形 keen to *do* で「～することを熱望して」、keen on ... で「～が大好きな、～に夢中な」という意味では主にイギリス英語です。アメリカ英語では「(知力・才気・感覚などが)鋭敏な、明敏な」の意味が最も一般的です。

nought
名「ゼロ」の意味で、例えば0.1をイギリス英語ではnought point oneと読みます。一方、アメリカ英語では単にpoint oneまたはzero point oneと読みます。知らないとリスニングで出題されたときに戸惑いますので、必ず覚えておきましょう。

put 人 on to ...
動「人の電話を～につなぐ」の意味で、アメリカ英語ではput 人 through to ... を用います。どちらでもわかるように、そしてどちらか一方を使えるようにしておきましょう。

round
副 前 アメリカ英語では主にaroundを用います。イギリス英語ではroundを運動を表すのに用い、aroundを静止の状態を表すのに用いる人もいますが、最近ではこの区別はなくなりつつあると言われます。IELTSではround = aroundと覚えておけば十分です。

Sir
名 サー…、…卿。英国でナイト爵・准男爵に対する尊称で、男性の名または姓名の前に付けます。

sort (out)
動「(問題など)を解決[処理]する」の意味では主にイギリス英語です。リスニングで繰り返し出題されています。一方、「～を分類する」の意味ではイギリス英語・アメリカ英語の区別なく使われます。

take it in turns to *do*
「交代で～する」の意味で、アメリカ英語のtake turns to *do* に相当します。take turns to *do* はイギリス英語でも用いられます。

whilst
接 whileと同じ意味で正式な単語ですので、リーディングで出題されています。

TEST 1

LISTENING ……………………… 62
READING ………………………… 68
WRITING ………………………… 79
SPEAKING ……………………… 81

※形式の変更についてはp.23参照

LISTENING

SECTION 1 Questions 1-10 🎧 01

Questions 1-8

Complete the notes below.

*Write **NO MORE THAN TWO WORDS AND/OR A NUMBER** for each answer.*

HORIZON HOTEL

Example	Answer
Guest Name:	Sandra MacKay

Date of arrival: **1** .... December
Date of departure: **2** .... December
Room number: **3** 502 and ....
Room rate: **4** $ ....
Deposit: **5** Paid ....
Receipt
   • In name of: **6** Zoe ....
Contact details
   • Address: **7** ...., Morning Town
   • Phone: 439 4829
Booking number: **8** ....

Questions 9 and 10

*Choose the correct letter, **A**, **B** or **C**.*

9 The room will be cleaned at around

    A   11 a.m.
    B   1 p.m.
    C   2 p.m.

10 Room service for dinner is available from

    A   6 p.m. to 2 a.m.
    B   6 p.m. to 10.30 p.m.
    C   9 p.m. to 11 p.m.

SECTION 2　　Questions 11-20

Questions 11-16

Complete the table below.

*Write **ONE WORD OR A NUMBER** for each answer.*

Venue	Event	Date	Time	Admission Price
Gallery 1	Regional Art exhibition — all works for sale	4 March — 10 April	11 a.m. to 4 p.m. **11**	No charge
Gallery 2	**12** '............ of the 21st Century' exhibition — by students	10 March — 4 April	10 a.m. to 3 p.m. Mon, Wed, Fri & weekends	No charge
Theatre 1	Shakespeare's *Romeo & Juliet*	5 March — 3 April	Daily at 8 p.m.	Adult **13** $ .... Senior $20
The **14**	Shannon Keel — folk/pop/country	1 April	**15** .... p.m.	$12.50
The Showroom	Class Act — **16** .... music & cabaret	1-30 April	11 a.m. Fridays only	$14 Concession $12

Questions 17 and 18

*Choose the correct letter, **A**, **B** or **C**.*

17 Michael's home country is

    A Canada.
    B Ireland.
    C the USA.

18 Michael has been singing for

    A 15 years.
    B 18 years.
    C 20 years.

Questions 19 and 20

Complete the sentences below.

*Write **ONE WORD ONLY** for each answer.*

19 Michael's father went .... to work.

20 Michael's .... was also a singer, and was an inspiration for him.

SECTION 3 Questions 21–30

Questions 21–25

Complete the sentences below.

*Write **NO MORE THAN TWO WORDS** for each answer.*

21 Steve and Jan need to do a joint .... with a minimum of 20 slides.

22 Steve's suggested topic is ....

23 A database may collect statistics on your date of birth, income, legal history, previous jobs, ... or health record.

24 Inaccurate facts may be recorded by data company ....

25 Incorrect information about a .... led to his unfair dismissal.

Questions 26–30

Complete the table below.

*Write **NO MORE THAN TWO WORDS** for each answer.*

Jan's comments	Steve's comments
Search engines collect data by analysing people's Internet **26**	Data collecting companies want to collect extra data to expand business and increase their **27** ....
Getting consent could be the main **28** .... in the presentation.	Not legal in Europe to make money from using someone's private details without their direct consent
Annoying to have to buy your own credit reports to ensure accuracy	People writing blogs and Twitter comments should be careful or they may face **29** ....
The 'free information' nature of the Internet has led to this problem.	Browser companies may solve the problem by introducing a **30** .... system.

SECTION 4   Questions 31-40

Questions 31-35

*Choose the correct letter, **A**, **B** or **C**.*

31 Which place has been termed 'a living laboratory'?

    A   the Ross Sea
    B   the Antarctic
    C   the Southern Ocean

32 What is said to be the worst form of pollution that fishing boats might cause?

    A   rubbish dropped overboard
    B   fuel leaked overboard
    C   sewage leaked overboard

33 What was the country of registration of the boat which was stuck in thick ice?

    A   Korea
    B   New Zealand
    C   Russia

34 In the case of the *Sparta* repair mission, what does the speaker term 'a miracle'?

    A   No fishermen died.
    B   The weather was not stormy.
    C   An oil spill was avoided.

35 What does the term 'total allowable catch' refer to?

    A   the amount any boat in the Antarctic can catch
    B   the amount all the legal boats can catch
    C   the amount all the boats (legal and illegal) can catch

Questions 36-40

Complete the summary below.

*Write **NO MORE THAN ONE WORD AND/OR A NUMBER** for each answer.*

The Antarctic Toothfish

These are big fish, which live in freezing Antarctic waters at depths of 200 to 2,000 metres. They have a life span of roughly **36** .... years, and develop only slowly. Little is known about the early stages of life for this fish including the kinds of **37** .... that feed on the young. Since 1996, the December-February fishing season has resulted in catches of about 100,000 fish per year — although recent catches have declined because of **38** .... Industry spokesmen claim that the Antarctic toothfish industry is **39** .... but it has been estimated that fish numbers in the Ross Sea have already been reduced by at least a fifth, if not more. A plea has been made by several well-known marine scientists for a **40** .... on catching fish in the Ross Sea.

READING

READING PASSAGE 1

*You should spend about 20 minutes on **Questions 1-13**, which are based on Reading Passage 1 below.*

A BAR AT THE FOLIES
(Un bar aux folies)

A One of the most critically renowned paintings of the 19th-century modernist movement is the French painter Edouard Manet's masterwork, *A Bar at the Folies*. Originally belonging to the composer Emmanuel Chabrier, it is now in the possession of The Courtauld Gallery in London, where it has also become a favourite with the crowds.

B The painting is set late at night in a nineteenth-century Parisian nightclub. A barmaid stands alone behind her bar, fitted out in a black bodice that has a frilly white neckline, and with a spray of flowers sitting across her décolletage. She rests her hands on the bar and gazes out forlornly at a point just below the viewer, not quite making eye contact. Also on the bar are some bottles of liquor and a bowl of oranges, but much of the activity in the room takes place in the reflection of a mirror behind the barmaid. Through this mirror we see an auditorium, bustling with blurred figures and faces: men in top hats, a woman examining the scene below her through binoculars, another in long gloves, even the feet of a trapeze artist demonstrating acrobatic feats above his adoring crowd. In the foreground of the reflection a man with a thick moustache is talking with the barmaid.

C Although the Folies (-Bergère) was an actual establishment in late nineteenth-century Paris, and the subject of the painting was a real barmaid who worked there, Manet did not attempt to recapture every detail of the bar in his rendition. The painting was largely completed in a private studio belonging to the painter, where the barmaid posed with a number of bottles, and this was then integrated with quick sketches the artist made at the Folies itself.

D Even more confounding than Manet's relaxed attention to detail, however, is the relationship in the painting between the activity in the mirrored reflection and that which we see in the unreflected foreground. In a similar vein to Diego Velazquez' much earlier work *Las Meninas*, Manet uses the mirror to toy with our ideas about which details are true to life and which are not. In the foreground, for example, the barmaid is positioned upright, her face betraying an expression of lonely detachment, yet in the mirrored reflection she appears to be leaning forward and to the side, apparently engaging in conversation with her moustachioed customer. As a result of this, the customer's stance is also altered. In the mirror, he should be blocked from view as a result of where the barmaid is standing, yet Manet has repositioned him to the side. The overall impact on the viewer is one of a dreamlike disjuncture between reality and illusion.

E Why would Manet engage in such deceit? Perhaps for that very reason: to depict two different states of mind or emotion. Manet seems to be conveying his understanding of the modern workplace, a place — from his perspective — of alienation, where workers felt torn from their 'true' selves and forced to assume an artificial working identity. What we see in the mirrored reflection is the barmaid's working self, busy serving a customer. The front-on view, however, bears witness to how the barmaid truly feels at work: hopeless, adrift, and alone.

F Ever since its debut at the Paris Salon of 1882, art historians have produced reams of books and journal articles disputing the positioning of the barmaid and patron in *A Bar at the Folies*. Some have even conducted staged representations of the painting in order to ascertain whether Manet's seemingly distorted point of view might have been possible after all. Yet while academics are understandably drawn to the compositional enigma of the painting, the layperson is always likely to see the much simpler, more human story beneath. No doubt this is the way Manet would have wanted it.

Questions 1-5

Reading Passage 1 has six paragraphs, **A-F**.

Which paragraph contains the following information?

*Write the correct letter, **A-F**, in boxes 1-5 on your answer sheet.*

1 a description of how Manet created the painting

2 aspects of the painting that scholars are most interested in

3 the writer's view of the idea that Manet wants to communicate

4 examples to show why the bar scene is unrealistic

5 a statement about the popularity of the painting

Questions 6-10

Answer the questions below.

Choose **NO MORE THAN THREE WORDS** from the passage for each answer.

Write your answers in boxes 6-10 on your answer sheet.

6 Who was the first owner of *A Bar at the Folies*?

7 What is the barmaid wearing?

8 What type of room is seen at the back of the painting?

9 Who is performing for the audience?

10 Where did most of the work on the painting take place?

Questions 11-13

Complete each sentence with the correct ending, **A-F**, below.

Write the correct letter, **A-F**, in boxes 11-13 on your answer sheet.

11 Manet misrepresents the images in the mirror because he

12 Manet felt modern workers were alienated because they

13 Academics have re-constructed the painting in real life because they

A	wanted to find out if the painting's perspective was realistic.
B	felt they had to work very hard at boring and difficult jobs.
C	wanted to understand the lives of ordinary people at the time.
D	felt like they had to become different people.
E	wanted to manipulate our sense of reality.
F	wanted to focus on the detail in the painting.

READING PASSAGE 2

You should spend about 20 minutes on **Questions 14-26**, which are based on Reading Passage 2 on the following pages.

Questions 14-19

*Reading Passage 2 has six paragraphs, **A-F**.*

*Choose the correct heading for Paragraphs **A-F** from the list of headings below.*

*Write the correct number, **i-ix**, in boxes 14-19 on your answer sheet.*

List of Headings
i   A legacy is established
ii   Formal education unhelpful
iii An education in two parts
iv   Branching out in new directions
v   Childhood and family life
vi   Change necessary to stay creative
vii Conflicted opinions over Davis' earlier work
viii Davis' unique style of trumpet playing
ix   Personal and professional struggles

14 Paragraph **A**

15 Paragraph **B**

16 Paragraph **C**

17 Paragraph **D**

18 Paragraph **E**

19 Paragraph **F**

MILES DAVIS
Icon and iconoclast[1]

A At the age of thirteen, Miles Davis was given his first trumpet, lessons were arranged with a local trumpet player, and a musical odyssey began. These early lessons, paid for and supported by his father, had a profound effect on shaping Davis' signature sound. Whereas most trumpeters of the era favoured the use of vibrato (a wobbly quiver in pitch inflected in the instrument's tone), Davis was taught to play with a long, straight tone, a preference his instructor reportedly drilled into the young trumpeter with a rap on the knuckles every time Davis began using vibrato. This clear, distinctive style never left Davis. He continued playing with it for the rest of his career, once remarking, 'If I can't get that sound, I can't play anything.'

B Having graduated from high school in 1944, Davis moved to New York City, where he continued his musical education both in the clubs and in the classroom. His enrolment in the prestigious Julliard School of Music was short-lived, however — he soon dropped out, criticising what he perceived as an over-emphasis on the classical European repertoire and a neglect of jazz. Davis did later acknowledge, however, that this time at the school was invaluable in terms of developing his trumpet-playing technique and giving him a solid grounding in music theory. Much of his early training took place in the form of jam sessions and performances in the clubs of 52nd Street, where he played alongside both up-and-coming and established members of the jazz pantheon such as Coleman Hawkins, Eddie 'Lockjaw' Davis, and Thelonious Monk.

C In the late 1940s, Davis collaborated with nine other instrumentalists, including a French horn and a tuba player, to produce *Birth of the Cool*, an album now renowned for the inchoate sounds of what would later become known as 'cool' jazz. In contrast to popular jazz styles of the day, which featured rapid, rollicking beats, shrieking vocals, and short, sharp horn blasts, Davis' album was the forerunner of a different kind of sound — thin, light horn-playing, hushed drums and a more restrained, formal arrangement. Although it received little acclaim at the time (the liner notes to one of Davis' later recordings call it a 'spectacular failure'), in hindsight *Birth of the Cool* has become recognised as a pivotal moment in jazz history, cementing — alongside his 1959 recording, *Kind of Blue* — Davis' legacy as one of the most innovative musicians of his era.

D Though Davis' trumpet playing may have sounded effortless and breezy, this ease rarely carried over into the rest of his life. The early 1950s, in particular, were a time of great personal turmoil. After returning from a stint in Paris, Davis suffered from prolonged depression, which he attributed to the unravelling of a number of relationships, including his romance with a French actress and some musical partnerships that ruptured as a result of creative disputes. Davis was also frustrated by his perception that he had been overlooked by the music critics,

---

[1] An iconoclast is somebody who challenges traditional beliefs or customs.

who were hailing the success of his collaborators and descendants in the 'cool' tradition, such as Gerry Mulligan and Dave Brubeck, but who afforded him little credit for introducing the cool sound in the first place.

E   In the latter decades of his career, Davis broke out of exclusive jazz settings and began to diversify his output across a range of musical styles. In the 1960s, he was influenced by early funk performers such as Sly and the Family Stone, and his style expanded into the jazz-rock fusion genre — of which he was a frontrunner — in the 1970s. Electronic recording effects and electric instruments were incorporated into his sound. By the 1980s, Davis was pushing the boundaries further, covering pop anthems such as Cyndi Lauper's *Time After Time* and Michael Jackson's *Human Nature*, dabbling in hip hop, and even appearing in some movies.

F   Not everyone was supportive of Davis' change of tune. Compared to the recordings of his early career, universally applauded as linchpins of the jazz *oeuvre*, trumpeter Wynton Marsalis derided his fusion work as being 'not true jazz', and pianist Bill Evans denounced the 'corrupting influence' of record companies, noting that rock and pop 'draw wider audiences'. In the face of this criticism, Davis remained defiant, commenting that his earlier recordings were part of a moment in time that he had no 'feel' for anymore. He firmly believed that remaining stylistically inert would have hampered his ability to develop new ways of producing music. From this perspective, Davis' continual revamping of genre was not merely a rebellion, but an evolution, a necessary path that allowed him to release his full musical potential.

Questions 20-26

Do the following statements agree with the views of the writer in Reading Passage 2?

In boxes 20-26 on your answer sheet, write

> **YES**   if the statement agrees with the views of the writer
> **NO**   if the statement contradicts the views of the writer
> **NOT GIVEN** if it is impossible to say what the writer thinks about this

20 Davis' trumpet teacher wanted him to play with vibrato.

21 According to Davis, studying at Julliard helped him to improve his musical abilities.

22 Playing in jazz clubs in New York was the best way to become famous.

23 *Birth of the Cool* featured music that was faster and louder than most jazz at the time.

24 Davis' personal troubles had a negative effect on his trumpet playing.

25 Davis felt that his contribution to cool jazz had not been acknowledged.

26 Davis was a traditionalist who wanted to keep the jazz sound pure.

READING PASSAGE 3

*You should spend about 20 minutes on **Questions 27-40**, which are based on Reading Passage 3 below.*

A   In the early days of mountaineering, questions of safety, standards of practice, and environmental impact were not widely considered. The sport gained traction following the successful 1786 ascent of Mont Blanc, the highest peak in Western Europe, by two French mountaineers, Jacques Balmat and Michel-Gabriel Paccard. This event established the beginning of modern mountaineering, but the sole consideration over the next hundred years was the success or failure of climbers in reaching the summit and claiming the prestige of having made the first ascent.

B   Toward the end of the nineteenth century, however, developments in technology spurred debate regarding climbing practices. Of particular concern in this era was the introduction of pitons (metal spikes that climbers hammer into the rock face for leverage) and the use of belaying[1] techniques. A few, such as Italian climber Guido Rey, supported these methods as ways to render climbing less burdensome and more 'acrobatic'. Others felt that they were only of value as a safety net if all else failed. Austrian Paul Preuss went so far as to eschew all artificial aids, scaling astonishing heights using only his shoes and his bare hands. Albert Mummery, a well-known British mountaineer and author who climbed the European Alps, and, more famously, the Himalayas, where he died at the age of 39 attempting a notoriously difficult ascent, developed the notion of 'fair means' as a kind of informal protocol by which the use of 'walk-through' guidebooks and equipment such as ladders and grappling hooks were discouraged.

C   By the 1940s, bolts had begun to replace pitons as the climber's choice of equipment, and criticism surrounding their use was no less fierce. In 1948, when two American climbers scaled Mount Brussels in the Canadian Rockies using a small number of pitons and bolts, climber Frank Smythe wrote of their efforts: 'I still regard Mount Brussels as unclimbed, and my feelings are no different from those I should have were I to hear that a helicopter had deposited its passenger on the summit of that mountain just so that he could boast that he had trodden an untrodden mountain top.'

D   Climbing purists aside, it was not until the 1970s that the general tide began to turn against bolting and pitons. The USA, and much of the western world, was waking up to the damage they had been causing to the planet, and environmentalist campaigns and new government policies were becoming widespread. This new awareness and sensitivity to environmental issues spilled over into the rock climbing community. As a result, a stripped-down style of

---

[1]   fastening or controlling of a climber's rope by wrapping it around a metal device of another person

rock climbing known as 'clean climbing' became widely adopted. Clean climbing helped preserve rock faces and, compared with older approaches, it was much simpler to practise. This was partly due to the hallmark of clean climbing — the use of nuts — which were favoured over bolts because they could be placed into the rock wall with one hand while climbers maintained their grip on the rock with the other.

E   Not everyone embraced the clean climbing movement, however. A decade later, debates over two more developments were erupting. The first related to the practice of chipping, in which climbers chip away pieces of rock in order to create tiny cracks in which to insert their fingers. The other major point of contention was a process that involves setting bolts in reverse from the top of the climb down. Rappel bolting makes almost any rock face climbable with relative ease, and as a result of this new technique, the sport has lost much of its risk factor and sense of pioneering spirit; indeed, it has become more about muscle power and technical mastery than a psychological trial of fearlessness under pressure. Because of this shift in focus, many amateur climbers have flocked to indoor climbing gyms, where the risk of serious harm is negligible.

F   Given the environmental damage rock climbing can cause, this may be a positive outcome. It is ironic that most rock climbers and mountaineers love the outdoors and have great respect for the majesty of nature and the impressive challenges she poses, but that in the pursuit of their goals they inevitably trample sensitive vegetation, damaging and disturbing delicate flora and lichens which grow on ledges and cliff faces. Two researchers from a Canadian university, Doug Larson and Michelle McMillan, have found that rock faces that are regularly climbed have lost up to 80% of the coverage and diversity of native plant species. If that were not bad enough, non-native species have also been inadvertently introduced, having been carried in on climbers' boots.

G   This leaves rock climbing with an uncertain future. Climbers are not the only user group that wishes to enjoy the wilderness — hikers, mountain bikers and horseback riders visit the same areas, and more importantly, they are much better organised, with long-established lobby groups protecting their interests. With increased pressure on limited natural resources, it has been suggested that climbers put aside their differences over the ethics of various climbing techniques, and focus on the effect of their practices on the environment and their relationship with other users and landowners.

H   In any event, there can be no doubt that the era of the rock climber as a lone wolf or intrepid pioneer is over. Like many other forms of recreation, rock climbing has increasingly come under the fold of institutional efforts to curb dangerous behaviour and properly manage our natural environments. This may have spoiled the magic, but it has also made the sport safer and more sustainable, and governing bodies would do well to consider heightening such efforts in the future.

Questions 27-32

Reading Passage 3 has eight paragraphs, **A-H**.

Which paragraph contains the following information?

*Write the correct letter, **A-H**, in boxes 27-32 on your answer sheet.*

27 examples of the impact of climbers on ecosystems

28 an account of how politics affected rock climbing

29 a less dangerous alternative to climbing rock faces

30 a recommendation for better regulation

31 a reference to a climber who did not use any tools or ropes for assistance

32 examples of different types of people who use the outdoors for recreation

Questions 33-39

Complete the flow-chart below.

*Choose **NO MORE THAN THREE WORDS** from the passage for each answer.*

Write your answers in boxes 33-39 on your answer sheet.

A rock climbing time line

Late 19th century
Some climbers discuss whether pitons and ropes should only be considered **33** .... **34** .... calls for guidelines based on unwritten rules which discourage climbing aids.

↓

1940s
New equipment becomes controversial. Frank Smythe says that Mt Brussels is effectively **35** .... because of the techniques that were used in order to scale the mountain.

↓

1970s
36 .... is more environmentally friendly. **37** .... are introduced as a climbing aid.

↓

1980s — today
Climbers discuss the merits of new techniques for making hand holds, and also of **38** .... Many say that climbing is now a test of physical strength and **39** .... rather than of courage.

Question 40

*Choose the correct letter, **A**, **B**, **C** or **D**.*

Write the correct letter in box 40 on your answer sheet.

Choose the most appropriate title for the reading passage.

A A history of rock climbing

B Ethics and issues in rock climbing

C Current trends in rock climbing

D Sport climbers versus traditional climbers

WRITING

WRITING TASK 1

You should spend about 20 minutes on this task.

The chart below gives information about the number of downloads per month for four popular language learning apps during 2013 and 2014.

Summarise the information by selecting and reporting the main features, and make comparisons where relevant.

Write at least 150 words.

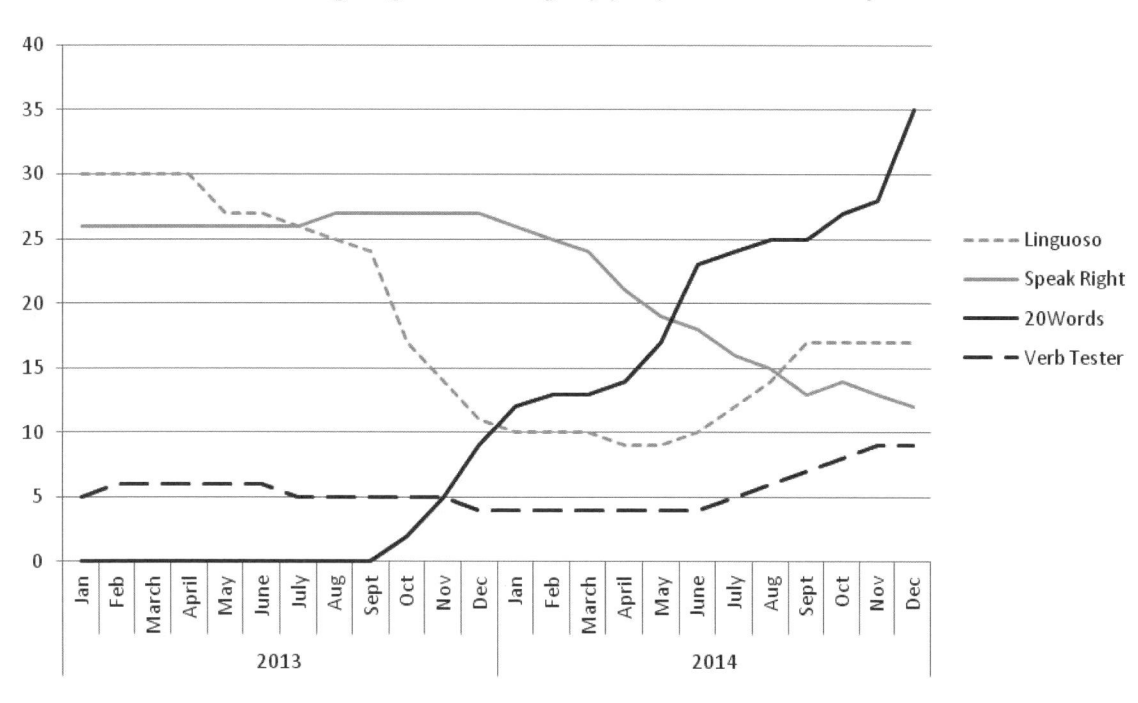

Downloads per month of four popular language learning apps (in thousands)

- - - - Linguoso
——— Speak Right
——— 20Words
— — Verb Tester

2013   2014

WRITING TASK 2

You should spend about 40 minutes on this task.

Write about the following topic:

> **There is a popular view that advertising encourages everyone to want the same things in life, and to believe that we need these things in order to be happy.**
>
> **To what extent do you agree?**

Give reasons for your answer and include any relevant examples from your own knowledge or experience.

Write at least 250 words.

SPEAKING

質問とサンプルアンサーの音声はトラック8〜10に収録。

PART 1

The examiner asks the candidate about him/herself, his/her home, work or studies and other familiar topics.

EXAMPLE

Money
- Is money important? [Why/Why not?]
- Do people in your country save their money? [Why/Why not?]
- What sort of things do young people spend their money on? [Why?]
- How do you feel when you don't have enough money to buy something you want? [Why?]

Food and meals
- What is your favourite meal, for example, breakfast, lunch or dinner? [Why?]
- How important do you think it is to have three meals a day? [Why?]
- Who do you think enjoys cooking more, older or younger people? [Why?]
- Do you think more people will eat microwaved meals in the future? [Why/Why not?]

PART 2

> **Talk about a wedding you have been to.**
> **You should talk about:**
> - where it was
> - when it was
> - who you met there
>
> **and explain why this wedding was important to you.**

You will have to talk about the topic for one to two minutes.
You will have one minute to think about what you are going to say.
You can make some notes to help you if you wish.

PART 3

Discussion topics:

Weddings and marriage in general

When is a person truly ready for marriage?

What kinds of things should young people do before they get married? [Why?]

Do you think people should get married again if their first marriage is not successful?

Marriage and society

The roles of men and women are changing. How has this impacted on how people view marriage in your culture?

The media often highlights celebrity marriages and contracts that are agreed on before marriage. Is this a practical attitude towards marriage?

Changes in attitudes to marriage and family responsibilities have resulted in increasing numbers of single-parent families. How will this impact society in the future?

TEST 2

LISTENING ·· 84
READING ·· 89
WRITING ·· 101
SPEAKING ·· 103

※形式の変更についてはp.23参照

LISTENING

SECTION 1 | *Questions 1-10* 🎧 11

Complete the form below.

*Write **NO MORE THAN TWO WORDS AND/OR A NUMBER** for each answer.*

New Password

Example	*Answer*
Call taken by:	Natasha

Customer's full name: Michael **1** ....

Date of birth: 27 March 1966

Previous address: 319 **2** ....
East Providence

Phone number: 0492 48002

Data allowance: **3** ....

Current payment plan: **4** ....

Mother's maiden name: **5** ....

First pet: **6** ....

New password sent on: **7** ....

Extra services requested: New **8** ....

Cancel **9** ....

10 .... pack

SECTION 2 Questions 11-20

Questions 11-16

Where can each of the following items be found?

*Choose **SIX** answers from the box and write the correct letter, **A-I**, next to questions 11-16.*

Locations

A on washing machine
B in hallway cupboard
C in hot water cupboard
D next to back door
E in bathroom
F on top of television
G in shoebox
H under kitchen sink
I above front door

11 alarm

12 other keys

13 laundry detergent

14 beach towels

15 bath towels

16 light bulbs

Questions 17-20

Complete the notes below.

Write **NO MORE THAN TWO WORDS AND/OR A NUMBER** *for each answer.*

Difficult parking in town at the weekend because of so many **17** ....

Museum is closed on **18** ....

Recommended places to eat:

- **19** .... for Chinese food
- Pizzeria for Italian food

Phone number for takeaway pizza — **20** ....

SECTION 3 | Questions 21-30

Questions 21-25

Choose the correct letter, **A**, **B** or **C**.

21 Why did Diana accept the offer from Gregory Associates?

   A It covered her travel expenses.
   B It was from a well-known company.
   C It was the only offer she received.

22 Diana was disappointed because

   A she found the work routine repetitive.
   B the staff were not very helpful.
   C the work was not related to her studies.

23 What did Diana like best about her internship?

   A Observing how the workplace operates
   B Being responsible for completing projects
   C Working closely with the project managers

24 What was the hardest part of the internship?

   A Combining it with her studies
   B Living on so little money
   C Working such long hours

25 During the internship, Diana

   A changed her mind about her career.
   B received a job offer from the company.
   C decided not to continue her studies.

Questions 26-30

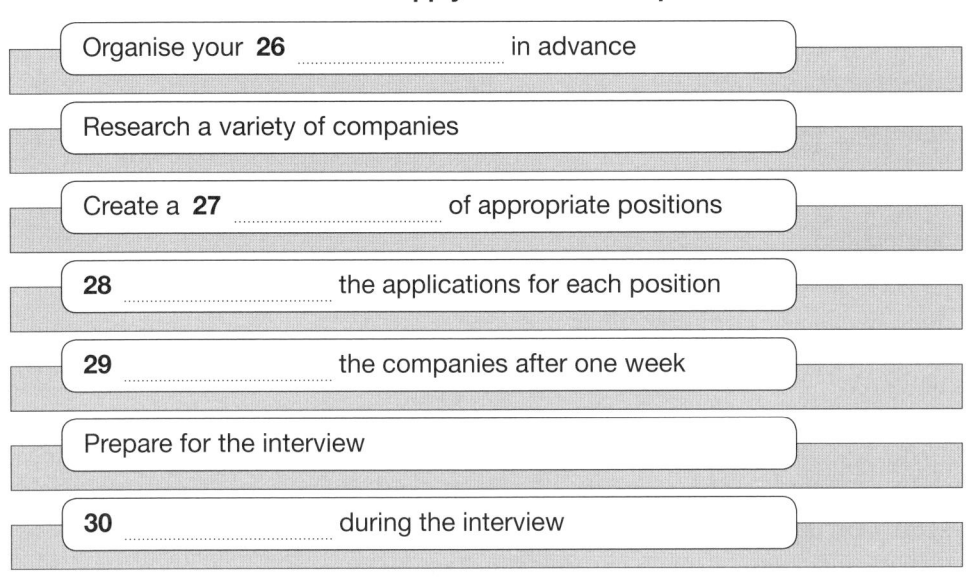

Complete the flow-chart below.

Write **NO MORE THAN TWO WORDS** for each answer.

How to apply for an internship

Organise your **26** .... in advance

Research a variety of companies

Create a **27** .... of appropriate positions

28 .... the applications for each position

29 .... the companies after one week

Prepare for the interview

30 .... during the interview

SECTION 4 Questions 31-40

Complete the notes below.

*Write **ONE WORD ONLY** for each answer.*

Development Studies

Development Studies attempts to understand:
- how societies change and progress over time
- what **31** .... help to make these changes

Two approaches:
- theoretical (understand how change occurs)
- applied (examine particular **32** .... and how they can be applied)

Areas of focus:

Asia-Pacific region; urbanisation (including employment and **33** ....); migration and trade

You will develop the skills to:
- understand key development issues in detail
- gather data (both **34** .... and textual data)
- carefully **35** .... findings
- **36** .... on a research project

Brief history of Development Studies:

1950s	— The discipline emerged. **37** .... issues were the major consideration.
1970s	— Development Studies became more critical of common **38** .... and underlying assumptions. Questions were raised about power, environmental sustainability and unequal **39** .... issues.
1980s-today	— National governments were no longer as important. Growing interest in small-scale practices such as giving very small **40** ....

READING

READING PASSAGE 1

*You should spend about 20 minutes on **Questions 1-13**, which are based on Reading Passage 1 below.*

Knighthoods
An ancient tradition

A Knighthoods are one of the oldest and most prestigious forms of honouring individual citizens in the United Kingdom. Although initially conferred upon members of the armed forces solely on the basis of their performance in combat, the award now recognises all contributions to national life. Some of the most notable knighthoods of recent times have been bestowed on musicians or entertainers such as Sir Elton John and Sir Paul McCartney, and the fields of finance, industry and education are also represented. Citizens of non-Commonwealth[1] countries are eligible for an 'honorary' knighthood for which they are not permitted to use the titles 'Sir' or 'Dame'. Perceived to be a British tradition, the legacy of knighthoods actually dates back to ancient Rome, from where it spread throughout a number of European countries in the Middle Ages and acquired certain features. A would-be knight had to undergo strict military instruction from a young age, which included spending time as an assistant (known as an esquire) to an existing knight, and participating in battle. He had to learn how to equip his knight for battle, and to help him with putting on the heavy and cumbersome armour of the time. He was responsible for keeping this armour in good condition, polishing and cleaning it. He also had to demonstrate chivalrous behaviour such as generosity, selflessness, fearlessness and skill in battle. Finally, the potential knight also required the financial means to purchase horses, weapons and armour for himself, and then make himself available to serve the ruling monarch for a minimum period each year.

B In modern times, the process is very different. Instead of relying on formalised military training or political patronage, a nominations system is used. This way, a person's name can be put forward for a knighthood by any institution such as a school or business, or even just a fellow member of society. After this, an advisory panel, acting on behalf of the sovereign, deliberates and selects the future knights and dames from the pool of applications. Those selected are contacted discreetly before announcements are made to ensure that they wish to accept the honour.

C In rare cases, knighthoods can be revoked through a process known as forfeiture. This most often occurs when the recipient is convicted of a criminal offense. Terry Lewis, a police officer in Queensland, Australia, was stripped of his knighthood after being implicated in a string of illegal activities that included accepting $700,000 worth of bribes from bookmakers and casinos, and forging the signature of an Australian politician on a police document in 1981. Lewis has repeatedly protested his innocence and suggested that he was falsely accused of these crimes, but his appeals failed in court. In a more serious incident, British art historian and intelligence officer, Anthony Blunt, lost his knighthood after it was discovered that he was working as a double agent and handing confidential material over to the Soviet Union.

D Knighthoods have also been forfeited for reasons of incompetence rather than outright illegality or treason. Having been knighted for 'services to banking' in 2004, CEO of the Royal Bank of Scotland, Fred Goodwin, presided over a 24-billion-pound loss at the bank just four years later. Although retaining a 16-million-pound pension, to which he was legally entitled, Goodwin had his knighthood annulled as the Queen's advisory panel deemed him 'the chief decision maker at the time'. Scandals such as these have contributed to spirited debates regarding the role and relevance of knighthoods in 21st-century society.

[1] The Commonwealth is an international association consisting of the UK together with states that were previously part of the British Empire and dependencies.

Questions 1-6

Do the following statements agree with the information given in Reading Passage 1?

In boxes 1-6 on your answer sheet, write

> **TRUE**   *if the statement agrees with the information*
> **FALSE**   *if the statement contradicts the information*
> **NOT GIVEN**   *if there is no information on this*

1 The knighthood was first awarded only for military service.

2 Most knights now come from the arts and entertainment industries.

3 People from outside the Commonwealth cannot be awarded any type of knighthood.

4 The knighthood began in Great Britain.

5 Esquires, or trainee knights, were usually related to the knights they served.

6 An esquire needed money to buy his own equipment.

Questions 7-10

Complete the summary below.

*Choose **NO MORE THAN THREE WORDS** from the passage for each answer.*

Write your answers in boxes 7-10 on your answer sheet.

Knighthood Selection: Then and Now

The process of becoming a knight has changed over time. In the Middle Ages, people began training to become a knight at **7** .... They had to show they were brave and skilled fighters, and were required to work for **8** .... for part of the year. Today, potential recipients of the knighthood are selected through **9** .... A final decision is made by **10** ....

Questions 11-13

*Choose **THREE** letters, **A-F**.*

Write the correct letters in boxes 11-13 on your answer sheet.

Which **THREE** of the following are reasons given in the text for people losing their knighthoods?

> A Punishing someone for a crime he or she did not commit
> B Using another person's name on an important paper
> C Poor management of a company
> D Wrongfully accepting pension payments
> E Gambling on horseracing or card games
> F Giving secret information to a foreign government

READING PASSAGE 2

*You should spend about 20 minutes on **Questions 14-26**, which are based on Reading Passage 2 below.*

'Just do it!'
Or — the subtle art of procrastination

A Procrastination, a kind of chronic time-wasting, has long been dismissed as an innocuous human foible. Researchers are now beginning a more sober examination of this practice, however, and there may be good reason for doing so: twenty per cent of Americans now admit to suffering from procrastination, a fifteen per cent jump from 1970. Researchers are bemused as to what explains this sharp rise in the figures, but there is no doubt that procrastination is wreaking havoc on people's lives. One side effect is perhaps the most predictable: procrastination hampers academic and work commitments as sufferers fail to meet deadlines or achieve their goals. But there are other costs too. In shifting burdens of responsibility onto others and reneging on their promises, procrastinators undermine relationships both in the workplace and in their private lives, all of which takes a toll on their well-being. In one study, over the course of a semester, procrastinating university students were noted to be suffering from notably weaker immune systems, more gastrointestinal problems, and higher occurrences of insomnia than their non-procrastinating peers.

B Is there hope for procrastinators? Everyone admits it's a difficult demon to beat, but a few self-styled procrastination coaches have developed strategies to that end. Although evidence for their efficacy is largely anecdotal at this stage, some of these strategies at least offer promising avenues for future research.

C Career counsellor Amy Sykes focuses on the basics. Firstly, she says, embrace peer pressure. Many weight loss and self-help groups encourage individuals to hold themselves accountable to a wider circle of their peers, and Sykes believes this social safety net can be harnessed just as successfully by procrastinators. A change in perspective is also considered vital. 'When we want people to do something for us, we really sell it to them,' Sykes observes. 'But when we need to do it ourselves, we focus on all the reasons we don't want to.' Instead, she argues, we should pique our own interest and find ways to make our important projects more attractive — by turning them into little competitions or fact-finding missions, for example. If all else fails, Sykes believes we must recompense ourselves for our troubles, ideally with little treats upon finishing a task. 'It doesn't need to be big,' she says. 'Pancakes, a hot bath, or an episode of your favourite television show could all do the trick.'

D Though these tips may be a little too garden variety[①] for some, others have thought up more cunning twists on the human psyche. One such approach was developed by the crime writer

---

[①] Common, usual or ordinary

Raymond Chandler, who built his strategy on a basic yet critical observation: procrastinators rarely sit about completely inactively, but rather tend to engage themselves in useful but less pressing tasks: vacuuming behind the bed, cleaning out the fridge, washing the windows and so on. The result is that they 'cheat' themselves into experiencing feelings of productivity and satisfaction that offer further distraction from the original project. Chandler's method, which he successfully used to help himself write detective stories, involves setting aside a period of time in which the procrastinator may do one of two things: absolutely nothing or work on the project that he or she wishes to complete. Sitting still, without the satisfaction of busying himself with less urgent tasks, Chandler slowly felt the itch of tedious monotony sink in. Within five or ten minutes, this itch had become intolerable, and he felt compelled to begin writing his stories.

E   Another procrastinator, professor of philosophy John Perry, developed his strategy against procrastination based on essentially the same insight as Chandler's — that procrastinators are actually quite good at doing 'marginally useful' tasks, just not the tasks they really ought to be doing. He thus surmised that the enemy of successful task completion is not, in fact, that great engine of productive activity — procrastination itself — but rather how we order our projects in the hierarchy of urgency. If a procrastinator needs to finish an assignment before 8 o'clock the following morning, for instance, he is likely to find himself sharpening pencils instead. 'But if all the procrastinator had left to do was to sharpen some pencils,' Perry observes, 'no force on earth could get him to do it.' The key to this approach is to rank one's priorities, then bump the most urgent tasks a little further down and place at the top some potentially daunting and important-sounding projects which are ultimately not all that essential. If the student with the essay deadline can convince himself he absolutely must reorganise his email box, or finish reading that old, dusty novel he only got halfway through, then suddenly the essay deadline is going to seem a far superior option.

F   If the Ancient Greeks struggled with it, and all the life coaches, counsellors and motivational speakers in the modern world are unable to erase it from our existence either, it seems unlikely that procrastination will ever truly be put to rest. As these procrastination gurus have shown, however, the right strategies have the potential to minimise its impact — if you ever get around to using them.

Questions 14-18

Do the following statements agree with the information given in Reading Passage 2?

In boxes 14-18 on your answer sheet, write

TRUE if the statement agrees with the information
FALSE if the statement contradicts the information
NOT GIVEN if there is no information on this

14 Procrastination has always been recognised as a serious problem.

15 The reason for the rise in procrastination is unknown.

16 Students are the most likely group to procrastinate.

17 A range of health problems have been linked to procrastination.

18 Most techniques to stop procrastination are based on scientific study.

Questions 19-25

Look at the following statements (Questions 19-25) and the list of people below.

*Match each statement with the correct person, **A**, **B** or **C**.*

*Write the correct letter, **A**, **B** or **C**, in boxes 19-25 on your answer sheet.*

19 Doing housework is a common way of avoiding important work.

20 Get support from other people.

21 Make a list of boring tasks before important ones.

22 Look for ways to make the work more interesting.

23 Lists are powerful tools for reducing procrastination.

24 Use boredom as motivation.

25 Use rewards when a task is completed.

List of People
A Amy Sykes
B Raymond Chandler
C John Perry

Question 26

*Choose the correct letter **A**, **B**, **C** or **D**.*

Write the correct letter in box 26 on your answer sheet.

What is the writer's conclusion?

A Some procrastination-reducing strategies have had proven success.

B Procrastination will never be completely eliminated.

C Procrastinators should employ a life coach to help them.

D Most procrastinators want to learn how to be more efficient.

READING PASSAGE 3

*You should spend about 20 minutes on **Questions 27-40**, which are based on Reading Passage 3 below.*

When evolution works against us

A Life has changed in just about every way since small tribes of hunter-gatherers roamed the earth armed with nothing but spears and stone tools. We now buy our meat from the supermarket rather than stalking it through the jungle; houses and high-rises shelter us at night instead of caves. But despite these changes, some very basic responses linger on. The short, sharp feeling of heightened awareness that sweeps through us when a stranger passes in a dark alley is no different, physiologically speaking, from the sensation our ancestors experienced when they were walking through the bushes and heard a dry twig snap nearby. It's called the 'fight or flight' response, and it helps us to identify dangerous situations and act decisively by, as the name suggests, mustering our strength for a confrontation or running away as fast as we can.

B This shift to survival mode is often popularly described as a sudden unease, a sense that a situation is 'off' or 'not right'. However, the sense is actually the outcome of an incredibly complex mind-body process which involves the brain's 'fear centre', the hypothalamus, advising the sympathetic nervous system and the adrenal-cortical system to work, at first separately, and then together, to blend a potent mix of hormones and chemicals and secrete them into the bloodstream. Our heartbeat rises, along with our respiratory rate. Skin feels cold (hence the 'shiver' down the spine) as blood supply is redirected to the larger muscles required for a physical confrontation or a hasty retreat. The ability to concentrate on issues of minor importance also suffers, as the brain tends to prioritise 'big picture' thinking at this time.

C Without this instinctive response, the human race would never have survived, but at present it is often more of a hindrance than a help. Although instances of physical threats have decreased over the years, activation of the fight or flight response has actually increased, largely in response to mental frustrations. This poses a problem, however, because the fight or flight mechanism functions most helpfully as a response to something that can cause bodily harm, such as a falling tree or a wild animal, rather than in response to a fulminating boss, a traffic jam, or a spouse who has not returned a phone call. During these instances of mental distress, the physical manifestations of fight or flight, such as an inability to think rationally and calmly, can actually exacerbate the problem.

D A similar case of an evolutionary development overstaying its welcome is the example of 'mind chatter'. Mind chatter is the ceaseless train of scattered thoughts and self-talk that occupies our mind, ensuring we are always 'switched on', searching for danger and threats. This would have been a boon for a solitary caveman on a three-hour hunting expedition, but in a modern world already overloaded with sensory input, it causes us to fret about non-existent predicaments and occasionally needlessly triggers the fight or flight response.

E These twin forces, mind chatter and the fight or flight response, have combined to wreak havoc on the modern psyche and have led to a spike in what some studies have suggested is a cause of up to eighty per cent of all illness today: stress. Stress, erroneously considered by many to be a mere feeling, is actually a physiological condition resulting from a cumulative accrual of certain hormones in the body, hormones that can help us in quick, sharp doses, but which are toxic if they are not properly metabolised. Metabolism of these potentially toxic hormones relies on physical exertion, which originally evolved as part of the fight or flight process — hormone release was usually followed by physical exertion (fighting or running), which returned the body to a state of balance. In present day encounters, however, the vital element of physical exertion is missing: a resentful employee cannot punch his co-worker, for example, and a frustrated driver is unable to simply ram his way through a packed intersection.

F What can be done to restore the balance? Stress researcher Neil F. Neimarck, perhaps not surprisingly, recommends physical exercise as one useful strategy. Fortunately, the brain is not clever enough to realise that this exercise is completely unrelated to the original stress stimulus, and in this way we can effectively 'fool' our bodies into metabolising stress hormones by punching a boxing bag instead of the person who annoyed us in the first place. Another option is the 'relaxation response', discovered by Harvard cardiologist Herbert Benson. Benson found that certain behaviours, such as deep breathing, meditation, and the repetition of simple, affirmative phrases, acted as an antidote to mind chatter and the fight or flight responses, calming the nervous system and inducing a relaxed state of mind and body instead. Integrating these methods into our lives will be important if the cycle of stress accumulation that is so endemic in modern Western society is to be stopped.

Questions 27-32

Complete the summary using the list of words, **A-O**, below.

Write the correct letter, **A-O**, in boxes 27-32 on your answer sheet.

The fight or flight response

Modern man still has the **27** .... that were needed in his distant past in the jungle. One of these, the 'fight or flight' response, originally assisted humans to recognise **28** .... and take action. Today, this same response manifests itself mostly as nothing more than a feeling of **29** .... It is the result of the hypothalamus producing and releasing **30** .... into the blood, with subsequent rises in heart rate and breathing, and the sensation of a **31** .... in temperature as the blood is diverted to other organs. Although this **32** .... was once essential to human survival, it now occurs as a result of perceived rather than actual threat.

A plan	B strengths	C substances
D strangers	E warmth	F mixtures
G instincts	H threats	I powers
J system	K anxiety	L pressure
M drop	N problems	O rise

Questions 33-36

*Choose the correct letter, **A**, **B**, **C** or **D**.*

Write the correct letter in boxes 33-36 on your answer sheet.

33 When the fight or flight response is activated, it is difficult to

    A increase breathing speed.
    B focus on small problems.
    C maintain body temperature.
    D run for long periods of time.

34 The fight or flight response is less useful today because modern individuals

    A encounter fewer physical threats.
    B can easily manage small daily difficulties.
    C are better at creative problem solving.
    D do not need to hunt dangerous animals.

35 One disadvantage of 'mind chatter' is that people may

    A talk too much and miss important information.
    B spend too much time by themselves.
    C become distracted from real threats.
    D worry about problems that are not real.

36 The writer suggests stress is increasing because of

    A a lack of physical release.
    B an increase in the number of threats.
    C more health problems.
    D the loss of some hormones.

Questions 37-40

Do the following statements agree with the views of the writer in Reading Passage 3?

In boxes 37-40 on your answer sheet, write

> **YES** if the statement agrees with the views of the writer
> **NO** if the statement contradicts the views of the writer
> **NOT GIVEN** if it is impossible to say what the writer thinks about this

37 Stress is an emotion.

38 Fights in the workplace are increasing.

39 In order to metabolise hormones, exercise must be linked with the original cause of stress.

40 Saying positive words can reduce stress.

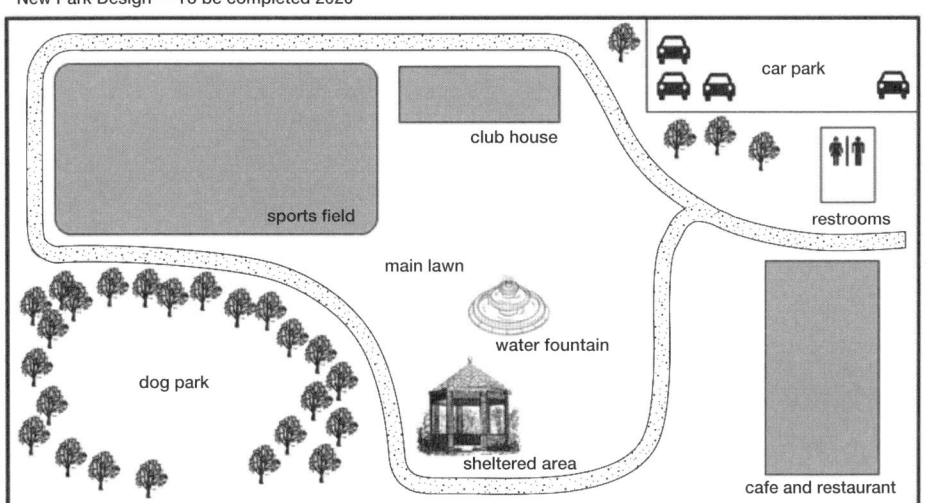

WRITING

WRITING TASK 1

You should spend about 20 minutes on this task.

> *The two maps below show a park as it is today and planned changes that will be completed in 2020.*
>
> *Summarise the information by selecting and reporting the main features, and make comparisons where relevant.*

Write at least 150 words.

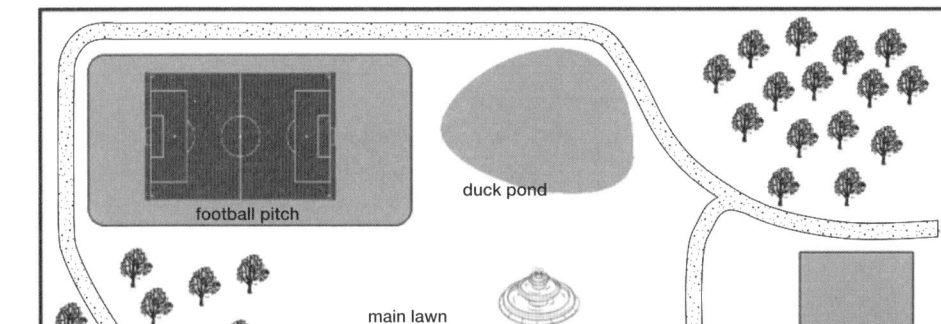

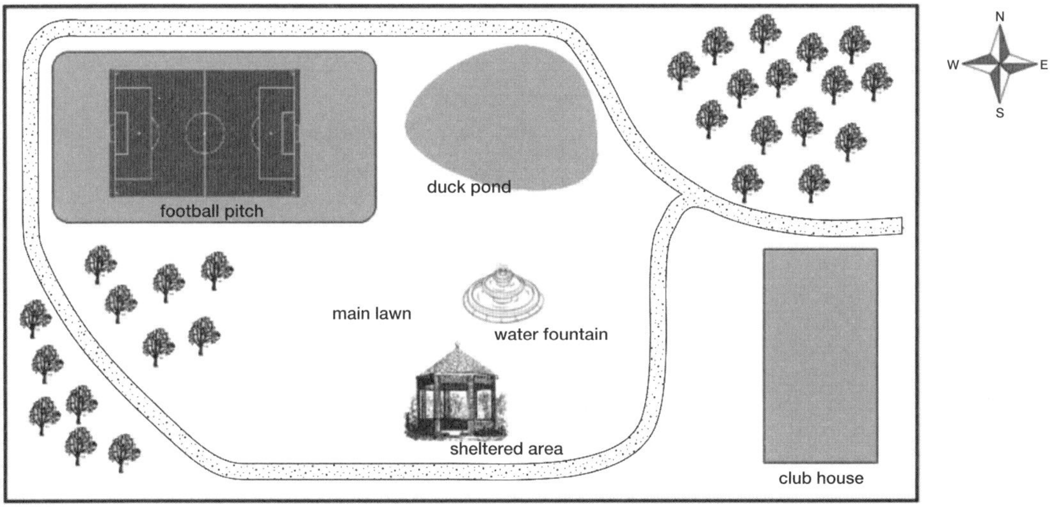

WRITING TASK 2

You should spend about 40 minutes on this task.

Write about the following topic:

> *In some countries, secondary schools provide students with an opportunity to learn skills such as cooking, basic repairs, drawing and woodwork.*
>
> *What are the advantages and disadvantages of teaching such non-academic classes in school?*

Give reasons for your answer and include any relevant examples from your own knowledge or experience.

Write at least 250 words.

SPEAKING

質問とサンプルアンサーの音声はトラック18〜20に収録。

PART 1 🎧15

The examiner asks the candidate about him/herself, his/her home, work or studies and other familiar topics.

EXAMPLE

Sports centres
- Are there a lot of sports centres where you live? [Why/Why not?]
- Is it important to have sports centres near where people live? [Why/Why not?]
- Do you think people spend enough time doing sport in your country? [Why/Why not?]
- Are people in your country today more interested in sport than in the past? [Why/Why not?]

Hotels
- Do you often stay in hotels? [Why/Why not?]
- Does your country have a lot of big hotels? [Why/Why not?]
- What sort of hotels are the most popular for business people? [Why?]
- Which do you prefer, small local hotels or big international hotels? [Why?]

PART 2 🎧16

Talk about someone you know who takes good photos.
You should talk about:
  who he/she is
  what he/she takes photos of
  what he/she does with his/her photos
and explain why you think he/she is a good photographer.

You will have to talk about the topic for one to two minutes.
You will have one minute to think about what you are going to say.
You can make some notes to help you if you wish.

PART 3

🎧 17

Discussion topics:

Photos in general

Do you think people today take more photos than they used to?

What kinds of photos do most people like to keep or send to other people?

Do you think people should take lessons to learn how to take professional photos?

Media and photography

What are some of the differences between written news stories and news stories with photos?

Do you think it is okay for news organisations to ask people to send in their own photos of news events as they are happening?

Photos can now be sent immediately from one side of the world to the other within minutes. How has this changed journalism?

TEST 3

LISTENING ……………………………………… 106
READING ………………………………………… 112
WRITING ………………………………………… 125
SPEAKING ……………………………………… 127

※形式の変更についてはp.23参照

LISTENING

SECTION 1   Questions 1-10   🎧 21

Questions 1-6

Complete the flow-chart below.

Write **NO MORE THAN TWO WORDS AND/OR A NUMBER** for each answer.

Making an International Money Transfer

Example

Step 1: Access *global payments* system
— Log on to Wesley Bank Internet Banking
— Select 'Transfer Money'
— Select 'International Money Transfer' (under International Services)

⬇

Step 2: Click on 'Payment Destination **1** ....'
— Scroll down and choose the place

⬇

Step 3: Enter '**2** .... Details'
— Name, address, phone number

⬇

Step 4: 'Transaction Details'
— Select transaction, savings or **3** .... account
— Enter reason: medical care, **4** ....

⬇

Step 5: 'Recipient Account Details'
— Account name and number
  (NB: complete the page within **5** .... hours)

⬇

Step 6: 'Recipient Bank Details'
— Name, branch, address

⬇

Step 7: 'Confirmation Page'
— Press Submit
— Print receipt or write down Transaction **6** ....

Questions 7-10

Answer the questions below.

Write **NO MORE THAN TWO WORDS AND/OR A NUMBER** for each answer.

7 How long does it take for the Wesley Bank to process a transfer?

   ....

8 How much does it cost to make each online international transaction from the Wesley Bank?

   ....

9 What is the maximum amount of each transfer?

   ....

10 What is a security token?

   ....

SECTION 2   Questions 11–20

Questions 11-17

Label the plan below.

Write the correct letter, **A-I**, next to questions 11-17.

Plan for upgrade of Bayfield town centre

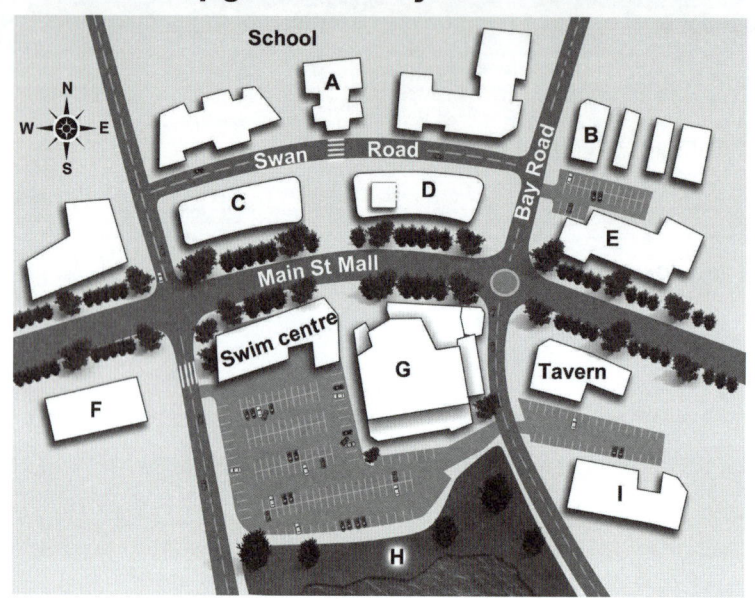

11 supermarket   ....

12 park   ....

13 market   ....

14 office block   ....

15 gymnasium   ....

16 library   ....

17 council   ....

Questions 18-20

Complete the sentences below.

*Write **NO MORE THAN TWO WORDS** for each answer.*

18 The key issue for residents is better ....

19 The council needs to buy suitable .... for playgrounds.

20 The council's first choice for controlling the movement of vehicles on Swan Road is to add ....

SECTION 3   Questions 21-30

Complete the notes below.

*Write **NO MORE THAN THREE WORDS** for each answer.*

CORPORATE CULTURES

Studies by Quinn and Cameron propose:

'Competing Values Framework'

- **Hierarchy Culture**
    - obeys rules, **21** .... and bureaucracy
    - solid, well-organised and **22** .... operations
    - leaders use power, **23** .... and position to deal with employees
    - common among **24** .... organisations and large companies
- **Market Culture**
    - main difference is the importance of **25** .... with clients or suppliers
    - this culture produces the best **26** .... (due to emphasis on competitiveness and success)

- **Clan Culture**
    - family-like
    - focus on doing things together leads to better morale and a high degree of worker **27** ....
    - paternalistic, mentoring style of leadership
    - employee training
    - company expects **28** .... from workers, with similar ideas and shared goals

- **Adhocracy Culture**
    - workers must be adaptable and accept change
    - focus on flexibility and **29** .... with quick responses to outside factors
    - dynamic and entrepreneurial leaders looking for **30** ....
    - employees encouraged to experiment with new ideas
    - might seem disorganised but inventive and progressive

SECTION 4 | Questions 31-40

Questions 31-34

Complete the summary below.

Write **NO MORE THAN TWO WORDS** for each answer.

Environmental Effects of Pesticide Use

Most pesticides are carried into other environments. They travel along rivers or streams or are carried by the **31** _____ into unwanted areas. Pesticides can harm animals or remove their **32** _____, causing starvation. Those that stay in the soil can cause damage, and also decrease the quality and number of organisms in contrast to **33** _____. Furthermore, insects can develop immunity to pesticides, and thus **34** _____ are needed, which create further problems.

Questions 35-40

Complete the table below.

Write **NO MORE THAN TWO WORDS** for each answer.

Technique	Procedure	Comment
Handpicking	Remove insects with gloves	Effective and low-cost; but **35** _____ so not useful for large farms
36 _____	Breed 'good' insects to attack pests	Risky due to **37** _____ outcomes
Companion planting	Use plants with ability to **38** _____ certain insects	Low risk, but additional plants compete for space and soil nutrients
Crop rotation	Change plant varieties after each harvest — insects must **39** _____ to access food	Unappealing for big businesses as **40** _____ are reduced

READING

READING PASSAGE 1

*You should spend about 20 minutes on **Questions 1-13**, which are based on Reading Passage 1 below.*

'Sleep comes more easily than it returns.'
— Victor Hugo, *Les Misérables*

A It is estimated that one in three adults in westernised countries regularly wakes up in the middle of the night and has difficulty getting back to sleep. Physicians often diagnose 'insomnia' and prescribe sleeping pills, but these often have side effects such as negative interactions with food, drink or other drugs, and most are habit-forming. Cessation of the medication frequently causes unpleasant withdrawal symptoms, too, including panic attacks, mood-swings, and even heightened sleep disturbance. Is there a way to treat insomnia without such debilitating consequences?

B The historian A. Roger Ekirch takes a different approach to nocturnal awakening. He maintains it is biologically instinctive and innate and that it is the ideal of the modern-era condensed eight-hour sleep regime that is exceptional. Those people who have so-called insomnia may just be sleeping in the biphasic mode that was the norm for their ancestors: eight hours of sleep split into two chunks by a period of wakefulness which lasted an hour or longer. According to Ekirch, during this sleepless phase, some people might have stayed in bed and prayed, recalled their dreams, or chatted to their partners, while others may have got up to do chores or drop in on the people next door.

C Archives from the pre-industrial era mention segmented sleep as 'first sleep' or 'deep sleep' and 'second sleep' or 'morning sleep'. The change in sleep routines, which started during the Industrial Revolution, mainly came about through the invention of the incandescent bulb. This invention, cheap and available to even the poorest residences, lengthened our daytime activities, such as reading and playing games, and reduced the period of time for sleep. As a result, the modern worker or student tries to squeeze sleep into a continuous period of seven or eight hours, even though this does not conform to natural circadian rhythms. Anthropologists confirm Ekirch's hypothesis by reporting that inhabitants of undeveloped regions of the world that are without the benefit of electric lighting still follow the natural rhythm of a divided sleep pattern.

D Ekirch's hypothesis was corroborated by sleep expert Thomas Wehr in the 1990s. His study kept volunteers in the dark for 14 hours each night (a simulation of wintertime exposure to light and darkness in bygone days). The subjects moved progressively towards a biphasic sleep pattern, taking a couple of hours to doze off and then sleeping in two distinct segments of four hours each with an interval of wakefulness in the middle. He construed from this that bifurcated sleep is not only completely natural but also beneficial, because this kind of sleeping facilitates the recall of dreams, which 'afford people a pathway to their subconscious'. Our predecessors actually considered their dream life to be a crucial component of their lives.

E Sleep is essential and it is by no means a passive state. Sleep scientists have revealed that there are two fundamental cycles of activity, classified as rapid eye movement (REM) sleep and non-rapid eye movement (NREM) sleep. The latter consists of four phases. The first phase, which lasts five to ten minutes, is the 'falling asleep' stage and sometimes there is actually a sense of falling, which often causes a sudden muscle contraction or jerk. One is easily awoken during this stage. Then comes an interlude of light sleep where the heart rate slows and body temperature drops — the body is getting ready for the deep sleep, which occurs in the third and fourth stages of NREM slumber. This is slow-wave or 'delta' sleep and a person woken at this stage may feel quite disorientated. This period of deep sleep is vital for the body to restore itself. During this time, not only does the body carry out repair and regeneration of nerves, bones and muscles, but it also fortifies and repairs the immune system.

F The eyes can be seen to move rapidly beneath the eyelids during REM sleep, which ensues after approximately an hour and a half of NREM sleep cycles. A faster and more erratic heart rate and shallow breathing are typical of this state, and brain activity intensifies, giving rise to vivid dreaming; paradoxically, the major voluntary muscle groups are immobilised, albeit for good reason — thrashing about while asleep could result in serious injury. Although the purpose of dreaming is not yet fully comprehended, the hypothesis is that it is vital for learning and memory (as these regions of the brain are stimulated); indeed, studies have shown that when candidates are denied REM sleep, their memory of recent learning is impaired. Deprivation of REM sleep also leads to anxiety and migraine headaches.

G Sleep specialists agree that without adequate REM and NREM sleep, people's thought processes are likely to be compromised, and they may suffer from impaired memory, fatigue, depression, a weakened immune response, and heightened susceptibility to pain, amongst other negative consequences. Yet modern-day humans remain chronically sleep deprived, notwithstanding the results of this research and its acceptance by many psychiatrists and sleep consultants. Why is the general populace so loath to relinquish its monophasic sleep schedule and enjoy the benefits of a biphasic schedule? It is certain that attitudes to employment responsibilities and social commitments would have to be altered before such a huge behavioural paradigm shift could occur and individuals could allot more time to restful, restorative sleep.

Questions 1-5

*Choose the correct letter, **A**, **B**, **C** or **D**.*

Write the correct letter in boxes 1-5 on your answer sheet.

1   What can happen if someone stops taking insomnia medication?

    A   Their sleeping problems improve.
    B   They experience unstable emotions.
    C   They begin using other drugs instead.
    D   There is no change in their behaviour.

2   How does A. Roger Ekirch feel about waking in the night?

    A   It is the result of our modern lifestyles.
    B   It is less healthy than uninterrupted sleep.
    C   It is a rare and problematic condition.
    D   It is a completely natural sleep pattern.

3   The shift away from biphasic sleep happened mainly because of

    A   changes in work hours.
    B   factory and industrial employment.
    C   new lighting technology.
    D   less time for sleep in the mornings.

4   What happened to the volunteers in Thomas Wehr's study?

    A   They began to wake up during the night.
    B   They slept much longer than before.
    C   They had a longer winter than normal.
    D   They experienced more vivid dreams.

5   Why did Thomas Wehr feel that bifurcated sleep can help us?

    A   The quality of sleep improves.
    B   We can access hidden thoughts.
    C   We tend to have more dreams.
    D   It takes longer to fall asleep.

Questions 6-12

Complete the notes below.

*Choose **NO MORE THAN THREE WORDS** from the passage for each answer.*

Write your answers in boxes 6-12 on your answer sheet.

Rapid Eye Movement and Non-Rapid Eye Movement Sleep

- NREM Stage 1 = transition to sleep
  — may experience a feeling of **6** ....
  — easy to wake
- NREM Stage 2 = **7** ....
  — decrease in heartbeat and temperature
- NREM Stages 3 & 4 = deep (slow-wave or delta) sleep
  — confusion on waking
  — necessary for healing soft and hard tissue and strengthening **8** ....
- REM = dream sleep
  — Occurs after 90 minutes of NREM
  — Fluctuations of **9** ...., lighter respiration
  — Eyes move, brain more active but arms and legs **10** ....
  — Reason for dreams unknown but important for **11** ....
  — Lack of REM sleep → mood disorders and **12** ....

Question 13

*Choose the correct letter, **A, B, C** or **D**.*

Write the correct letter in box 13 on your answer sheet.

What is the writer's conclusion?

A Our lifestyles must change before our sleep can.

B Lack of sleep is harming our work and social lives.

C We will sleep better if our health improves.

D Sleep researchers are frequently misguided.

READING PASSAGE 2

*You should spend about 20 minutes on **Questions 14-27**, which are based on Reading Passage 2 below.*

Theories of Accident Causation in the Workplace

A Herbert Heinrich, a pioneer in workplace safety philosophy, originally suggested that workplace accidents followed a sequence of five contributing causes, and he used the image of a set of dominos to illustrate the cause and effect chain reaction that was central to his theory. Heinrich maintained that eliminating one contributing cause, like taking away one domino from the row, would prevent the chain from collapsing.

B His original theory was published in 1931 and has since been updated and modified. In the original theory, which was later extended, the end result, or final domino in the series, was injury or damage. He stated that the immediate cause of this was an accident in the workplace. As would be expected from the 1930s worldview, Heinrich was inclined to place the blame for accidents fairly and squarely on the shoulders of the workers. A workplace accident, in his theory, was immediately attributable to unsafe acts. Although he did acknowledge that these unsafe acts might take place in a hazardous situation, he stated that these situations were generally created by, and the responsibility of, the workers. He labelled this factor as 'fault of person'. Heinrich suggested that 'fault of person' had its roots in the workers' ancestry, or genetic factors, combined with the social environment they lived or worked in.

C This theory was very popular, and was later updated by several other researchers in the field. The updated theory became known as the International Loss Control Institute or ILCI model. This model included two new concepts, the first of which was that the initial cause of workplace accidents became lack of control. This idea took some of the blame for workplace accidents away from the workers and attributed it to fundamental mistakes made at executive or management level. In keeping with a more holistic view of workplace accidents, loss of production was added as the final outcome of the chain of events. Domino theories tend to be one-dimensional, however, and nowadays, we tend to believe that accidents have manifold causes.

D Based on this view, the multiple causation theory assumes that there are numerous influential elements in the workplace, and that it is various permutations of these that cause accidents. The causative factors are classified as being either behavioural or environmental. Once again, behavioural influences related to the employee, and examples of such influences included an unsuitable mindset, lack of relevant knowledge or skills and/or a poor physical or mental state.

E Perhaps the simplest theory is that of pure chance, that is, that everyone is equally likely to have an accident and that there is apparently no particular identifiable cause for these;

consequently, there is no possibility of intervention. This theory seems to imply that accidents are inevitable, and that we have to accept this fact in the workplace. There are other theories with little credibility, mainly because of contradictory or inconclusive findings. The accident proneness theory is one of these. In essence, this theory states that there are always a few of us who are more susceptible to suffering mishaps, whether at work or at home, perhaps because of inattention or clumsiness.

F There is, however, a lot of credence given to the human factors theory, which, like the domino theory, ascribes accidents to a chain of events that will lead to human error. There are three main considerations that result in human error: overload; inappropriate responses; and inappropriate activities.

G Overload can arise from the worker's competence, or rather lack thereof, which depends on his proficiency, training, physical or mental condition, fatigue, and so on. Environmental factors also play a part in overload, for instance, excessive noise, heat or cold, insufficient lighting and distractions in the surroundings. There are internal factors which may contribute to overload as well, such as stress or anxiety from family or non work-related issues. Finally, there are situational factors, which include the level of risk inherent in the workplace, or such factors as imprecise instructions.

H Inappropriate responses take into account that workers may overlook possible dangers or safety procedures, or be mismatched to the workstation. Physical factors, such as the size of the worker in relation to the load he is lifting, the force required to lift that load, and how far the worker is required to reach, are all contributing factors. Trying to carry out a workplace assignment without the necessary training, or miscalculating the degree of risk, constitutes an inappropriate activity.

I Dan Petersen added to the inappropriate activity idea from the human factors theory by noting that pressure of deadlines, or the ingestion of drugs or alcohol, could contribute to worker overload, and that a 'superman syndrome' of 'It won't happen to me' should be considered as another inappropriate activity. Some workers believe themselves to be invincible or indestructible, and this results in carelessness and an unwillingness to follow safety precautions.

J Obviously accident causation in industrial settings is a very complex issue and, although a number of theories have been put forward, there is not as yet one that is deemed comprehensive enough to be universally acknowledged as the 'correct' one.

Questions 14-19

Complete the summary using the list of words and phrases, **A-O**, below.

Write the correct letter in boxes 14-19 on your answer sheet.

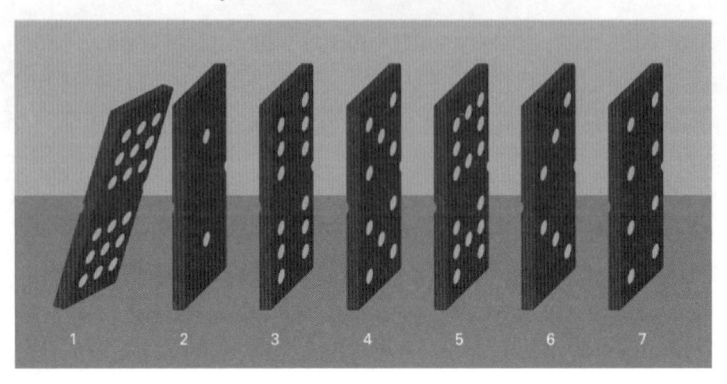

Updated domino model — ILCI

The ILCI model of workplace safety is a revision of Herbert Heinrich's original domino model. In Heinrich's model, the final event was **14** ...., and this was the result of a workplace accident. He believed that the **15** .... of the workers were primarily to blame for accidents, and he called this factor **16** .... He stated that the underlying cause, or first domino in the series, was **17** .... plus the culture of the workers' home or work life.

His model was later modified to the ILCI model. The new model took a wider perspective of workplace accidents. Thus, the first factor was called **18** ...., reflecting error at management level, and the last domino was **19** .... for the workplace.

A hazardous situation	**B** injury or damage	**C** lack of control
D end result	**E** the workers' shoulders	**F** chain reaction
G management mistakes	**H** genetic factors	**I** unsafe acts
J new concepts	**K** fundamental mistakes	**L** loss of production
M workplace accident	**N** fault of person	**O** blame

Questions 20-27

Look at the following statements (Questions 20-27) and the list of theories below.

List of Theories
A Domino
B ILCI
C Multiple causation
D Pure chance
E Accident proneness
F Human factors
G Dan Petersen's theory

*Match each statement with the correct theory, **A**, **B**, **C**, **D**, **E**, **F** or **G**.*

Write the correct letter in boxes 20-27 on your answer sheet.

20 A worker with too much to do or with personal problems may cause accidents.

21 Certain people are more likely to have accidents.

22 Safety problems at work can be avoided by removing just one factor.

23 Some workers don't believe that they will have an accident.

24 All possible causes of accidents can be put into two major categories.

25 Accidents are caused by management as well as by workers.

26 If a worker is too short or too small for the task, this can cause accidents.

27 Accidents cannot be avoided because they are part of life.

READING PASSAGE 3

*You should spend about 20 minutes on **Questions 28-40**, which are based on Reading Passage 3 on the following pages.*

Questions 28-34

*Reading Passage 3 has seven paragraphs, **A-G**.*

*Choose the correct heading for Paragraphs **A-G** from the list of headings below.*

*Write the correct number, **i-x**, in boxes 28-34 on your answer sheet.*

List of Headings
i   Appeals to the public and the media
ii   Large promotional budgets endorse trademarks
iii   Prevention is better than cure
iv   Brand names enter vocabulary with ease
v   A changing environment for brand names
vi   How brand name loss is decided by law
vii   Legal consequences of unlawful use of trademarks
viii   Examples of genericide in action
ix   Brand names become part of everyday usage
x   Taking back the brand name

28 Paragraph **A**

29 Paragraph **B**

30 Paragraph **C**

31 Paragraph **D**

32 Paragraph **E**

33 Paragraph **F**

34 Paragraph **G**

GENERICIDE

(Latin gener-, stem of genus 'kind, origin'
-cide = word-forming element meaning 'killer')

A Occasionally a company's brand name becomes so deeply ingrained in the minds of everyday consumers that it enters the popular lexicon of its time and becomes a catch-all term for the generic product or activity in question. At first glance, this might appear to be the pinnacle of successful marketing. Indeed, companies around the world spend billions of dollars every year conjuring up catchy jingles, memorable catch phrases and cute characters in an effort to ensure their brand is the first to spring into consumers' minds when those consumers realise they require a particular product or service.

B For those companies whose brand names travel too far into the public domain, however, there can be serious repercussions: namely, losing their right to trademark that particular brand. This can occur because in many jurisdictions, such as the United States, companies have a responsibility to ensure their brand names do not pass into broad popular usage, a process known in the legal industry as 'genericisation' or more candidly, genericide. According to a Harvard law school overview on the subject, 'a word will be considered generic when, in the minds of a substantial majority of the public, the word denotes a broad genus or type of product and not a specific source or manufacturer'. In arriving at a conclusion, courts typically examine dictionary definitions, use of the term in the media, and consider whether or not the company has attempted to restrain usage of its trademark. If the court deems the word to be generic, trademark privileges are stripped; no company has an automatic right to continue renewing its trademarks without an end date.

C Over the years, numerous companies have fallen victim to this common and unwanted marketing phenomenon, losing their prized brand names and, subsequently, their trademark status. Otis Elevator Company lost their trademark rights to 'escalator' in a 1950 court case after being found guilty of using the term generically in their own patents and advertising. In 1965, a court ruled that 'yo-yo' was ingrained in common speech, and the Duncan Yo-yo Company subsequently had their trademark revoked. Kerosene, zipper, thermos, and the Phillips-head screwdriver round out the list of household goods now in the public domain.

D Genericisation is not an unstoppable process, however, and there are strategies that companies can adopt in order to maintain control of their brand names and avoid them becoming generic. One such strategy is for companies to invent a generic term of their own, which is particularly useful for those businesses that have invented unique products for which no existing terminology is available. In the early 1990s, for example, Nintendo so thoroughly dominated the market for video games that many consumers began referring to all such devices as 'Nintendos'. In response, the company promoted the generic term 'games console', which eventually gained traction and rescued the brand from following the same route as the escalator and the zipper. The Griswold-Nissen company were not so fortunate, however, when they attempted to promote the trampoline as a 'rebound tumbler' — the generic term never caught on and they eventually lost their trademark.

E   Other companies have attempted to advise broadcasting services, language authorities and the broader public on the appropriate use of their brand name. The Internet search engine Google, fearing that widespread use of the verb 'to google' could result in future legal trouble, has contacted journalists, dictionaries and even the Swedish Language Council in an effort to avert genericide. In 2006, the company sent out a plea for everyone to 'please only use "Google" when you're actually referring to Google Inc. and our services'. In a similar vein, Xerox Corporation was able to successfully encourage users to eschew the verb 'to xerox' in favour of a generic expression, 'to photocopy', and it was helped to its goal by a series of snappy ads including: 'You can't Xerox a Xerox on a Xerox. But we don't mind at all if you copy a copy on a Xerox® copier.'

F   Although it is very unusual, it is possible for a trademark that has become generic to be recaptured from the public domain. Two examples of this are the sewing machine manufacturer, Singer and the tyre company, Goodyear. In both cases, however, many years elapsed from the time that the trademark became generic until it was recaptured. In each case, the company was required to prove that their brand name was identified in the minds of the public as belonging to their particular brand, rather than as a generic name for all such products.

G   In the end, however, language is owned by the community that uses it, and with the growth of the Internet in particular, this community is becoming ever more global. Consequently, it is becoming increasingly difficult for brand managers to monitor and curb inappropriate uses of brand names. 'Things have certainly changed,' says trademark specialist Nigel Jennings, who once wrote hundreds of letters admonishing writers for referring to 'rollerblades' or 'rollerblading' instead of the generic term, inline skating. 'If something becomes generic because everyone ignored your requests, well, that's just fact. You're like King Canute[①], you've failed.'

[①]   In legend King Canute attempted to hold back the tide of the sea.

Question 35

*Choose the correct letter, **A**, **B**, **C** or **D**.*

Write the correct letter in box 35 on your answer sheet.

Which of the following is **NOT** a legal reason for losing a brand name?

A The name is used to define that kind of product.

B The company has worked hard to keep its brand name.

C Newspapers and TV use the brand name as a generic name.

D People have forgotten that the name refers to just one brand.

Questions 36-37

*Choose **TWO** letters, **A**, **B**, **C**, **D**, or **E**.*

Write the correct letters in boxes 36 and 37 on your answer sheet.

According to the writer, which **TWO** of the following brand names are no longer trademarks?

A	Google
B	Singer
C	Trampoline
D	Xerox
E	Phillips-head screwdriver

Questions 38-39

*Choose **TWO** letters, **A, B, C, D**, or **E**.*

Write the correct letter in boxes 38 and 39 on your answer sheet.

According to the reading passage, which **TWO** strategies can help to avoid genericide?

A   writing dictionary entries for the product

B   making a general name for the product

C   taking people to court for using the brand name

D   creating clever advertising campaigns

E   appealing to people via the Internet

Question 40

*Choose the correct letter, **A, B, C** or **D**.*

Write the correct letter in box 40 on your answer sheet.

What is the main purpose of this reading passage?

A   to give advice on how to avoid genericide

B   to describe the law about genericide

C   to explain genericide with examples

D   to argue that genericide is unfair

WRITING

WRITING TASK 1

You should spend about 20 minutes on this task.

The table below gives information about the effectiveness of five marketing strategies for a company selling Internet broadband packages during March 2015.

Summarise the information by selecting and reporting the main features, and make comparisons where relevant.

Write at least 150 words.

Marketing Strategies for Broadband Packages in March 2015

Strategy	Initial cost ($)	Number of free offers used	Follow-up sales ($)	Profit/Loss ($)
Supermarket coupons	15,000	225	13,500	- 1,500
Direct mail-outs	24,000	450	34,500	+ 10,500
Local newspaper coupons	5,600	32	8,250	+ 2,650
Telemarketing	37,000	722	58,600	+ 21,600
Radio advertising	16,400	75	10,700	- 5,700

WRITING TASK 2

You should spend about 40 minutes on this task.

Write about the following topic:

> *Many people today choose to move from rural areas to cities in search of better opportunities.*
>
> *Does this have more advantages or disadvantages for a country?*

Give reasons for your answer and include any relevant examples from your own knowledge or experience.

Write at least 250 words.

SPEAKING

質問とサンプルアンサーの音声はトラック28〜30に収録。

PART 1 🎧 25

The examiner asks the candidate about him/herself, his/her home, work or studies and other familiar topics.

EXAMPLE

Computers
- Are there a lot of computer shops where you live? [Why/Why not?]
- What do most people in your family use a computer for?
- Do you think people spend too much time using computers in your country?
- What are the most popular computer programmes that people use in your country? [Why?]

Children
- Do you enjoy spending time with children? [Why/Why not?]
- What sort of activities do children enjoy doing? [Why?]
- Do you think children enjoy stories with animals in them? [Why/Why not?]
- Do you think cities are a good place to bring up children? [Why/Why not?]

PART 2 🎧 26

Talk about someone you met who was interesting.
You should talk about:
where he/she was
who he/she was
what you did together
and explain why you think this person was interesting.

You will have to talk about the topic for one to two minutes.
You will have one minute to think about what you are going to say.
You can make some notes to help you if you wish.

PART 3

Discussion topics:

Age and meeting people

Where do young adults and teenagers usually meet their friends?

How has the Internet changed relationships between people?

Do older people enjoy meeting new people as much as younger people do? [Why/Why not?]

Globalisation and relationships

Increasing numbers of people today are forming relationships on social network sites. Why is this happening?

It is often said that we live in a global village. How true is this really?

Some people fear that globalisation will result in societies becoming increasingly similar. Is this a positive or negative development?

別冊
解答・解説

IELTS
ブリティッシュ・カウンシル公認
本番形式問題3回分

ブリティッシュ・カウンシル 著　旺文社 編

別冊 解答・解説

TEST 1　解答・解説 3

TEST 2　解答・解説 45

TEST 3　解答・解説 87

予想バンドスコア換算表 129

Band Descriptors(バンドスコア評価基準) 130

旺文社

TEST 1
解答・解説

LISTENING 解答・解説 …………………………… 6
READING 解答・解説 ……………………………… 24
WRITING 解答・解説 ……………………………… 35
SPEAKING 解答・解説 …………………………… 39

Test 1 解答一覧

※バンドスコアについてはp.129をご覧ください。

Listening

1	18(th)
2	25(th)
3	702
4	165
5	in cash
6	Reed
7	14 South Street/St
8	AQ459
9	A
10	B
11	weekdays
12	Issues / issues
13	40
14	Basement / basement
15	9.15
16	classical
17	B
18	C
19	abroad
20	sister
21	presentation / assignment
22	digital privacy
23	credit rating
24	employees
25	sales manager
26	(search) habits
27	profitability / profits
28	recommendation
29	legal action
30	tracking protection
31	A
32	B
33	C
34	C
35	B
36	50 / fifty
37	predators
38	overfishing / over-fishing
39	sustainable
40	ban

Reading

1	C
2	F
3	E
4	D
5	A
6	Emmanuel Chabrier
7	a black bodice
8	an auditorium
9	a trapeze artist
10	a private studio
11	E
12	D
13	A
14	viii
15	iii
16	i
17	ix
18	iv
19	vi
20	NO

21	YES
22	NOT GIVEN
23	NO
24	NOT GIVEN
25	YES
26	NO
27	F
28	D
29	E
30	H
31	B
32	G
33	a safety net
34	Albert Mummery
35	unclimbed
36	Clean climbing
37	Nuts
38	rappel bolting
39	technical mastery
40	B

LISTENING

SECTION 1 | Questions 1-10

本冊：p.62　01

スクリプト

You will hear a number of different recordings and you will have to answer questions on what you hear. There will be time for you to read the instructions and questions and you will have a chance to check your work. All the recordings will be played once only.
The test is in 4 sections. At the end of the test you will be given 10 minutes to transfer your answers to an answer sheet.
Now turn to Section 1.

SECTION 1

You will hear a conversation between a hotel receptionist and a woman who wants to make a reservation. First, you have some time to look at Questions 1 to 5.

[20 seconds]

You will see that there is an example that has been done for you. On this occasion only the conversation relating to this example will be played first.

RECEPTIONIST:	Good morning, welcome to the Horizon Hotel. How may I help you?
WOMAN:	I've come in to make a reservation for a friend.
RECEPTIONIST:	And your friend's name is ...?
WOMAN:	MacKay, 例 **Sandra MacKay**, that's M-A-C-K-A-Y.
RECEPTIONIST:	Thank you.

The woman says her friend's name is <u>Sandra MacKay</u>, so **Sandra MacKay** has been written in the space. Now we shall begin. You should answer the questions as you listen because you will not hear the recording a second time. Listen carefully and answer Questions 1 to 5.

RECEPTIONIST:	Good morning, welcome to the Horizon Hotel. How may I help you?
WOMAN:	I've come in to make a reservation for a friend.
RECEPTIONIST:	And your friend's name is ...?
WOMAN:	MacKay, **Sandra MacKay**, that's M-A-C-K-A-Y.
RECEPTIONIST:	Thank you. When is she arriving?
WOMAN:	She's flying in on the fifteenth but she'll stay with me for the first night because

スクリプトの訳

これからいろいろな録音をいくつか聞き、聞いたことに関する質問に答えてもらいます。指示文と質問を読む時間があり、解答を確認する機会があります。すべての録音は1度だけ再生されます。

テストは4つのセクションに分かれています。テストの最後に、答えを解答用紙に書き写すために10分間が与えられます。

ではセクション1に移りましょう。

セクション1

ホテルの受付係と、予約をしたい女性との会話を聞きます。最初に、質問1-5を見る時間が少しあります。

[20秒]

答えが書かれている例があるのがわかります。この場合に限り、この例に関する会話が最初に再生されます。

受付係：	おはようございます、ホライズン・ホテルにようこそ。どういったご用件でしょうか。
女性：	友人の代わりに予約するために来たのですが。
受付係：	お友達のお名前は……？
女性：	マッカイ、サンドラ・マッカイです。M-A-C-K-A-Yです。
受付係：	ありがとうございます。

友人の名前はサンドラ・マッカイだと女性は言っているので、空所にはSandra MacKayと書かれています。それでは始めます。録音を2回聞くことはないので、聞きながら質問に答えなければなりません。よく聞いて質問1-5に答えなさい。

受付係：	おはようございます、ホライズン・ホテルにようこそ。どういったご用件でしょうか。
女性：	友人の代わりに予約するために来たのですが。
受付係：	お友達のお名前は……？
女性：	マッカイ、サンドラ・マッカイです。M-A-C-K-A-Yです。
受付係：	ありがとうございます。ご到着はいつでしょうか。
女性：	15日に飛行機で来るのですが、16日は一緒に朝早く出発して海岸地域へ少し旅行するので、最初の夜は

RECEPTIONIST:	we have an early start on the sixteenth — we're going for a quick trip to the coast — but we should be back on the eighteenth. So that's the **1 18th** of this month?
WOMAN:	No, sorry, did I forget to say? It's next month — December.
RECEPTIONIST:	Well, that's getting pretty close to Christmas, but we may have something available ... Right, we have one or two nice rooms left ... but how long will she stay for?
WOMAN:	A week.
RECEPTIONIST:	So, she'd be checking out on ... Christmas Day — **2 the 25th**.
WOMAN:	Is that a problem?
RECEPTIONIST:	Well, it depends. We don't have a room available for the whole week, but, if she didn't mind changing rooms mid-way through her stay, we could work something out.
WOMAN:	Oh, I see.
RECEPTIONIST:	And if she wanted to extend her stay, that wouldn't be possible, I'm afraid. We're completely booked out from Christmas Day through to New Year.
WOMAN:	No, she won't want to extend and I don't think she'd have a problem with changing rooms.
RECEPTIONIST:	Good. Well, I'll put her in Room 502 to start with and then she'll have to move to ... 805 ... no, just a minute, let's make that **3 702** because that's available and it's two floors directly above 502 so the room layout will be identical.
WOMAN:	How much will it cost per night?
RECEPTIONIST:	The basic room rate is **4 $165**.
WOMAN:	Is breakfast included?
RECEPTIONIST:	No, but a complimentary drink is served every evening at 5 o'clock.
WOMAN:	Oh, that could be quite nice.
RECEPTIONIST:	Shall we make the booking then? We will require a deposit equivalent to one night's stay.
WOMAN:	That's fine — I can pay the deposit.
RECEPTIONIST:	How would you like to do that — in cash or by credit card?
WOMAN:	Credit card, I suppose. Oh, wait a minute — I might have enough money in my purse, yes, let's do it in cash.
RECEPTIONIST:	Hang on, I'll just make a note of that. Deposit paid ... **5 in cash**.

Before you hear the rest of the conversation, you have some time to look at Questions 6 to 10.

[20 seconds]

Now listen and answer Questions 6 to 10.

RECEPTIONIST: Just a second while I print a receipt. Who shall I make it out to?
WOMAN: My name is Zoe **6** Reed, R-E-E-D.
RECEPTIONIST: Thank you Ms Reed. Now, I'll need some contact details for either you or Ms MacKay.
WOMAN: I'll give you my details, I only live on the other side of town.
RECEPTIONIST: Can I have your address and phone number, please?
WOMAN: I live at **7** 14 South Street, Morning Town. And my phone number is 439 4829.
RECEPTIONIST: Thank you, 439 4829.
WOMAN: Yes, that's right.
RECEPTIONIST: Now, I'll just print the booking form. If you have any questions or need to make any changes, just quote the reservation number on the bottom of the form. That's it there: **8** AQ459.
WOMAN: Thanks very much. Oh, before I go, just a couple of questions. What time does the room get cleaned? I'm only asking because my friend usually has a short nap after lunch and she wouldn't like to be disturbed.
RECEPTIONIST: Well, the maids are usually finished by 1 p.m. because we have a 2 o'clock check-in time, you see. They come on duty quite early in the morning ... so they are sure to be finished in your friend's room by lunchtime, yes definitely — I'd say roughly **9** 11 o'clock.
WOMAN: Thanks ... that's good to know. One more thing ... is there room service for meals?
RECEPTIONIST: Only for breakfast and dinner. Breakfast service finishes at 9 and starts at 5 a.m. **10** Dinner service starts at 6 p.m. but the last orders have to be in half an hour before the kitchen closes at 11 p.m. — so full room service closes at 10.30. But remember, light snacks — things like toasted sandwiches or muffins — can be ordered at the bar just off the lobby throughout the day and evening — until two in the morning.
WOMAN: Thanks very much. You've been most helpful.

That is the end of Section 1. You now have half a minute to check your answers.

TEST 1 ■ LISTENING

語注

- □ make a reservation：予約する
- □ fly in：飛行機で来る
- □ it depends：状況次第である
- □ mind *doing*：〜するのを嫌がる
- □ mid-way：途中で
- □ work out ...：〜を解決する
- □ extend：〜を延長する
- □ be booked out：予約でいっぱいである
- □ to start with：最初は
- □ identical：同一の
- □ complimentary：無料の
- □ deposit：手付金、前金
- □ equivalent to ...：〜と等しい
- □ hang on：少し待つ
- □ make a note of ...：〜をメモする
- □ make out ...：〜を書く、作成する
- □ contact details：連絡先
- □ quote：〜を引用する
- □ nap：昼寝
- □ disturb：〜を邪魔する
- □ on duty：勤務時間中で
- □ roughly：だいたい
- □ light snack：軽食

Questions 1-8 [解答]

1 18(th)　2 25(th)　3 702　4 165
5 in cash　6 Reed　7 14 South Street/St
8 AQ459

● 問題文の訳

次のメモを完成させなさい。
それぞれ2語以内か数字1つ、あるいはその両方で答えを書きなさい。

ホライズン・ホテル

例	答え
宿泊客名	サンドラ・マッカイ

到着日：　　1　12月 __18日__
出発日：　　2　12月 __25日__
部屋番号：　3　502号室と __702号室__
部屋料金：　4　__165__ ドル
前金：　　　5　__現金で__ 領収済み
領収書
・名義：　　6　ゾーイ・__リード__
連絡先
・住所：　　7　モーニングタウン __南通り14__
・電話：　　　439 4829
予約番号：　8　__AQ459__

解説

1 When is she arriving? という質問に対して、まず She's flying in on the fifteenth と答えていますが、but she'll stay with me ... と続け、we should be back on the eighteenth と言っています。受付係が So that's the 18th of this month? と確認するのに対して、11月ではなく12月だと月を訂正していますが、日にちは訂正していないので、12月18日であるとわかります。

2 departure（出発）という単語は放送で使われていませんが、受付係が So, she'd be checking out on ... と確認している部分の checking out が departure の同義語です。Christmas Day と言った後で the 25th と言い直しているので、12月25日にホテルを出発するとわかります。

3 空欄の前に 502 and とあり、502 の次に出てくる数字を書けばよいのですが、すぐ次に出てくる数字はひっかけであることが少なくないので、注意が必要です。ここでは、805 と言っ

た後で no, just a minute と言い、let's make that 702 と言い直しているので、702 が正解となります。

4 The basic room rate is $165. から正解を理解します。空所の前にある Room rate という単語がそのまま聞こえてくる上に、他に金額に関する情報も出てこないので、ひっかけのない、シンプルな問題です。

5 Deposit（前金）の欄に記載されている Paid（支払われた）の後に空欄があり、「どのように支払われたか」が問われています。女性はクレジットカードで支払おうとしますが、Oh, wait a minute と言って現金に変更しています。解答する際、cash（現金）という1語だけでは paid につながりませんので、「現金で」という意味の in cash を書くよう注意が必要です。

6 既に Zoe と書かれていますので、姓の Reed を記入します。シンプルな問題ですが、イギリス英語の r の発音に慣れていないために間違えてしまった人は、その部分を何度も聞き直して、気を付けましょう。

7 正解は 14 South Street で、そのうちどの1つが欠けても不正解となります。数字の聞き取りでは、-teen と -ty の区別は頻出なので、よく注意して聞きましょう。

8 booking form, reservation number という言葉から、その後に番号が述べられると予想して、注意して聞きましょう。AQ459 という番号を確実に聞き取れれば正解できます。

Questions 9-10 [解答]

9 A　10 B

● 問題文の訳

A, B, C から正しい文字を選んで書きなさい。

9 部屋が掃除されるのはだいたい
　A 午前11時。
　B 午後1時。
　C 午後2時。

10 夕食のルームサービスを利用できるのは
　A 午後6時から午前2時まで。
　B 午後6時から午後10時半まで。
　C 午後9時から午後11時まで。

解説

9 この問題の3つの数字はいずれも言及されているので、それぞれが何の時間なのか、慎重に聞き取る必要があります。I'd say roughly 11 o'clock から、11時が正解です。問題文のaround は、roughly (約) の言い換えです。

10 Dinner service starts at 6 p.m. とあるので、AかBに絞られます。終了時刻に関しては、full room service closes at 10.30. と言っており、Bが正解です。Aの午前2時は、軽食サービスが終わる時間です。

SECTION 2　　Questions 11-20

本冊：p.63-64　　02

スクリプト

Now turn to Section 2.

SECTION 2

You will hear a radio announcer introducing what's on at the local Arts Centre. First, you have some time to look at Questions 11 to 16.

[20 seconds]

Now listen carefully and answer Questions 11 to 16.

Hello and thanks for joining me on the Arts Scene tonight brought to you by your local radio station 2ZG and made possible by the generous sponsorship of Bertrand's Music and Video Store.

Firstly, I want to announce that the refurbished Arts Centre downtown is opening soon, with some spectacular visual art displays and performances that you won't want to miss.

In Gallery 1 the Arts Centre will be hosting an extraordinary exhibition of the latest creative works of our regional artists. There'll be landscapes, abstracts, photography, ceramics and sculpture. The exhibition opens on the 4th of March and runs through to the 10th of April. It's free and open to the public from 11 a.m. to 4 p.m. **11 weekdays** and, by the way, all works on display are for sale, so be sure to bring your credit card with you!

Gallery 2 will put on the annual showcase of the art of school students who take a, sometimes challenging and often emotive, look at the current issues facing youth in particular and society in general. This is the **12 'Issues of the 21st Century' exhibition** and the dates to keep in mind are the 10th of March to the 4th of April — the gallery will be open from 10 till 3 Monday, Wednesday, Friday and weekends. There's no charge but teachers should make bookings if they're bringing large groups.

Let's move on to the performing arts now: Shakespeare season is back again and this year's production is the ever popular *Romeo and Juliet*. Tickets are just **13 $40 for adults** and half price for seniors, and there are rush tickets for students at $15. Performances are in Theatre One at 8 o'clock every evening. Bookings are essential. The show runs from the 5th of March to the 3rd of April, and there is a possibility of more shows if there is a high demand for tickets.

スクリプトの訳

ではセクション2に移りましょう。

セクション2

ラジオのアナウンサーが地域の芸術センターの催しを紹介するのを聞きます。最初に、質問11-16を見る時間が少しあります。

[20秒]

ではよく聞いて質問11-16に答えなさい。

こんにちは、今夜の芸術シーンをお聞きいただきありがとうございます。この番組はあなたの地元のラジオ局2ZGが、バートランド・ミュージック＆ビデオ店のご厚意による提供でお送りします。

最初のお知らせです。中心街の改装された芸術センターが間もなくオープンし、素晴らしいビジュアルアートの展示とパフォーマンスが行われますので、お見逃しのないように。

芸術センターの第1展示室では、当地域在住のアーティストによる最新の創作作品の大変見事な展示が開催されます。風景画、抽象画、写真、陶芸、そして彫刻です。展示は3月4日に始まり、4月10日まで行われます。入場は無料で、平日の午前11時から午後4時まで一般公開されます。ちなみに展示作品はすべて販売されますので、クレジットカードを必ずお持ちください！

第2展示室では、特に若者に、そして社会一般に立ちはだかる今の問題に対してときに挑戦的な、しばしば感情に訴えるまなざしを向ける、学生の美術を紹介する毎年恒例の展示が催されます。これは「21世紀の諸問題」展で、以下の日付を心に留めておいてください。期間は3月10日から4月4日までで、展示室は月曜日、水曜日、金曜日、週末の10時から3時まで開場されます。料金はかかりませんが、大人数のグループを連れて来る学校の先生は予約された方がいいでしょう。

ではパフォーミングアーツに移りましょう。シェイクスピアのシーズンがまたやって来ました。今年の上演作は、変わらぬ人気を誇る『ロミオとジュリエット』です。チケットは大人がたった40ドル、シニアが半額で、学生には15ドルの当日割引券があります。上演は毎晩8時からシアター1で行われます。予約が必須です。公演期間は3月5日から4月3日までですが、チケットの需要が多ければ公演数が増える可能性があります。

Now, if you like your folk pop with a country twist, you must see Shannon Keel, who is back in town for one night only on the first of April performing for us in the **14** Basement. She'll be supported by Ricky Bond's band, which has been touring with her for the last 7 weeks — and show time is **15** 9.15. Tickets are on sale at the door, just $12.50. Doors open at 8.

Coming to the Arts Centre for 4 performances in the Showroom is Class Act, a quartet who have captivated audiences with their amazing repertoire of **16** classical music and who now include top-class cabaret in their programme. They will give matinee performances every Friday in April at 11 o'clock. Tickets are only $14 a single, or better yet, why not get together with a group of six or more friends and pay only $12.

Before you hear the rest of the announcement, you have some time to look at Questions 17 to 20.

[20 seconds]

Now listen and answer Questions 17 to 20.

Now, here's some exciting news. I've just heard that Michael O'Brien is going to perform at the Arts Centre next year but we haven't got any dates finalised yet. As you know, Michael is **17** Ireland's most popular 'easy listening' entertainer and he's returning from a tour of Canada and the United States where he has enjoyed huge success — even in Nashville: the home of country music — that's a long way from his Irish roots.

Michael is without a doubt a singing superstar — he has had 15 top-ten music videos and is almost a permanent feature in the UK album charts with 18 UK chart albums to date — but he is still as excited and enthusiastic about his work and his fans as he was when he first launched his career **18** 20 years ago.

Perhaps some of you are unaware that Michael's first years were ones of struggle. The family was very poor and his father was forced to go **19** abroad to provide for his family. He worked on farms in Scotland and it was very hard, manual labour — very different from the lifestyle Michael enjoys today. Unfortunately, his father died when Michael was only five years old and the burden of raising five children fell on his mother.

Although Michael followed in the footsteps of his **20** sister by pursuing a singing career — she was his role model and inspiration — he has attributed much of his success in life to his mother's influence, and he has dedicated his most recent DVD release to her. You can

TEST 1 ■ LISTENING

pick up a copy of that DVD, 'Unwavering Devotion', at Bertrand's Music and Video Store.

Well, that's all from me ... it's been nice talking to you — tune in at the same time next week — until then, good night and take care.

That is the end of Section 2. You now have half a minute to check your answers.

ビデオ店でお買い求めいただけます。

え〜、私からは以上です……お話しできて楽しかったです。来週も同じ時間にこのチャンネルに合わせてください。それまで、おやすみなさい、さようなら。

これでセクション2は終わりです。答えを確認する時間が今から30秒あります。

語注

- refurbish：〜を改装する
- host：〜を主催する
- regional：地域の、地方の
- ceramics：陶芸
- put on ...：〜を催す
- showcase：引き立てて見せる場
- challenging：挑戦的な
- emotive：感情の、感情に訴える
- make a booking：予約する
- rush ticket：当日割引券
- captivate：〜を魅了する
- repertoire：レパートリー
- top-class：最高の
- cabaret：キャバレーショー
- matinee：マチネー、昼の興業
- better yet：さらによいことは
- finalise（英）= finalize：〜を完結させる
- as yet：今までのところはまだ
- to date：現在まで
- fall on ...：（責任などが）〜に降りかかる
- follow in the footsteps of ...：〜の例にならう
- role model：模範となる人
- unwavering：動揺しない、断固とした
- tune in：チャンネルを合わせる

Questions 11-16 ［解答］

11 weekdays **12** Issues / issues
13 40 **14** Basement / basement
15 9.15 **16** classical

● 問題文の訳

次の表を完成させなさい。
それぞれ1語か数字1つで答えを書きなさい。

会場	催し物	日にち	時間	入場料
第1展示室	地域の芸術作品の展示――すべての作品が販売される	3月4日から4月10日	**11** 平日 の午前11時から午後4時	無料
第2展示室	「21世紀の **12** 諸問題 」展――学生による	3月10日から4月4日	月水金と週末の午前10時から午後3時	無料
シアター1	シェイクスピアの『ロミオとジュリエット』	3月5日から4月3日	毎日午後8時から	大人 **13** 40 ドル シニア20ドル
14 地下ホール	シャノン・キール――フォーク／ポップ／カントリー	4月1日	**15** 午後 9 時15分	12.50ドル
ショールーム	クラス・アクト―― **16** クラシック 音楽とキャバレーショー	4月1日から30日	金曜日の午前11時のみ	14ドル 割引12ドル

解説

11 空欄の上にある 11 a.m. to 4 p.m. が聞こえてきた後の単語を聞き取って書く素直な問題です。It's free and open to the public from 11 a.m. to 4 p.m. weekdays と言っていますので、weekdays が正解となります。weekday という単数形では平日1日だけになってしまいますので、weekdays と複数形にする必要があります。

12 Gallery 2 でのイベント名の一部を聞き取る問題です。This is the 'Issues of the 21st Century' exhibition と言っていますので、Issues が正解となります。issue は可算名詞で、Issues はイベント名の一部ですので、複数のsがないと不正解扱いとなってしまいます。

13 空欄下のシニア料金20ドルにならって、大人料金を聞き取る問題です。Tickets are just $40 for adults と言っていますので、40 が聞き取れれば正解できます。なお、その後で there are rush tickets for students at $15 と言っている部分は学生料金です。もし正確に聞き取れなくても、$15 はシニア料金よりも安いので大人料金にはそぐわない、と推測できれば迷わないでしょう。

14 Shannon Keel という歌手のコンサート会場を聞き取る問題です。Shannon Keel ... performing for us in the Basement という部分の最後の Basement（地下階）が会場です。もし venue という単語を知らなくても、落ち着いて他のイベントと見比べれば、「会場・場所」のことだとわかるでしょう。

15 コンサートの開始時間を聞き取る問題です。and show time is 9.15 と言っている部分の 9.15 が聞き取れれば正解となります。なお、数字の聞き取り問題で最も多い出題パターンがこの -teen と -ty の区別ですので、数字を書く空欄があったら心の準備をしておくとよいでしょう。

16 空欄の後ろは music & cabaret となっていますので、music を修飾する内容を書かなければいけません。会場名の the Showroom と出演者名の Class Act が聞こえてきた後に、

classical music と言っていますので、classical が答えとなります。なお、日本語では「クラシック音楽」と言いますが、英語では classical music ですので気を付けましょう。

Questions 17-18 ［解答］

17 B   **18** C

● 問題文の訳

A, B, C から正しい文字を選んで書きなさい。

17 マイケルの母国は
- A カナダである。
- B アイルランドである。
- C アメリカである。

18 マイケルが歌手になってから
- A 15 年である。
- B 18 年である。
- C 20 年である。

解説

17 選択肢のうちカナダとアメリカに関しては、he's returning from a tour of Canada and the United States という部分から、ツアー先であるとわかります。一方、アイルランドに関しては、Michael is Ireland's most popular ... entertainer と言っていますので、これが正解となります。

18 he first launched his career 20 years ago（キャリアを始めた）と言っている部分が、問題文では has been singing for （〜の間歌い続けている）と言い換えられていますので、20 years が正解となります。15 に関しては 15 top-ten music videos、18 に関しては 18 UK chart albums となっており、years とは関係ありません。

Questions 19-20 ［解答］

19 abroad   **20** sister

● 問題文の訳

次の文を完成させなさい。
それぞれ 1 語で答えを書きなさい。

19 マイケルの父親は 外国に 働きに行った。
20 マイケルの 姉 も歌手で、彼に刺激を与える存在だった。

解説

19 自動詞である went の後に 1 語のみという条件ですので、副詞を書くと予想できます。go abroad to provide for his family が聞き取れれば、abroad を書けばよいとわかります。最も多い間違いは Scotland でしょうが、名詞ですので went の直後にはつながりません。

20 Michael followed in the footsteps of his sister by pursuing a singing career という部分の聞き取りと理解が問われており、正解は sister となります。紛らわしいのが母親ですが、he has attributed ... his success ... to his mother's influence とあるので、母親からは影響を受けたと言っているだけで、母親が歌手であったとは言っていません。

SECTION 3 | Questions 21-30

スクリプト

Now turn to Section 3.

SECTION 3

You will hear a conversation between two second-year students, Steve and Jan, who are planning an assignment together. First, you have some time to look at Questions 21 to 25.

[20 seconds]

Now listen carefully and answer Questions 21 to 25.

STEVE: Hi Jan. Sorry, my tutorial finished late.

JAN: No problem Steve! But let's get straight to work. I've got so many other assignments this week! And we've only got till next Wednesday.

STEVE: Sure, fine by me. So, we've got to do a combined **21** presentation, with at least 20 slides and a recommendation at the end. Is that right?

JAN: Yes. And then 5 minutes for questions ...

STEVE: Oh, right, I'd forgotten that.

JAN: So — what shall we choose as a topic? I was wondering about copyright ... or intellectual property law. It's a tricky area, though.

STEVE: Well, I've been doing a bit of reading about **22** digital privacy and it's actually a really challenging issue now. I mean, the way employers and government departments rely on commercial databases for information on people.

JAN: OK, that sounds like it has potential. Tell me more — I can't say I've read much about it.

STEVE: Um ... well, these databases compile information on all sorts of things, not just birthdates and income. They record people's lawsuits and convictions, employment history, **23** credit rating, medical history — a range of statistics and stuff that is often out of date or is only partially true.

JAN: And they get this information from public records on the Internet? You mean it's actually available online?

STEVE: Yes, and that's the problem. We live in such a networked society now. There's so much data on the net, and it's really accessible. Often the company **24** employees who compile these

スクリプトの訳

ではセクション3に移りましょう。

セクション3

一緒に課題の計画を立てている2人の大学2年生、スティーヴとジャンの会話を聞きます。最初に、質問21-25を見る時間が少しあります。

[20秒]

ではよく聞いて質問21-25に答えなさい。

スティーヴ：やあ、ジャン。ごめん、個別指導が終わるのが遅くなって。

ジャン：問題ないわよ、スティーヴ！　だけどすぐに作業にかかりましょう。私は今週他にも課題がすごくたくさんあるの！　それに来週の水曜日までしかないし。

スティーヴ：いいよ、僕はそれで構わない。で、僕たちは共同発表をしなければならなくて、スライドを最低20枚入れて、最後に提言をする。それで間違いないね？

ジャン：うん。それから質疑応答に5分……

スティーヴ：ああ、そうだね、それを忘れていた。

ジャン：それじゃあ、何をトピックに選ぶ？　著作権はどうかと思っていたんだけど……あるいは知的財産法。扱いが難しい分野だけど。

スティーヴ：うーん、デジタルプライバシーについての本をちょっと読んでいるんだけど、今これは実際にすごく難しい問題になっているんだ。どういうことかと言うと、雇用者と政府の官庁が人々に関する情報を得るために、商用データベースに頼っているやり方なんだけど。

ジャン：いいわね、それは可能性がある感じがする。もっと聞かせてよ。私はそれについての本をたくさん読んだとは言えないから。

スティーヴ：あー……えーと、こうしたデータベースは、誕生日とか収入とかだけじゃなくて、あらゆる種類の物事の情報を収集してまとめている。人々の訴訟、前科、職歴、信用格付け、病歴、つまり、しばしば古くなっていたり部分的にしか正しくなかったりする統計やら何やらを幅広く記録している。

ジャン：それで彼らは、こうした情報をインターネットで公開されている記録から得ているの？　実際にオンラインで手に入るということ？

スティーヴ：うん、それが問題なんだ。今僕たちはネットワークが張り巡らされた社会に生きている。ネットにはすごくたくさんのデータがあって、本当に簡単にアクセス可能なんだよ。こうしたデータベース

databases include dated information or get confused by similar names and list the wrong details for people.

JAN: I'm starting to get the idea. What kind of things can go wrong?

STEVE: Well, for example, a **25 sales manager** was **fired** because of a background check by a data company which reported that he'd served a jail term. He protested, but his boss still fired him. All he'd had was something minor like a speeding ticket. He suffered an unjust dismissal plus the stress of trying to find another job. He was out of work for seven months.

JAN: I see. OK, this has really got me thinking now! It's a great topic.

Before you hear the rest of the conversation, you have some time to look at Questions 26 to 30.

[20 seconds]

Now listen and answer Questions 26 to 30.

JAN: Ah ... I'm thinking now about how the search engines apparently compile information on people, based on their online **26 search habits** ... you know, there's been a bit in the news lately. I guess that's pertinent.

STEVE: That's right; it's all part of this same issue. The search engines actually gather a huge amount of data about computer users, and some of it is definitely sold to other paying customers. The database companies sell lists to direct-marketing companies, for example. That's their core business, so they're always trying to access more information in order to attract new clients and improve their **27 profitability**.

JAN: Hmm. What about social networking sites? How much of that information is truly private?

STEVE: Not a lot, it seems. And hackers can download sensitive information and misuse it as well. Also, every time you fill out an online form or survey to enter a prize draw, you're compromising your privacy.

JAN: I never thought about that. I often enter those, and give my email address and mobile number.

STEVE: Well, apparently in Europe they have laws controlling the ability of companies to sell or share people's personal data without getting explicit consent. But that's not the case here.

JAN: Then that could be our main **28 recommendation**.

STEVE:	Yes — and then we can advise people to actually purchase their own credit reports and files from a few of the big database companies, to check that the information stored on them is actually accurate.	
JAN:	It's so frustrating to have to do something like that!	
STEVE:	For sure. Also bloggers should be very cautious — they can be sued for breaches of privacy and for libel. Even Twitter comments aren't exempt from **29** legal action. So that's another area to consider for suggestions. Anyway, we need to decide how to split this up. How about one of us does an overview of the general issue and the history of it all to date?	
JAN:	I think I might tackle that. You'd be better on the technical stuff.	
STEVE:	Great. Then I'll look at new developments and make policy recommendations. For example, there are technology researchers looking at how access to files and information can be restricted. Because, you know, originally the Internet was designed to be as open as possible ...	
JAN:	That's right. And instead, it's created a real conflict.	
STEVE:	Already some of the browser companies are working on solutions to this — such as offering a **30** tracking protection feature that users can switch on, to restrict how much data can be mined from their computer use. And there are a few other ideas out there as well ...	
JAN:	And about the question slot ... I seem to remember Professor Duncan suggesting we prepare a couple of questions ourselves, in case no one asks anything.	
STEVE:	Hmm, I guess that's a good idea.	

That is the end of Section 3. You now have half a minute to check your answers.

スティーヴ：	うん。それから、大手のデータベース会社のいくつかから自分のクレジットレポートとクレジットファイルを実際に購入して、そうした会社に蓄えられている情報が本当に正確かをチェックするよう、人々に忠告することができる。
ジャン：	そんなことをしなくちゃならないなんて、すごくいらいらするわね！
スティーヴ：	確かに。それに、ブロガーはとても慎重になるべきだ。プライバシーの侵害や名誉毀損で訴えられかねないからね。ツイッターのコメントですら、訴訟を免れるわけじゃない。だからそれは、提案するために考慮すべきもう1つの分野ということになる。とにかく、これを2人でどう分けるかを決める必要があるね。どちらかが一般的な論点の概括と、現在までの全部の歴史をやるというのはどうだろう。
ジャン：	それは私が取り組もうかしら。専門的なことについてはあなたの方が得意でしょう。
スティーヴ：	いいとも。じゃあ僕が新しい進展状況を考察して、政策提言を作るよ。例えば、ファイルや情報へのアクセスがどのように制限され得るかを考察している科学技術専門家がいるんだ。なぜって、インターネットは本来、できるだけオープンなものになるよう作られたんだから……
ジャン：	その通りね。そしてそうなる代わりに、実際は矛盾を生み出したわけね。
スティーヴ：	この点の解決に取り組んでいるブラウザ企業も既にあるよ。ユーザーのパソコン使用から掘り起こされ得るデータの量を制限するために、ユーザーが設定の切り替えのできる追跡防止機能を提供するとか。それに他にもいくつかアイデアが世の中にはあって……
ジャン：	それから質疑応答の時間のことだけど……誰も何も質問しない場合に備えて、質問を2、3自分で用意してはどうかとダンカン教授が言っていたのを何となく覚えているんだけど。
スティーヴ：	ふーん、それはいい考えかもね。

これでセクション3は終わりです。答えを確認する時間が今から30秒あります。

語注

- tutorial：個別指導
- combined：連合した、共同の
- copyright：著作権
- intellectual property：知的財産
- tricky：手の込んだ、慎重な扱いを要する
- compile：（情報など）を収集してまとめる
- lawsuit：訴訟
- conviction：有罪判決
- credit rating：信用格付け
- out of date：時代遅れで、期限切れの
- partially：部分的に
- accessible：入手しやすい、近づきやすい
- dated：古くさい
- serve a jail term：刑期を務める
- unjust：不公平な、不正な
- dismissal：解雇
- apparently：聞いたところでは
- pertinent：関係のある
- profitability：収益性
- misuse：〜を悪用する
- draw：くじ引き、抽選
- compromise：〜を危険にさらす
- explicit：明白な、明確な
- consent：同意
- frustrating：欲求不満にさせる
- sue：〜を訴える
- breach：違反、侵害
- libel：名誉毀損
- exempt from ...：〜を免れた
- legal action：法的措置、訴訟
- overview：概観
- mine：（情報など）を掘り起こす
- out there：世の中に
- slot：時間枠

Questions 21-25 [解答]

21 presentation / assignment
22 digital privacy
23 credit rating
24 employees
25 sales manager

Questions 26-30 [解答]

26 (search) habits
27 profitability / profits
28 recommendation
29 legal action
30 tracking protection

● 問題文の訳

次の文を完成させなさい。
それぞれ 2 語以内で答えを書きなさい。

21 スティーヴとジャンは最低 20 枚のスライドで共同 <u>発表／課題</u> をする必要がある。
22 スティーヴが提案したトピックは <u>デジタルプライバシー</u> である。
23 データベースはあなたの誕生日、収入、法的履歴、以前の仕事、<u>信用格付け</u>、あるいは病歴に関する統計を集めるかもしれない。
24 データ会社の <u>従業員</u> によって不正確なことが記録されるかもしれない。
25 ある <u>営業部長</u> についての正しくない情報がその人の不当解雇につながった。

解 説

21 スティーヴは we've got to do a combined presentation, with at least 20 slides と発言しているので、presentation が空欄に入ります。combined が joint と言い換えられていることがわかるかどうかが鍵を握ります。また、ジャンは最初に I've got so many other assignments と言っています。発表は課題の 1 つなので、assignment としても正解です。

22 ジャンが ... what shall we choose as a topic? と聞いたのに対して、スティーヴは Well, I've been doing a bit of reading about digital privacy and it's actually a really challenging issue now. と言っていますので、digital privacy をトピックとして提案しているとわかります。digital のつづりを間違える人が多いので気を付けましょう。

23 データベース化される統計情報のうちの 1 種類を聞き取る問題です。They record people's lawsuits and convictions, employment history, credit rating, medical history という部分が聞き取れれば、空欄には credit rating を記入すればよいとわかるはずです。空欄の前の legal history と previous jobs は、それぞれ lawsuits and convictions、employment history を言い換えたものになっています。

24 「不正確なことがデータ会社○○によって記録されるかもしれない」という問題文なので、音声中で company (またはその類義語) の後に聞こえてくる名詞を書くことになります。the company employees who compile these databases include dated information ... という部分の聞き取りと理解が問われており、employees が正解となります。

25 「○○についての正しくない情報がその人の不当解雇につながった」という問題文ですので、単数形の人を書かなければいけません。スティーヴが a sales manager was fired と言っている部分の was fired (首になった) が dismissal (解雇) と言い換えられており、sales manager が正解となります。dismissal という単語を知っているかどうか、語彙力が問われる問題です。

● 問題文の訳

次の表を完成させなさい。
それぞれ 2 語以内で答えを書きなさい。

ジャンの発言	スティーヴの発言
検索エンジンは人々のインターネットの 26 <u>(検索)傾向</u> を分析してデータを集める。	データ収集会社は、事業を拡大し 27 <u>収益性／収益</u> を増やすために追加データを集めたいと考えている。
同意を得ることが発表の主な 28 <u>提言</u> になるかもしれない。	ヨーロッパでは、直接の同意を得ずに人のプライバシーに関する詳細情報を用いてお金を稼ぐのは合法ではない。
正確さを確保するために自分のクレジットレポートを買わなければいけないのはわずらわしい。	ブログやツイッターにコメントを書く人は注意するべきだ。さもないと 29 <u>訴訟</u> に直面することになるかもしれない。
インターネットの「自由な情報」の性質がこの問題を招いた。	ブラウザ企業は 30 <u>追跡防止</u> システムを導入することでこの問題を解決できるかもしれない。

解 説

26 「検索エンジンは人々のインターネット○○を分析してデータを集める」という問題文ですので、search engine や Internet に注意して聞きます。ジャンの発言に I'm thinking now about how the search engines apparently compile information on people, based on their online search habits とあるのが該当し (online が Internet に言い換えられています)、search habits が正解となります。

27 「データ収集会社は事業を拡大し○○を増やすために追加データを集めたい」という問題文ですので、Data collecting companies が増やしたいものを聞き取ります。スティーヴの発言の they're always trying to access more information in order to attract new clients and improve their profitability という部分の improve が increase に言い換えられており、それに続く profitability (収益性) が正解となります。profits も profitability と意味が近く、ここでは実質的に同じ内容になるので正解と見なされます。

28 「同意を得ることが発表の主な○○になり得る」という問題文ですので、consent や main に注意して聞きます。それが出てくるのはスティーヴの ... without getting explicit consent. But that's not the case here. という発言の中で、同意なしに企業が個人データを扱うことを規制する法律がある国もある

が、ここではそうではないという話をしてい
て、ジャンが Then that could be our main recommendation.
と言っていますので、recommendation が正解となります。

29「ブログやツイッターのコメントを書く人は注意しないと
〇〇に直面する」という問題文ですので、言い換えられること
のない Twitter という固有名詞に注目して、生じ得る問題を聞
き取ります。スティーヴの Even Twitter comments aren't
exempt from legal action. という発言から、legal action が正
解となります。

30「ブラウザ企業は〇〇システムを導入することによって問題
を解決する」という問題文ですので、browser companies,
solve, introducing に注意して聞きます。スティーヴの発言の
some of the browser companies are working on solutions
to this — such as offering a tracking protection feature とい
う部分から、tracking protection が正解となります。

SECTION 4　　Questions 31-40

スクリプト

Now turn to Section 4.

SECTION 4

You will hear a lecture on the Antarctic toothfish industry. First, you have some time to look at Questions 31 to 40.

[40 seconds]

Now listen carefully and answer Questions 31 to 40.

Good afternoon! As you know ... it's Environment Week, and that seems like a good time to focus on one of the most special places in the world ... the Ross Sea, and its associated fishing industry, which is largely focussed on the Antarctic toothfish.

Now ... back in 2008, this part of the Antarctic, that is **31** the Ross Sea — which by the way makes up only about 3% of the Southern Ocean — was rated as being the 'least-changed environment' on the planet. In fact, it's been described by one source as 'a living laboratory, a link with evolution' and it teems with fascinating and unusual sea and mammal life. So there have been urgent pleas for the Ross Sea to be given some kind of permanent protection.

What are the issues facing the area, then? Well, aside from the huge problem of global warming that threatens all of the Antarctic oceans and the ice cap, most of these are associated with the fishing vessels that come into the Ross Sea. As well as the usual things like general rubbish and sewage pollution from these boats, the most significant potential danger is an **32** oil and diesel spill from a fishing boat that is either damaged or sunk due to the thick ice. In January 2012, a Korean fishing vessel caught fire in the Ross Sea, with the loss of at least three lives — although luckily an oil spill was averted. In late 2010, another Korean ship, the *In Sung Number 1*, sank with 22 lives lost, although the rest of the crew were saved by other fishing boats in the area.

Again, in December 2011, another vessel, the *Sparta*, caused an international furore when it was holed and stranded in pack ice in the Southern Ocean — that one was **33** Russian. New Zealand planes had to fly missions to drop off water pumps and other essential equipment and supplies to the ship — ah ... remember that the crews of such flights are put at extreme risk on

スクリプトの訳

ではセクション 4 に移りましょう。

セクション 4

ライギョダマシ漁業についての講義を聞きます。最初に、質問 31-40 を見る時間が少しあります。

[40 秒]

ではよく聞いて質問 31-40 に答えなさい。

こんにちは！　ご存じのように……今週は環境週間で、世界で最も特別な場所の 1 つに注目するいい時期に思えます……それはロス海と、主にライギョダマシを中心とするロス海関連の漁業です。

さて……2008 年のこと、南極のこの部分、つまりロス海ですね、ちなみにロス海が南極海に占める割合は約 3% にすぎませんが、この海は地球上で「最も変化していない環境」だと評価されました。実際、ある資料の記述では、ロス海は「生きている研究室、進化とつながる場所」とされていて、魅力的で珍しい海の生き物と哺乳動物がひしめいています。そのため、ロス海を何らかの形で恒久的保護の対象にするべきだという切実な請願が寄せられています。

では、この地域が直面している問題は何なのでしょう。えー、すべての南極の海と氷帽を脅かしている地球温暖化という大問題を別にすると、問題のほとんどはロス海に入ってくる漁船と関連しています。これらの船から出るごみや汚水による一般的な汚染のような通常の事柄のみならず、最も重大な潜在的危険は、厚い氷のために破損または沈没した漁船からの、石油とディーゼル用燃料の流出です。2012 年 1 月に韓国の漁船がロス海で火災を起こし、少なくとも 3 人の命が失われましたが、幸いにも石油の流出は回避されました。2010 年末に別の韓国漁船、第一仁成号が沈没し 22 人が亡くなりましたが、残りの乗員は海域にいた他の漁船に救助されました。

さらにまた、2011 年 12 月に別の漁船スパルタ号に穴が開いて南極海の叢氷の中で動きが取れなくなり、国際的な大騒動を引き起こしました。これはロシア船でした。ニュージーランドの飛行機が、ポンプなどの必要不可欠な装備や物資をその船に落下させる任務飛行を行わなければなりませんでした。あー……急に天気が荒れるかもしれませんから、そうした長い飛行の場合、そうした飛行の乗組員は極度の危険にさらされること

20

such long flights, as the weather can become stormy at very short notice. All in all, it was a miracle that this ship was able to be repaired and moved from the area **34** **without a significant leakage of fuel**. So, apart from the potential for environmental problems from the boats, and the danger to fishermen working in this hostile environment, there's also the matter of the cost and danger of providing support in a crisis.

And ... you know ... there's a lot of pressure on the fishing crews to make the most of the brief weather window during which boats can operate so far south, so they tend to keep fishing no matter what the weather is like ... which means that errors of judgement are more likely. **35** **The officially authorised fishing fleet has a quota or limit** and each boat is hoping to get the biggest share possible of the total allowable catch. Then, of course, there are the illegal boats — that means the boats operating without permits — they just try to catch as much as possible regardless — and the vessels may not even be in a suitable condition to be operating in these icy southern waters.

Pause [2-3 seconds]

Consequently, a key issue is the decimation of the species. Now, how much do we know about this particular fish? The Antarctic toothfish inhabit very cold Antarctic seas, usually between 200 metres to two kilometres deep. They are large creatures ... rather ugly ... and they are slow-growing. Although they live up to approximately **36** **fifty** years, it seems they only reach sexual maturity after about sixteen years. Also, very little is yet known about their life cycle — things like where they spawn, or what happens to the young ones before they are ready to breed. We do know that the adult fish are near the top of the food chain — but we need to know much more about the juvenile forms — things like: what they look like, where they spend those early years and ... ah ... what sort of **37** **predators** go after them.

OK — so the fishing season in the Ross Sea spans December to February. It's estimated that close to three and a half thousand tonnes of Antarctic toothfish have been taken annually since the fishery opened in 1996 — this represents approximately one hundred thousand fish per year. I must add, though, that in the last couple of years overall catches have been reduced due to **38** **overfishing** and the decline in total fish numbers. There's no record, of course, of the numbers of fish caught by illegal fishing boats.

Um ... those in the Antarctic toothfish industry claim that the short fishing season and the difficulties faced by the boats in this inhospitable climate provide their own natural limits on fishing. They say that the industry is concerned to preserve fish stocks, and they assert that, with careful management and monitoring, the fishery is **39** sustainable. However, others dispute that this is the case, especially given the distances involved and the difficulties faced in trying to manage and monitor fishing boats in such a remote location.

In the Ross Sea area, a conservative estimate suggests that fish stocks have declined by about 20 per cent over the past 16 years. But in fact there is not enough accurate research to support such claims ... the figure could be even higher. Leading scientists who specialise in this issue are calling for a Marine Protected Area, or MPA, with a total **40** ban on fishing, but so far this has not been achieved.

Right — so that's an introduction. Now, let's watch a short video before we discuss your next assignment ...

That is the end of Section 4. You now have half a minute to check your answers.

[30 seconds]

That is the end of the listening test. In the IELTS test you will now have 10 minutes to transfer your answers to the answer sheet.

しています。業界は魚資源の保護に関心を持っていると彼らは言い、注意深く管理と監視を行えば漁業は持続可能だと主張しています。しかし、これに要する航海距離と、これほどの遠隔地で漁船を管理し監視しようとする際に直面する困難を特に考慮すると、そうした主張は事実ではないと異議を唱える人たちもいます。

控えめな見積もりの示唆によると、ロス海域では過去16年間で魚資源が約20%減少しました。ですが、実はそうした主張を裏付けるに足る正確な研究はありません……数字はさらに大きい可能性もあります。この問題を専門とする指導的科学者たちは、漁の全面的禁止を伴う海洋保護区、すなわち MPA を要求していますが、今までのところ達成されていません。

さあ、ここまでが序論です。では、皆さんの次の課題について話し合う前に、短いビデオを見ましょう……

これでセクション4は終わりです。答えを確認する時間が今から30秒あります。

[30秒]

これでリスニングテストは終わりです。IELTS テストでは、解答を解答用紙に書き写す時間が今から10分あります。

語注

- Antarctic toothfish：ライギョダマシ
- make up ...：〜を占める
- teem with ...：〜に富む、満ちている
- plea：嘆願、懇願
- ice cap：氷帽、氷冠
- vessel：船
- sewage：汚水
- spill：流出
- avert：〜を回避する、防ぐ
- furore（英）= furor：大騒動
- be stranded：立ち往生する
- pack ice：叢氷《浮氷が集まってできた巨大な氷の塊》
- at short notice：急に、直ちに
- all in all：全体的に見れば
- leakage：漏れ
- hostile：不都合な、好ましくない
- window：短い期間
- quota：割り当て
- allowable：許容される、許される
- catch：漁獲量
- regardless：構わず、何が何でも
- consequently：その結果、従って
- decimation：大量殺害、大量破壊
- inhabit：〜に住んでいる
- maturity：成熟
- life cycle：生活環《世代が交代する一連の過程》
- spawn：産卵する
- breed：子どもを産む、繁殖する
- food chain：食物連鎖
- juvenile：未熟な、幼い
- predator：捕食動物
- span：〜（の期間）に及ぶ
- fishery：漁業
- overfishing：魚の乱獲
- inhospitable：風雨を避ける所のない、荒れ果てた
- stock：資源
- monitoring：監視
- sustainable：持続可能な
- dispute：〜ということに異を唱える
- conservative：控えめな
- call for ...：〜を要求する
- ban on ...：〜の禁止

Questions 31-35 ［解答］

| 31 | A | 32 | B | 33 | C | 34 | C | 35 | B |

● 問題文の訳

A, B, C から正しい文字を選んで書きなさい。

31 「生きている研究室」と呼ばれているのはどの場所か。
A ロス海
B 南極
C 南極海

32 漁船が原因となるかもしれない最悪の形の汚染は何だと言われているか。

A 船外に落とされるごみ
B 船外に漏れる燃料
C 船外に漏れる汚水

33 厚い氷から抜け出せなくなった船の船籍はどこの国だったか。
A 韓国
B ニュージーランド
C ロシア

34 『スパルタ号』修理任務の事例で、話者は何を「奇跡」と呼んでいるか。
A 1人の漁師も死ななかった。
B 天候が荒れていなかった。
C 石油の流出が避けられた。

35 「許容される総漁獲量」という用語は何を指しているか。
A 南極のどのような船でも捕ってよい量
B すべての合法的な船が捕ってよい量
C （合法的でも違法でも）すべての船が捕ってよい量

解説

31 this part of the Antarctic, that is the Ross Sea — which by the way makes up only about 3% of the Southern Ocean という南極海の一部であるロス海を説明する部分に続いて、it's been described ... as 'a living laboratory ... と述べられていますので、the Ross Sea が正解となります。

32 漁船が引き起こし得る最悪の汚染形態が問われています。レクチャー中で the most significant potential danger is an oil and diesel spill from a fishing boat と述べられており、危険なのは燃料の流出だとわかります。これを fuel leaked overboard と言い換えた B が正解となります。A や C についても言及はありますが、最悪とは言っていません。

33 厚い氷で身動きが取れなくなってしまった船の国籍が問われています。レクチャー中の stranded in pack ice in the Southern Ocean という部分に続いて、that one was Russian と簡潔にわかりやすく述べられていますので、Russia が正解となります。

34 何が「奇跡」と呼ばれているかが問われています。All in all, it was a miracle という部分に続いて、that this ship was able to be repaired and moved from the area without a significant leakage of fuel と述べられていますので、石油の流出が回避されたことが正解となります。

35 total allowable catch の意味が問われています。The officially authorised fishing fleet has a quota or limit and each boat is hoping to get the biggest share possible of the total allowable catch. という部分から、合法的な漁船の漁獲高のことだとわかりますので、B が正解となります。

Questions 36-40 ［解答］

36 50 / fifty   **37** predators
38 overfishing / over-fishing
39 sustainable   **40** ban

● 問題文の訳

次の要約を完成させなさい。
それぞれ1語か数字1つ、あるいはその両方で答えを書きなさい。

ライギョダマシ

これは大きな魚で、凍りつく南極の海の深さ200から2,000メートルに生息している。寿命はおよそ **36** 　50　 年で、ゆっくりとしか成長しない。幼魚を餌とする **37** 　捕食者　 の種類を含め、この魚の一生の初期段階はほとんど知られていない。1996年以来、12月から2月の漁期は1年につき約10万匹の漁獲量という結果になっているが、**38** 　乱獲　 により最近の漁獲量は減少している。ライギョダマシの漁業は **39** 　持続可能　 だと業界のスポークスマンは主張するが、ロス海の魚の数は既に少なくとも5分の1、ひょっとするともっと減っていると推定されている。著名な海洋科学者数名が、ロス海での漁獲の **40** 　禁止　 を求める請願を行っている。

解説

36 ライギョダマシの life span（寿命）を聞き取る問題です。Although they live up to approximately fifty years という部分から、50 が正解とわかります。それに続く they only reach sexual maturity after about sixteen years という部分は生殖可能になる年齢であり、寿命ではありません。

37 知られていないことの例が問われています。空欄の前後は the kinds of ○○ that feed on the young となっていますので、幼魚を捕食する生物（複数形）が入ります。レクチャーではもっと知るべきことについて、we need to know much more about the juvenile forms と言っており（juvenile が young の同義語）、その後で what sort of predators go after them (them = juvenile forms) と述べていますので、predators が正解となります。

38 近年漁獲量が減少している理由の部分が空欄になっています。in the last couple of years overall catches have been reduced due to overfishing という部分から乱獲が原因とわかり、overfishing / over-fishing が正解となります。

39 空欄直後の but の後ろは魚が減っているというネガティブな情報なので、空欄には逆にポジティブな意味の単語を入れる必要があります。they（＝ those in the Antarctic toothfish industry）assert that ... the fishery is sustainable という部分から、sustainable（持続可能な）という環境問題のキーワードとも言える単語が正解となります。

40 空欄を含む文は「著名な海洋科学者数名が、ロス海での漁獲の○○を求める請願を行っている」という意味です。Leading scientists ... are calling for a Marine Protected Area, or MPA, with a total ban on fishing ... という部分から、ban（禁止）が正解であるとわかります。

READING

READING PASSAGE 1 | Questions 1-13

本冊：p.68-70

パッセージの訳

約20分で次のリーディング・パッセージ1に基づく質問1-13に答えなさい。

フォリー・ベルジェールのバー

A 批評家の間で最も名高い19世紀モダニズム運動の絵画の1つが、フランス人画家エドゥアール・マネの傑作『フォリー・ベルジェールのバー』である。この絵は元々作曲家エマニュエル・シャブリエのものだったが、今はロンドンのコートールド・ギャラリーが所有しており、このギャラリーの多くの来館者の人気の的ともなっている。

B この絵は、19世紀パリの深夜のナイトクラブを舞台にしている。女性バーテンダーがカウンターの後ろに一人で立っており、フリルの付いた白いネックラインのある黒いボディスに身を包み、深いネックラインには花の小枝が交差して付いている。彼女は両手をカウンターに置き、絵の鑑賞者の(目線の)直下の一点を寂しげに見つめ、完全に目を合わせてはいない。また、カウンターの上には何本かの酒瓶とオレンジが入っている鉢があるが、部屋の中の活動の多くは女性バーテンダーの背後の鏡に映った像の中で行われている。鏡を通して見えるのは、人々のおぼろげな姿と顔でにぎわう観客席である。シルクハットをかぶった男性たち、双眼鏡で下の光景をじっくり眺める女性、長手袋を着けた別の女性、うっとりと見つめる観客の頭上で軽業を披露する空中ブランコ乗りの脚まで見える。鏡に映ったものの前景では、濃い口ひげをたくわえた男性が女性バーテンダーと話をしている。

C フォリー・ベルジェールは19世紀後期のパリに実在した店で、絵の主題はそこで働いていた実際の女性バーテンダーだが、マネはこのバーの細部のすべてを描写において再現しようと試みてはいない。この絵の大部分は画家が所有する個人のアトリエで完成され、女性バーテンダーはそこで数本の瓶とともにポーズを取ったのであり、その後で、画家が実際にフォリーで手早く描いたスケッチと合体されたのである。

D しかし、マネが細部に大まかな注意しか払わなかったことよりもいっそう人を戸惑わせるのは、この絵における、鏡に映し出された活動と鏡に映ったものではない前景に見られる活動との関係である。はるか以前の、ディエゴ・ベラスケスの作品『ラス・メニーナス』と同様の手法で、マネは、どの細部が現実そのままでどの細部がそうではないかについてのわれわれの考えをもてあそぶために鏡を用いている。例えば前景では、女性バーテンダーは直立した姿勢を取っており、顔からは孤独な超然さの表情がうかがえるが、鏡に映った姿では体を斜め前に傾けているように見え、大きな口ひげをたくわえた客とどうやら会話をしているように見える。この結果、客の立ち位置も変えられている。鏡の中では、女性バーテンダーが立っている場所からして彼は視界から遮られているはずだが、マネは彼の位置を横に移している。鑑賞者に与える全体的な印象は、現実と錯覚が幻想的に乖離（かいり）しているというものである。

E なぜマネはこのような幻惑に関与しようとしたのだろうか。もしかすると、まさに次の理由からかもしれない。精神あるいは感情の2つの異なる状態を描くこと。マネは、近代の職場についての自分なりの解釈を伝えているように思える。彼の視点から見た近代の職場とは、労働者が「真の」自我から引き裂かれ、つくりものの労働上のアイデンティティを装うことを強いられていると感じる、疎外の場所である。鏡に映った姿にわれわれが見るのは、客に仕えるのに忙しい女性バーテンダーの労働上の自我である。しかし、正面から見た眺めは、女性バーテンダーが職場で本当はどんな気持ちでいるのかを証言している。絶望し、行き場がなく、独りぼっち。

F 1882年のサロン・ド・パリに初出展されて以来ずっと、美術史家は、『フォリー・ベルジェールのバー』の女性バーテンダーと得意客の位置取りを疑問とする書物や雑誌論文を大量に生産してきた。中には、マネの一見したところゆがんだ視点がそもそも可能だったのかを突き止めるため、この絵の設定を実際に再現してみる者までいた。しかし、学者がこの絵の構図の謎に引き付けられるのは無理もないことではあるものの、素人は常に、絵の背後にあるもっとずっと単純で人間的な物語を見るだろう。おそらくそれが、マネが望んだであろう見方なのである。

語注

- **critically renowned**：批評家の間で名高い
- **modernist**：モダニズムの
- **masterwork**：傑作、名作
- **composer**：作曲家
- **in the possession of ...**：〜が所有して
- **barmaid**：女性バーテンダー
- **bar**：バー、(バーの)カウンター
- **fit out ...**：〜に衣服を着せる
- **bodice**：ボディス《前をひもで締めるぴったりした女性用胴着》
- **frilly**：フリルの付いた
- **neckline**：ネックライン、襟ぐり
- **spray**：小枝
- **décolletage**：深いネックライン(の衣装)
- **rest**：〜を置く
- **forlornly**：寂しげに
- **reflection**：(鏡に)映った姿
- **auditorium**：観客席
- **bustling with ...**：〜で満ちている
- **blurred**：ぼやけた、にじんだ
- **top hat**：シルクハット
- **binoculars**：双眼鏡
- **trapeze artist**：空中ブランコ乗り
- **acrobatic feats**：軽業
- **adoring**：崇拝する、敬愛する
- **foreground**：前景
- **moustache**(英) = **mustache**：口ひげ
- **establishment**：施設、店
- **recapture**：〜を再現する
- **rendition**：解釈、表現
- **integrate**：〜をまとめる、統合する
- **confound**：〜を困惑させる
- **vein**：手法、方法
- **toy with ...**：〜をもてあそぶ
- **true to life**：事実に即した
- **upright**：直立した
- **betray**：〜をうっかり表す
- **detachment**：冷然さ
- **apparently**：見たところ
- **engage in ...**：〜に従事する
- **moustachioed**(英) = **mustachioed**：大きな口ひげをたくわえた
- **stance**：立った姿勢
- **reposition**：〜の位置を変える
- **overall**：全体的な
- **dreamlike**：夢のような、幻想的な
- **disjuncture**：分離、乖離
- **deceit**：欺くこと
- **depict**：〜を描く
- **convey**：〜を伝える
- **alienation**：疎外
- **assume**：〜のふりをする
- **front-on**：正面から見た
- **bear witness to ...**：〜の証明となる
- **adrift**：(当てどなく)さまよって
- **the Paris Salon**：サロン・ド・パリ《18-19世紀にパリで開催されていた大規模な芸術展》
- **reams of ...**：大量の〜
- **dispute**：〜に異議を唱える
- **patron**：得意客
- **stage**：〜を組織する、実行する
- **representation**：表現、描写
- **ascertain**：〜を確かめる
- **seemingly**：見た目には
- **distort**：〜をゆがめる
- **academic**：学者
- **understandably**：無理もないことだが
- **compositional**：構図の
- **enigma**：謎
- **layperson**：素人

Questions 1-5 [解答]

1 C **2** F **3** E **4** D **5** A

●問題文の訳

リーディング・パッセージ1にはA-Fの6つの段落がある。どの段落が以下の情報を含んでいるか。
A-Fから正しい文字を選んで解答用紙の解答欄1-5に書きなさい。

1 マネがどのようにこの絵を創作したかについての記述
2 この絵で学者が最も関心を持っている側面
3 マネが伝えたい考えについての筆者の見解
4 バーの光景がなぜ非現実的なのかを示す例
5 この絵の人気についての言述

解説

パッセージは短め(632語)。各設問も短く選択肢も少ないので、確実に正解したいところです。段落の内容照合問題は5問、段落数は6つなので、解答に使われない段落が1つあります。使われない段落では他の問題タイプの出題が多くなります。選択肢ではなく3語以内で解答する質問6-10が実は最も易しい問題です。質問11-13では選択肢の始まりが2種類に分類される点に注目してください。

1 description(描写)はどの段落にも当てはまることであり、固有名詞のManetは5つの段落に出てくるのでヒントになりません。「絵の創作方法」を探しながら読みましょう。段落Cの最後の文のwas largely completed以下で、大部分はアトリエで制作して、バーで手早く描いたスケッチと合わせたと説明されています。この部分がhow Manet created the paintingに相当します。

2 aspectsは一般的過ぎてヒントになりません。scholarsとinterestedがキーワードです。段落Fの第1文のart historiansと第3文のacademicsがscholarsに、また第3文のdrawn toがinterested inに言い換えられているので、段落Fが正解です。なお、学者が興味を抱いているのはcompositional enigma(第3文) = positioning(第1文)です。

3 マネが絵を通して伝えたかった考えに関する筆者の意見が述べられている段落を探します。段落Eの最初の疑問文に注目してください。それに対する答えとして、筆者本人の意見が述べられると推測されます。第2文冒頭のPerhapsや第3文のseemsという語からも、そこで述べられているのが筆者の判断であることがわかります。communicateに相当するのはconveyです。

4 examplesはキーワードではありますが、何の例が挙げられているかが重要です。より重要な単語はunrealisticで、描かれている場面が非現実的であることの例を探さなければいけません。unrealisticに相当するのは段落D第2文のwhich details are true to life and which are notや最後の文のdreamlike、illusionといった語句です。

5 statementはどの段落にも当てはまるのでヒントにはなら

ず、popularity がキーワードです。段落A冒頭の critically renowned がわかれば一瞬で答えが出ます。critically や renowned が未習なら、ここで覚える必要があります。最後の文の favourite がダメ押しです。

Questions 6-10 ［解答］

6 Emmanuel Chabrier
7 a black bodice
8 an auditorium
9 a trapeze artist
10 a private studio

● 問題文の訳
以下の質問に答えなさい。
それぞれパッセージから3語以内を選んで書きなさい。
解答用紙の解答欄6-10に答えを書きなさい。

6 『フォリー・ベルジェールのバー』の最初の所有者は誰だったか。
7 女性バーテンダーは何を着ているか。
8 絵の後ろに見られるのはどのような種類の部屋か。
9 誰が観客のためにパフォーマンスをしているか。
10 この絵の作業のほとんどはどこで行われたか。

解説

6 キーフレーズは first owner で、段落A第2文冒頭の Originally belonging to が言い換えられたものです。答えは Emmanuel Chabrier だとわかりますが、書き写す際につづりを間違えないように注意しましょう。6の答えの根拠が段落Aに出てきたので、7の答えの根拠は段落Bに出てくる可能性が高いと予想できます。

7 キーワードは wearing。段落B第2文の fitted out in が「～を着ている」という意味です。解答となる bodice は暗記が必要な重要単語ではなく、直後の関係代名詞節 that has a frilly white neckline という表現から、服の一種だと推測できれば十分です。

8 room と back がキーワードです。段落B第4文に room と behind がありますが、この文ではまだ答えを出せません。詳しい内容は続く第5文で説明されます。Through this mirror の後に解答となる an auditorium が出てきます。なお、auditorium には「公会堂、講堂、観客席」などさまざまな意味があります。

9 Who、performing、audience に相当する情報を探していきます。段落B第5文の demonstrating が performing に、adoring crowd が audience にそれぞれ言い換えられているので、その前にある a trapeze artist が正解となります。なお、trapeze は重要単語ではなく、ここでは何かの芸をしていると推測できれば十分で、必ずしも暗記する必要はありません。

10 9の解答の根拠が段落B終盤にあると見抜けていれば、10の答えは段落Cに出てくる可能性が高いと思って読み進むことができます。探す情報は「描く作業が行われた場所」です。段落C第2文にある largely completed が 10 の most of the work ... take place と言い換えられており、その後の a private studio が正解となります。

Questions 11-13 ［解答］

11 E   12 D   13 A

● 問題文の訳
以下のA-Fのうち正しい結びでそれぞれの文を完成させなさい。
解答用紙の解答欄11-13にA-Fのうち正しい文字を書きなさい。

11 マネは鏡の像を不正確に描写しているが、それは彼が
12 マネは近代の労働者は疎外されていると感じていたが、それは彼らが
13 学者はこの絵を実際に再現してきたが、それは彼らが

A この絵の遠近法が現実的かどうかを突き止めたかったからである。
B 退屈で過酷な仕事を精一杯しなければならないと感じていたからである。
C 当時の普通の人々の生活を理解したかったからである。
D （本来の自分とは）違う人にならなければならないように感じていたからである。
E 現実についてのわれわれの感覚を操作したかったからである。
F 絵の中の細部に焦点を当てたかったからである。

解説

11 問題文は because he (= Manet) で終わっているので、画家の意図を表すのにふさわしい選択肢を選ぶことになります。マネが鏡の像を実際の状況と違うように描いたことについては段落Dで詳しく説明されていますが、その意図は第2文に書かれています。toy with が manipulate に、ideas が sense に、true to life が reality にそれぞれ言い換えられている選択肢Eが正解となります。

12 近代の労働者が疎外されている理由として考えられる選択肢はBとDしかありません。キーワードである alienated（疎外された）の意味を知らなくても、段落E第3文の alienation に気付けば該当箇所はわかります。同じ文の forced to が had to に、assume an artificial working identity が become different people に言い換えられている選択肢Dが正解です。

13 学者が絵に描かれた情景を再現しようとした理由としてあり得る選択肢はA、C、Fが考えられます。キーワードである academics に相当するのは段落F第1文の art historians、re-constructed に相当するのは同じ段落第2文の conducted staged representations です。段落F第2文の in order to ascertain を wanted to find out に、point of view を perspective に、possible を realistic にそれぞれ言い換えた選択肢Aが正解となります。

READING PASSAGE 2 | Questions 14-26

> パッセージの訳

約20分で次のリーディング・パッセージ2に基づく質問14-26に答えなさい。

マイルス・デイヴィス
偶像と偶像破壊者

A　マイルス・デイヴィスは13歳で初めてトランペットを与えられ、地元のトランペット奏者にレッスンを受ける手はずが整えられ、そして長い音楽の放浪の旅が始まった。父親がお金を払って支えたこの初期のレッスンは、デイヴィスの特徴的なサウンドを形成する上で大きな影響を与えた。当時のほとんどのトランペット奏者がビブラート（楽器の音色に抑揚を付けた音の高低の不安定な震え）を用いるのを好んだのに対して、デイヴィスは長く真っすぐな音で演奏するよう教えられた。この音は、伝えられるところでは、デイヴィスがビブラートを使い始めるたびに師匠が指の関節を軽くたたいてこの若きトランペット奏者に教え込んだ、好みの演奏スタイルだった。この澄んだ独特のスタイルがデイヴィスを離れることはなかった。彼は音楽人生の最後までこのスタイルで演奏し続け、かつてこう述べたこともある。「あのサウンドを出せなければ、何一つ演奏することはできない」。

B　1944年に高校を卒業したデイヴィスはニューヨーク市に移り、ナイトクラブと教室の両方で音楽教育を受け続けた。しかし、名門ジュリアード音楽院での在籍は長く続かなかった――ヨーロッパのクラシック音楽の楽曲を過度に重視し、ジャズを軽視していると彼は受け止め、それを批判してすぐに退学したのである。しかし後にデイヴィスは、この学校で過ごした時間は、トランペット演奏のテクニックを磨き、音楽理論のしっかりとした基礎訓練を施してくれた点では計り知れないほど貴重だったと認めている。彼の初期の訓練の多くは、52番街のクラブでのジャムセッションと演奏という形で行われた。そこで彼は、コールマン・ホーキンス、エディ・「ロックジョー」・デイヴィス、セロニアス・モンクといった、ジャズ界を代表する新進気鋭や名声の確立した顔触れと並んで演奏した。

C　デイヴィスは1940年代末、フレンチホルンとチューバ奏者を含む9人の器楽奏者と一緒に演奏し、後に「クール」・ジャズとして知られるものが芽生えたサウンドで今では名高いアルバム『クールの誕生』を制作した。当時人気のあったジャズのスタイルは、速くてにぎやかなビート、声を張り上げる甲高いボーカル、短く鋭い音を強く吹き鳴らすホーンが特徴だったが、それとは対照的にデイヴィスのアルバムは、か細くて軽いホーンの演奏、音を抑えたドラム、より抑制が効き整然としたアレンジという、異なる種類のサウンドの先駆けとなった。当時はほとんど評価されなかったものの（デイヴィスの後の録音の1つの解説は「壮大な失敗作」と呼んでいる）、今になってみれば、『クールの誕生』はジャズの歴史における決定的瞬間と認められるようになっており、1959年に録音された『カインド・オブ・ブルー』と並んで、彼の時代の最も革新的な音楽家の1人としてのデイヴィスの遺産を揺るぎないものとした。

D　デイヴィスはやすやすと軽やかにトランペットを演奏していたように聞こえたかもしれないが、このやすさは、彼の残りの人生にはほとんど持ち越されなかった。特に1950年代初めは、個人的混乱がひどい時期だった。パリでの活動を終えて帰国した後、デイヴィスは長引く鬱を患った。その原因はいくつかの人間関係の破綻だと彼は考えたが、その中には、あるフランス人女優との恋、創造性をめぐる意見の対立の結果決裂した音楽上の協力関係が含まれていた。またデイヴィスは、音楽評論家に無視されたという自身の認識に挫折感を味わっていた。評論家は、ジェリー・マリガンやデイヴ・ブルーベックといった、彼の共同作業者や「クール」の伝統の継承者の成功をたたえていたのに、彼に対しては、クールなサウンドをそもそも最初に導入した功績をほとんど認めなかったのである。

E　デイヴィスはキャリア後半の数十年、排他的なジャズの環境から飛び出し、幅広い音楽スタイルにわたって活動を多様化するようになった。1960年代、彼はスライ＆ザ・ファミリー・ストーンのような初期ファンクのミュージシャンに影響され、そして彼のスタイルは1970年代にジャズとロックを融合させたフュージョンというジャンル――彼はその先頭を走っていた――へと拡大した。電子的な録音効果と電気楽器が彼のサウンドに取り入れられた。1980年代になるころにはデイヴィスは境界をさらに押し広げ、シンディ・ローパーの『タイム・アフター・タイム』やマイケル・ジャクソンの『ヒューマン・ネイチャー』のようなポップソングの代表曲をカバーし、ヒップホップに手を出し、何本かの映画に出演までした。

F　誰もがデイヴィスの音楽性の変化を支持したわけではない。彼のキャリア初期の録音はジャズの全作品の要だと万人から称賛されているが、それと比較して、彼のフュージョンの作品は「真のジャズではない」とトランペット奏者ウィントン・マルサリスは冷笑し、ピアニストのビル・エヴァンスは、ロックとポップスは「より幅広い聞き手を引き付ける」と指摘してレコード会社の「堕落をもたらす影響」を公然と非難した。こうした批判を受けてもデイヴィスは挑戦的な態度を崩さず、初期の録音はもう「感覚」をなくしてしまったある瞬間の一部分なのだ、と述べた。スタイルに変化がないままでは、音楽制作の新しい方法を発展させる自らの能力の妨げになっていただろう、と彼は堅く信じていた。この観点からすると、デイヴィスが繰り返しジャンルを刷新し続け

たことは、単なる反乱ではなく進化だったのであり、彼が音楽的潜在能力を十分に解き放つことを可能にした必要な道のりだったのである。

語注

- icon：偶像
- iconoclast：偶像破壊者
- odyssey：長い放浪の旅
- profound：深い、大きな
- signature：特徴的な
- wobbly：ぐらぐらする、不安定な
- quiver：震え、震動音
- pitch：(音の)高低
- inflect：(音声)に抑揚を付ける
- preference：(他の何よりも)好むこと
- reportedly：伝えられるところによれば
- drill A into B：A(知識など)をB(人)に教え込む
- rap：軽く打つこと
- distinctive：独特の
- enrolment(英) = enrollment：入学
- prestigious：威信のある、名門の
- perceive：〜を理解する
- over-emphasis：過度の強調、重視
- repertoire：全作品、全曲目
- neglect：無視、軽視
- acknowledge：〜と認める
- invaluable：計り知れない価値のある
- in terms of ...：〜の観点から
- grounding：基礎訓練
- up-and-coming：将来性のある
- established：定評のある
- pantheon：重要視される人物たち
- instrumentalist：器楽奏者
- renowned for ...：〜で名高い
- inchoate：初期の、未完成の
- rollicking：陽気な、にぎやかな
- shriek：甲高い声を出す
- blast：けたたましい音
- forerunner：先駆者、先駆け
- hushed：静かな、声を潜めた
- restrained：抑制した、控えめな
- acclaim：称賛
- liner notes：ライナーノーツ《レコード・CDの解説文》
- in hindsight：後で思えば
- pivotal：重要な、決定的な
- cement：〜を強固にする
- legacy：遺産
- innovative：革新的な
- effortless：努力を要しない
- breezy：生き生きとした、陽気な
- carry over into ...：〜に持ち越される
- turmoil：騒ぎ、混乱
- stint：活動期間
- prolonged：長引く
- attribute A to B：AをBのせいと考える
- unravel：失敗する、破綻する
- partnership：協力、共同
- rupture：決裂する
- dispute：論争、議論
- frustrate：〜を挫折させる
- perception：理解、認識
- overlook：〜を見落とす、無視する
- hail：〜を称賛する
- collaborator：協力者
- descendant：子孫
- afford A B：AにBを与える
- credit：功績
- exclusive：排他的な
- setting：環境、設定
- diversify：〜を多様化する
- output：作品、生産
- funk：ファンク《リズムを強調したソウルミュージック》
- fusion：フュージョン《ジャズとロックを融合させた音楽》
- frontrunner：先頭に立つ人
- incorporate A into B：AをBに取り入れる
- anthem：代表曲
- dabble in ...：〜に手を出す
- supportive of ...：〜に協力的な
- universally：普遍的に
- applaud：〜を称賛する
- linchpin：要
- oeuvre：全作品
- deride：〜を嘲笑する
- denounce：〜を公然と非難する
- corrupt：〜を堕落させる
- note：〜を指摘する
- in the face of ...：〜に直面して
- defiant：反抗的な、挑戦的な
- feel：こつ、センス
- stylistically：様式的に
- inert：不活発な、緩慢な
- hamper：〜を妨げる
- continual：繰り返し起こる
- revamp：〜を改良する
- evolution：進化

Questions 14-19 ［解答］

14 viii　**15** iii　**16** i　**17** ix　**18** iv　**19** vi

●問題文の訳

リーディング・パッセージ2にはA-Fの6つの段落がある。
段落A-Fに対する正しい見出しを下の見出しリストから選んで書きなさい。
i-ixから正しい数字を選んで解答用紙の解答欄14-19に書きなさい。

見出しリスト

i	遺産が確立される
ii	正式な教育は役に立たない
iii	2つの部分から成る教育
iv	新たな方向への拡大
v	子ども時代と家庭生活
vi	創造的であり続けるために必要な変化
vii	デイヴィスの初期作品に関する対立する意見
viii	デイヴィスの独特なトランペット演奏スタイル
ix	個人的苦闘と職業的苦闘

14 段落A
15 段落B
16 段落C
17 段落D
18 段落E
19 段落F

解説

背景知識のある人ならかなり読みやすく、解きやすいパッセージです。逆に背景知識ゼロであっても、設問が短めでキーワードもはっきりしているので、解答の根拠を探すことは難しくありません。しかしパッセージ中に読み間違えやすい箇所もあり、得点差が開くようになっています。質問 20-26 の YES/NO/NOT GIVEN 問題は、設問が 7 つあるのに対してパッセージは 6 段落なので、1 段落につきほぼ 1 問のペースで順番に出題されると予測できます。

14 段落 A 第 2 文の signature sound や第 4 文の distinctive style を言い換えた unique style を含む viii が正解となります。段落 A はデイヴィスの音楽の特徴を述べています。初期の音楽教育について述べてはいますが、ii や iii は合いません。また、父親の話は出てきますが、v の「子ども時代と家庭生活」が主題ではありません。

15 段落 B 第 1 文に his musical education とあるので、education という語を含む ii か iii ではないかと見当をつけます。第 3 文の invaluable を「価値がない」と勘違いすると ii で引っかかってしまうかもしれません。第 1 文の both in the clubs and in the classroom を in two parts と言い換えた iii が正解です。

16 最も多い誤答は viii でしょう。段落 C と段落 A を天秤にかけて、どちらに viii を使うかを考えます。段落 A は「デイヴィスが若いころの、生涯にわたる distinctive style 誕生の逸話」なので viii を選びます。一方段落 C は、「クール・ジャズとデイヴィスの名声の確立」であり、legacy というキーワードも含むので i が該当します。

17 段落 D 冒頭のトピックセンテンスは、演奏スタイルとは違って彼の人生が容易ではなかったことを述べています。その具体例として、第 2 文では personal turmoil、第 4 文では also frustrated 以下で批評家から評価されなかったことを挙げています。以上から ix (Personal and professional struggles) を導き出します。

18 最も多い誤答は vi でしょう。確かにデイヴィスの変化について述べてはいますが、to stay creative に相当する部分がありません。仮にひとまず vi を選んだとしても、続く段落 F を読んで修正できればよいでしょう。段落 E 冒頭のトピックセンテンスに broke out of や diversify とあり、その後はその具体例となっているので、iv が正解となります。

19 最も多い誤答は vii でしょう。段落 F で述べられているのは Conflicted opinions ではなく「デイヴィスの変化に対する批判」であり、さらに earlier work ではなく「後年の作品」に対する評価です。冒頭のトピックセンテンスにあるように、この段落では彼のサウンドの変化について述べられており、最後の文でその変化は allowed him to release his full musical potential と述べられていることから、vi が正解となります。

Questions 20-26 ［解答］

20 NO	**21** YES	**22** NOT GIVEN
23 NO	**24** NOT GIVEN	**25** YES
26 NO		

●問題文の訳

下の記述はリーディング・パッセージ 2 での筆者の見解と合致するか。
解答用紙の解答欄 20-26 に
　記述が筆者の見解と合致するなら YES
　記述が筆者の見解と矛盾するなら NO
　この点に関して筆者がどう考えているか判断できなければ NOT GIVEN
と書きなさい。

20 デイヴィスのトランペットの先生はビブラートを付けて演奏することを望んだ。

21 デイヴィスによると、ジュリアードで学んだことは彼の音楽的能力を伸ばすのに役立った。

22 ニューヨークのジャズクラブで演奏することは有名になる最良の方法だった。

23 『クールの誕生』は、当時のほとんどのジャズよりも速くて騒々しい音楽が特徴だった。

24 デイヴィスの個人的トラブルは彼のトランペット演奏に悪い影響があった。

25 クール・ジャズへの自分の貢献が認められていないとデイヴィスは感じた。

26 デイヴィスは、ジャズのサウンドを純粋に保つことを望む伝統主義者だった。

解説

20 vibrato は言い換えられそうにないので、この問題最大のキーワードです。Whereas (〜だが一方) で始まる段落 A の第 3 文に vibrato が 2 回登場します。ビブラート派の「当時のほとんどのトランペッター」に対する反ビブラート派の「デイヴィスの先生 (とデイヴィス)」という構図を正確に読み取りましょう。一般に Whereas の文では対比を意識することが大切です。

21 固有名詞の Julliard がキーワードなので、該当箇所は見つけやすくなっています。勝負の分かれ目は段落 B 第 3 文の invaluable という語の正しい理解ですが、仮にこの語を知らなかったとしても、逆接による文の流れを正しくとらえられれば正解できます。前の文では「批判していた」のに対して、この文では「しかし後には」ですから、肯定的評価とわかります。

22 段落 B の最初と最後の文がキーフレーズの jazz clubs や New York に関係しています。最後の文で彼がクラブで演奏したことが書かれていますが、質問 22 は一般論として「ニューヨークのジャズクラブで演奏することは有名になるための最良の方法だった」という意味であり、これを肯定する情報も否定する情報もないので NOT GIVEN が正解となります。

23 固有名詞の Birth of the Cool がキーフレーズで、段落 C の第 1 文、第 2 文に基づいて答えます。第 2 文の文頭の In contrast to に注目し、対比が正しく取れれば細部がわからなくても正解できます。当時は rapid (= faster) で blasts (= louder) が人気のスタイルだったのに対して、Davis' album (= Birth of the Cool) は thin、light、hushed、restrained といった語で説明されているので、NO が正解です。

24 personal troubles がキーフレーズですが、それが演奏に悪影響を与えたかどうかが問題です。段落 D 第 2 文の personal turmoil が言い換えられたのが質問 24 の personal troubles で

す。第3文で the unravelling of ... relationships が原因で depression になったとは述べられていますが、演奏に影響したかどうかは述べられていないので、NOT GIVEN が正解となります。

25 デイヴィスが自らの contribution が認められていないと感じたかどうかを探します。段落D第4文に overlooked by the music critics、afforded him little credit とあり、そのどちらか一方でも読み取れれば、正解の YES に到達できます。

26 キーワードである traditionalist がわからなくても、その後の keep the jazz sound pure がわかれば、質問の意味は取れます。段落E冒頭で broke out of exclusive jazz settings and began to diversify、段落Fの冒頭で change of tune など traditionalist を否定する情報があるので、NO が正解となります。

READING PASSAGE 3 | Questions 27-40

本冊：p.74-78

パッセージの訳

約20分で次のリーディング・パッセージ3に基づく質問27-40に答えなさい。

A 登山の初期の時代、安全性の問題と実施基準と環境への影響が広く考慮されることはなかった。このスポーツが人気を得たのは、2人のフランス人登山家ジャック・バルマとミッシェル＝ガブリエル・パッカールが1786年に西ヨーロッパの最高峰モンブランの登頂に成功して以降のことである。この出来事が近代登山の始まりを確立したが、続く100年間に唯一考慮されたのは、登山者が山頂に到達し初登頂を成し遂げたという名声をわがものにすることに成功するか失敗するかだけだった。

B しかし19世紀が終わりに向かうと、科学技術の発達により、登山の仕方に関する議論が活発になった。この時代にとりわけ関心を持たれたのが、ハーケン（登山者が力を得るために岩の表面に打ち込む金属の大きなくぎ）の導入と、ビレイ技術の使用である。イタリア人登山家ガイド・レイなど少数の人たちは、登山の負担を軽くし、より「軽業的」にする方法としてこれらの手法を支持した。これらの手法は、他のすべてが失敗した場合の安全策としてのみ価値がある、と感じる人たちもいた。オーストリア人パウル・プロイスは、あらゆる人工的補助器具の使用を避け、靴と素手のみを用いて驚くべき高さをよじ登りさえした。イギリスの高名な登山家で作家のアルバート・ママリーはヨーロッパアルプスに登攀し、さらによく知られているところではヒマラヤ山脈に登攀し、そこで困難で悪名高い登頂を試みて39歳で亡くなった人だが、「手取り足取り教えてくれる」ガイドブックの使用とはしごやかぎ縄などの装備の使用を退け、一種の非公式のしきたりとしての「公正な手段」という概念を発展させた。

C 1940年代になるころには、登山者が選ぶ装備としてボルトがハーケンに取って代わりつつあったが、それらの使用をめぐる批判は同様に激しいものだった。1948年に2人のアメリカ人登山家がわずかな数のハーケンとボルトを使ってカナディアンロッキーのブラッセルズ山に登頂したとき、登山家フランク・スマイスは2人の努力についてこう書いた。「ブラッセルズ山は未登頂だと私はまだ考えるし、私の気持ちは、人跡未踏の山頂を踏んだと吹聴できるようにヘリコプターが乗客をその山の頂上に下ろした、と聞いたならば感じるに違いない気持ちとまったく変わらない」。

D 登山純粋主義者は別にして、一般的な風潮がボルトとハーケンに背を向けるようになったのは1970年代になってからのことである。これが地球に与え続けてきた被害にアメリカをはじめとする西洋諸国の多くが気付き、環境保護運動と政府の新政策が拡大しつつあった。環境問題に対するこの新しい認識と配慮はロッククライミング界に波及した。その結果、「クリーンクライミング」として知られる、基本的な装備しか用いないロッククライミングのスタイルが広く採用されるようになった。クリーンクライミングは岩の表面の保護に貢献し、それ以前の手法と比較してずっと簡単に実践することができた。これは1つには、クリーンクライミングの特徴であるナッツの使用によるものだった。ナッツは片手で岩壁に固定することができ、その間クライマーはもう一方の手で岩を握ったままでいられるので、ボルトより好まれたのである。

E しかし、誰もがクリーンクライミング運動を歓迎したわけではなかった。10年後には、2つのさらなる展開に関する議論が巻き起こっていた。1つは、クライマーが指を差し込む小さな割れ目を作るために岩の破片を削り取る、チッピングという行為に関するものだった。論争のもう1つの主要な論点となったのは、逆に頂上から下りる際にボルトを取り付けることに関わる過程だった。懸垂下降のためにボルトを打ち込めばほとんどどんな岩の表面も比較的容易に登攀可能になり、この新技術の結果、このスポーツはリスク要因の多くとパイオニア精神を失ってしまった。実際ロッククライミングは、重圧を受けたときの勇敢さを心理的に試されることよりも、筋力と技術的熟練が本質になってしまった。焦点がこのように変わったため、多くのアマチュアクライマーは、大けがのリスクがほとんどない屋内のクライミングジムに群がっている。

F ロッククライミングが環境にもたらし得る被害を考慮すれば、これは前向きな結果なのかもしれない。皮肉なのは、ほとんどのロッククライマーと登山家がアウトドアを愛し、自然の威厳と自然が突き付ける壮大な困難に対し大いなる敬意を持っているのに、目的を追い求める際に傷つきやすい植生を必然的に踏み荒らし、岩棚や崖の表面に生える繊細な植物群と地衣類を傷つけ荒らしてしまうことである。カナダの大学の2人の研究者ダグ・ラーソンとミッシェル・マクミランは、定期的に登攀される岩の表面は固有の植物種の広がりと多様性の最大80％を失っていることを発見した。それだけでもひどい状況だが、外来種が登山者の靴に付いて運び込まれ、偶発的に入ってきてもいる。

G このため、ロッククライミングの将来は不確かなままとなっている。荒野を楽しみたいと思う利用者グループは登山者だけではない――ハイカーとマウンテンバイカーと乗馬をする人が同じ地域を訪れるのだが、もっと重要なのは、彼らの方がはるかによく組織されていて、彼らの利益を守る歴史あるロビー団体がついている点である。限られた天然資源に対する圧力が強まる中、登山者はさまざまな登山技術の倫理に関する意見の相違はさておき、自分たちの行為が環境に与える影響と、他の利用者や土地所有者との関係に集中してはどうかと提案されている。

H　いずれにせよ、一匹おおかみあるいは恐れを知らない開拓者としてのロッククライマーの時代が終わったことに疑問の余地はない。他の多くの娯楽形式同様、ロッククライミングは、危険な振る舞いを抑え、われわれの自然環境を適切に管理する制度的努力を行う団体にますます支配されるようになっている。このため、このスポーツは魔法のような魅力をなくしたかもしれないが、より安全で持続可能にもなったのであり、各評議会は今後そうした努力を強めることを検討するのが賢明だろう。

語注

- mountaineering：登山
- traction：人気、成功
- ascent：登頂
- sole：ただ１つの、唯一の
- prestige：威信、名声
- spur：〜を駆り立てる、促進する
- piton：ハーケン、ピトン
- leverage：てこの作用
- belaying：ビレイ《ロープで登山者の安全を確保すること》
- render A B：A を B にする
- burdensome：負担の重い
- acrobatic：軽業の、曲芸的な
- safety net：安全策、セーフティーネット《重大な困難から保護するための仕組み》
- go so far as to *do*：〜しさえする
- eschew：〜を避ける、控える
- scale：〜をよじ登る、〜に登頂する
- famously：よく知られて
- notoriously：悪名高く
- protocol：定まった儀礼、しきたり
- walk A through B：A(人) に B のやり方を丁寧に教える《walk-through guidebooks は「現地ガイド」のこと》
- grappling hook：かぎ縄
- discourage：〜をやめさせる、妨げる
- no less ...：劣らず〜
- fierce：激しい
- unclimbed：未登頂の
- deposit：〜を置く、下ろす
- boast：〜と自慢する
- tread：〜を踏む
- untrodden：人跡未踏の
- purist：純粋主義者
- turn against ...：〜に反対の立場に転じる
- environmentalist：環境保護論者
- awareness：自覚、認識
- sensitivity：感受性、敏感に反応すること
- spill over into ...：〜に影響を与える、波及する
- stripped-down：余分な装備を取り除いた
- hallmark：特徴、特質
- nut：ナッツ《岩の割れ目に挟み込むくさび状の固定金具》
- embrace：〜を喜んで受け入れる
- erupt：突然起こる、勃発する
- chip away ...：〜を削り取る
- contention：論争、論戦
- in reverse：逆に、反対に
- rappel：懸垂下降
- mastery：熟達、熟練
- trial：試験、試練
- fearlessness：恐れを知らないこと、勇敢さ
- flock：群がる
- negligible：ごくわずかの、取るに足らない
- ironic：皮肉な
- majesty：威厳、雄大さ
- pose：〜を投げ掛ける、提起する
- pursuit：追求
- inevitably：必然的に、必ず
- trample：〜を踏み荒らす
- vegetation：植物、植生
- flora：植物群
- lichen：地衣類、こけ
- ledge：岩棚
- coverage：範囲、分布
- diversity：多様性
- non-native：外来種の
- inadvertently：不注意で、うっかり
- wilderness：荒地、荒野
- horseback rider：乗馬をする人
- long-established：昔からの、歴史のある
- lobby group：圧力団体、ロビー団体
- put aside ...：〜を考えないことにする
- ethics：倫理、道徳
- landowner：土地所有者、地主
- in any event：いずれにせよ
- lone wolf：一匹おおかみ
- intrepid：恐れを知らぬ、大胆不敵な
- come under ...：〜の支配下にある
- fold：（共通の価値観を持つ）集団、共同体
- institutional：制度的な、組織としての
- curb：〜を抑制する
- sustainable：持続可能な
- governing body：（組織の）評議会、理事会
- do well to *do*：〜するのが賢明だ
- heighten：〜を高める、強める

Questions 27-32　［解答］

27 F　28 D　29 E　30 H　31 B　32 G

●問題文の訳

リーディング・パッセージ３にはＡからＨまで８つの段落がある。どの段落が以下の情報を含んでいるか。
A-H から正しい文字を選んで解答用紙の解答欄 27-32 に書きなさい。

27　登山者が生態系に与える影響の例
28　政治がどのようにロッククライミングに影響したかの説明
29　岩の表面を登ることに対する危険性の少ない代替策
30　よりよい規制への勧告
31　いかなる道具もロープも補助として用いなかった登山者への言及
32　アウトドアを娯楽に用いるさまざまなタイプの人たちの例

解説

パッセージに内容を表すタイトルが付いていない場合には、最後に主題またはタイトルの問題があります。選択肢を読むことでロッククライミングに関するパッセージであることがわかります。質問 33-39 のフローチャートの空所補充問題は必然的に年代順になっており、各問題に該当する段落は見つけやすいので、まずこの問題から取り組んでもよいでしょう。

27 環境自体に関しては多くの段落で述べているので、あまりヒントになりません。登山の環境への影響の例が挙げられている段落を探します。段落 A 第１文には environmental impact、段落 D 第２文には damage という語が出てきますが、いずれも例は挙げられていません。段落 F は、第１文に damage という語があり、第２文以降がその例になっています。

TEST 1　READING

28 キーワードは politics（政治）です。間違えやすそうなのは段落 H の最後の文の governing bodies です。これは government ではありません。パッセージ中で politics に近い語句は段落 D の第 2 文の government policies しかありません。キーワードの選定さえ正しければ、詳しい内容が理解できなくとも類義語を見つけるだけで正解できる問題であり、確実に押さえたいところです。

29 a less dangerous alternative がキーフレーズです。段落 H にも curb dangerous behaviour とありますが、何か 1 つの代替手段について述べているわけではありません。それに対して段落 E では、rappel bolting という方法により、lost much of its risk factor（第 5 文）、risk of serious harm is negligible（最後の文）になったと述べられています。

30 キーワードは recommendation で、regulation に関して何らかの勧告、提案を表す表現を探すことになります。段落 H の最後の文で would do well to consider heightening such efforts と述べられている部分が、規制に関する提案に当たります。筆者の意見は最後で述べられることが多いので、意見系のキーワードの場合、最後の段落から確認するとよいでしょう。

31 not use any tools or ropes がキーフレーズです。段落 B 第 5 文で Paul Preuss という登山家に関して using only his shoes and his bare hands とある部分が最もわかりやすく、同じ文の eschew all artificial aids という表現もわかれば、確実にここが正解だとわかります。

32「屋外を娯楽に使ういろいろな人」という問題ですが、different types に注目しないと、登山家だけならすべての段落に出てきて迷うことになります。段落 G 第 2 文に、Climbers だけではないとあり、hikers, mountain bikers and horseback riders が挙げられていて、different types of people に相当します。

Questions 33-39　［解答］

33 a safety net　**34** Albert Mummery
35 unclimbed　**36** Clean climbing
37 Nuts　**38** rappel bolting
39 technical mastery

● 問題文の訳

次のフローチャートを完成させなさい。
それぞれパッセージから 3 語以内を選んで書きなさい。
解答用紙の解答欄 33-39 に答えを書きなさい。

ロッククライミングの歴史年表

19 世紀の終わり
一部の登山者が、ハーケンとロープは **33** 安全策 とのみ見なされるべきかどうかを議論する。**34** アルバート・ママリー が登山の補助器具を退ける慣習的規則に基づく指針を要求する。

↓

1940 年代
新しい装備が議論を呼ぶ。ブラッセルズ山に登頂するために用いられた技術ゆえに、この山は事実上 **35** 未登頂 だとフランク・スマイスが言う。

↓

1970 年代
36 クリーンクライミング は環境により優しい。**37** ナッツ が登山の補助器具として導入される。

↓

1980 年代―現在
手を掛ける場所を作る新技術の長所、また、**38** 懸垂下降のためにボルトを打ち込むこと の長所について登山者が議論する。登山は今では勇気を試すものというより、体力と **39** 技術的熟練 を試すものになっていると多くの人は言う。

解説

33 ロッククライミングの歴史年表を埋めていきます。19 世紀の終わりについては、段落 B 第 1 文に Toward the end of the nineteenth century とあるのが最初のヒントです。同じ文の debate が 33 の文の discuss に言い換えられています。第 2 文の pitons はそのまま言い換えられず、belaying（語注に rope という語があります）が ropes に言い換えられています。これらの手法の可否が論じられたという内容であり、第 4 文にある主張が問題文の内容であり、そこにある a safety net が正解です。

34 空欄の次の calls for は「〜を求める」という意味で、3 人称単数現在の -s がついているので、単数形の名詞を書かなければいけません。段落 B 最後の文の informal protocol 以下の説明が問題文では guidelines 以降に言い換えられており、discourage はそのままで言い換えられていません。このような内容を求めた人物として、この文唯一の 3 人称単数固有名詞である Albert Mummery が正解です。

35 1940 年代と限定されていて、かつ空欄の前には Frank Smythe や Mt Brussels という固有名詞があるので、該当箇所は探しやすくなっています。段落 C 第 2 文で引用されている Frank Smythe の発言、I still regard Mount Brussels as unclimbed が解答の根拠となります。要注意は空欄の前の effectively で、「効果的に」という意味だけでなく、「事実上」という意味がありますが、ここでは後者の意味です。

36 段落 D の第 1 文に the 1970s とあるので、この段落が根拠となるとわかります。空欄の後ろのキーフレーズは environmentally friendly。環境への意識が高まる中で clean climbing が出てきたとあり、それが説明されている第 5 文の helped preserve rock faces が environmentally friendly に当たるので、Clean climbing が正解となります。

37 空欄の後ろは are ですから、複数形の名詞を書かなければいけないことを事前に確認します。36 の答えである Clean climbing よりも後ろの部分で、1970 年代に導入された登山を助けるものを探します。段落 D の最後の文で the hallmark of clean climbing は the use of nuts であるとされているので Nuts が正解となります。

38 段落 E 第 2 文の A decade later で、ここが 1980 年代以降について述べる部分であるとわかります。第 2 文と第 3 文が 38 の文の前半と対応しています（debates → discuss, two more developments → new techniques, create tiny cracks in which to insert their fingers → making hand holds）。続く第 4 文と第 5 文が問題文の後半に対応しており、第 5 文冒頭の Rappel bolting が解答となるという手順です。

39 空所の直前が physical strength and となっているので、パッセージ中で physical strength に相当する語句と並列されているものを探します。空所の後ろの rather than of courage もヒントになります。段落 E 第 5 文の muscle power が physical strength に対応し、than 以下が rather than of courage に対応しており、muscle power and の次にある technical mastery が正解となります。

Question 40 ［解答］

40 B

● 問題文の訳

A, B, C, D から正しい文字を選んで書きなさい。
正しい文字を解答用紙の解答欄 40 に書きなさい。
このリーディング・パッセージに最も適切なタイトルを選びなさい。

- **A** ロッククライミングの歴史
- **B** ロッククライミングの倫理と問題
- **C** ロッククライミングの現在のトレンド
- **D** スポーツクライマー対伝統的クライマー

解説

40 主題やタイトル問題では通常第 1 段落（イントロが複数の段落にまたがる場合にはその最後の段落）が解答の根拠となります。冒頭の文の questions of safety, standards of practice, and environmental impact が選択肢 B の Ethics and issues に相当します。これらはかつて考慮されていなかったが現在は大きな問題となっており、パッセージ全体を通して説明されています。選択肢 A は歴史自体が焦点ではないので、選択肢 C は段落 A ～ D を無視しているので、選択肢 D は段落 B と C だけなので、それぞれ誤りです。

WRITING

TASK 1

本冊：p.79

> 解答例

The line graph provides information on the number of downloads of four language learning apps in 2013 and 2014. While there is a general trend of decreasing or steady downloads, one newcomer, 20Words, showed exceptional growth and was by far the most popular app by the end of the given period.

At the beginning of 2013, the app with the highest monthly downloads was Linguoso, with 30,000 downloads per month in the first part of this year. However, its popularity started to decrease rapidly during the following months and downloads dipped below 10,000 in mid-2014. Linguoso downloads climbed later in the year and then held steady at approximately 17,000 until December. Speak Right became the most popular app after Linguoso's decline, peaking at 27,000 in late 2013, but this app, too, fell in popularity shortly afterwards, finishing 2014 with only 12,000 downloads. Verb Tester maintained around 5,000 downloads a month until an increase to nearly 10,000 in late 2014.

In contrast, although 20Words was only launched in September 2013, figures rose quickly and this became the most downloaded app in June 2014, after which figures continued to climb to 35,000 at the end of 2014.

(195 words)

> 語注

- app：アプリ
- dip：落ちる、下がる
- mid-：〜半ば
- launch：〜を売り出す

● 問題文の訳

このタスクは約20分で終えなさい。

> 下のグラフは、人気のある言語学習アプリ4つの、2013年と2014年の月ごとのダウンロード数に関する情報を示しています。主な特徴を選んで説明することで情報を要約し、関連がある箇所を比較しなさい。

150語以上で書きなさい。

人気のある言語学習アプリ4つの月ごとのダウンロード数（単位：千）

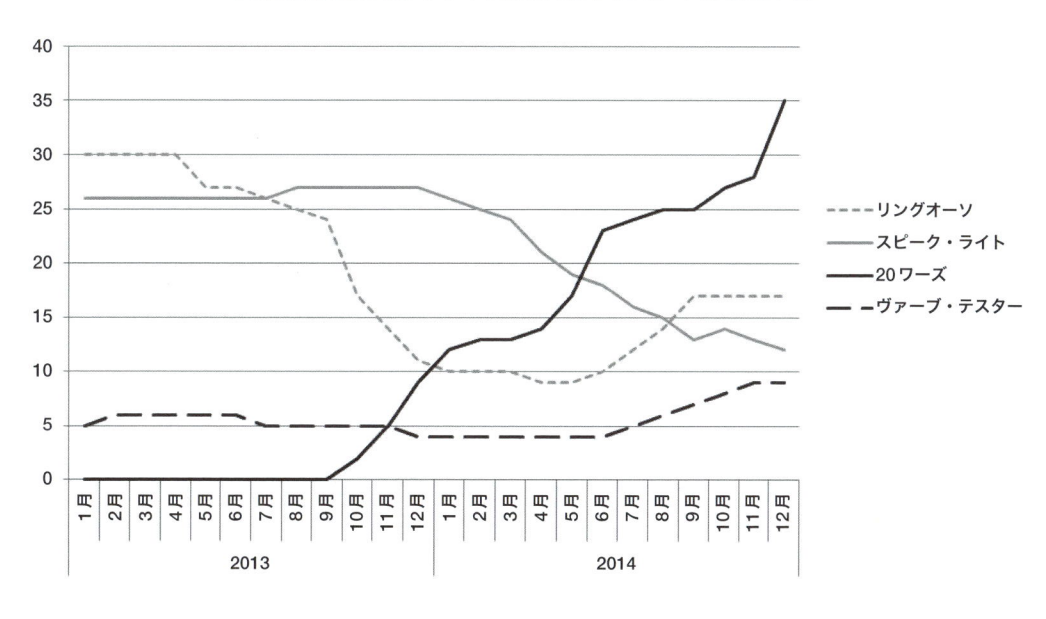

解答例の訳

この折れ線グラフは、4つの言語学習アプリの2013年と2014年のダウンロード数に関する情報を表しています。全体的な傾向としてダウンロード数は減少しているか安定していますが、新しく登場した1つのアプリ、20ワーズが例外的に成長し、ここで示された期間の終わりまでには他を圧倒して最も人気のあるアプリでした。

2013年の初めには、月間ダウンロード数が最も多かったアプリはリングオーソで、この年の前半は月に30,000ダウンロードでした。しかし、続く数カ月の間にリングオーソの人気は急速に下がり始め、2014年半ばにダウンロード数は10,000件を下回りました。リングオーソのダウンロード数は同年後半に上昇し、それから12月まで約17,000件で安定していました。リングオーソが減少した後はスピーク・ライトが最も人気のあるアプリとなり、2013年後半に27,000件でピークに達しましたが、その後間もなくこのアプリも人気が下がり、わずか12,000ダウンロードで2014年を終えました。ヴァーブ・テスターは、2014年後半に10,000件近くに上昇するまで、月に5,000ダウンロード前後を維持していました。

対照的に20ワーズは、2013年9月に発売されたばかりであるにもかかわらず、数字が急上昇して2014年6月には最もダウンロードされたアプリになり、その後2014年終わりの35,000件まで数字は上昇し続けました。

解説

4つの言語学習アプリの月間ダウンロード数の推移を表すグラフから主要な情報を要約して描写する問題です。このようなグラフの問題では、main features(主な特徴)を3つ見つけられる場合が最も多いと言われています。この問題の場合は、4つのアプリを①急増したもの、②減少したもの、③ほぼ一定であったもの、という3種類に分類できることを読み取ることが、高得点を得るための第一歩であると言えます。この解答例では、減少した2つとほぼ一定であった1つを1つの段落にまとめ、急増した1つを別の段落にすることで対比させています。グラフがこの問題と似ている場合には、減少したものと(ほぼ)一定であったものを1段落にまとめるという解答方法を使うことができます。

タスクの達成

グラフの問題では、すべての項目に言及します。この解答例では第1段落で全体の傾向を述べた後、第2段落で3項目、第3段落で1項目を取り上げ、タスクの要求を完全にカバーしています。情報の正確な読み取りと的確なまとめという点では、decreasing or steady downloads(減少または安定したダウンロード数)のグループ3項目と、exceptional growth(例外的成長)の1項目という全体的な傾向を読み取って、イントロダクション、ボディー1、ボディー2という明快な構成で説明しています。

論理的一貫性とまとまり

第1段落冒頭でグラフが何を示したものなのかを記述し、第2文で全体的な傾向を2種類に大別して述べ、これが全体の主題文の役割を果たしています。それ以降はこの主題をボディーの2段落に分けて詳細に説明する形を取っており、完璧と言ってよい論理的一貫性とまとまりが見られます。
▶第1段落
第1文:問題文の言い換え(chart → line graph、gives → provides、about → on、during → in)/第2文:グラフの概要(第2、第3段落の見出しとしての役割)
▶第2段落
第1文:最初1位だったLinguosoの序盤の好調/第2文:同、中盤の降下下/第3文:同、終盤の増加と安定/第4文:最初2位だったSpeak Rightの推移(増加→減少)/第5文:最初3位だったVerb Testerの推移(一定→増加)
▶第3段落
第1文:対照的に急増した20Wordsの推移(期間途中の発売→急増)

語彙の豊富さと適切さ

この解答例では多様な語彙・表現が使用されており、語彙の豊富さと適切さを示しています。語注にあるものと以下に挙げるものは早速練習で使って試し、次回の受験に生かせるようにしましょう。

時間の経過による変化を示すグラフの問題では期間を表す表現が非常に重要ですが、解答例では多様な表現が用いられています。使われている順に、by the end of the given period「示された期間の終わりまでに」、at the beginning of ...「〜の初めに」、in the first part of ...「〜の最初の方は」、during the following months「それに続く数カ月の間に」、in mid-...「〜半ばには」、later in the year「その年の後半には」、shortly afterwards「直後に」、finishing A with B「A(期間)をB(数字)で終える」、at the end of ...「〜の終わりに」などです。時期の後に after which を使って節をつなげている箇所もあります。

同じく数字の増減の表し方も多様です。増えることには showed exceptional growth、figures rose quickly、figures continued to climb to ...、減ることには decrease rapidly、dipped below ...、decline、fell in popularity、変わらないことには held steady at ...、maintained という表現が用いられています。減った方から増えた方へ説明が移る際に In contrast が使われているのが効果的です。さらに、数字に対する「約」だけでも approximately、around、nearly と工夫されています。

文法の幅広さと正確さ

グラフが何を表しているかの説明には現在形、グラフの変動についてはすべて過去のデータの描写なので過去形で統一されており、一貫して正しい時制が用いられています。この問題のように過去のデータを説明することが求められている場合は、求められてもいないのに過去完了などの複雑な時制を使う必要はありませんので、気を付けましょう。

グラフの問題における必須文法項目が比較級・最上級ですが、この解答例では顕著な傾向を描写するために最上級のみが用いられています(the most popular app、the highest monthly downloads、the most downloaded app)。比較級を使うと細かい描写が多くなり、説明しづらくなることがありますので、このように最上級のみを用いる方法は非常に参考になります。また、最上級の強調として by far が使われているのも効果的です。

その他、特に以下のような文法や文構造が文法の幅広さと正確さを示しています。早速練習で使って試し、次回の受験に生かせるようにしましょう。
▶ one newcomer, 20Words, showed ...
「S, 同格, V」の構文。
▶ SV ..., peaking at ... / SV ..., finishing 2014 with ...
結果を表す文末の分詞構文。
▶ was only launched in ...
他動詞 launch の受動態の正しい使用。

TEST 1 ■ WRITING

TASK 2

本冊：p.80

> 解答例

Nowadays, it is hard to escape from the reach of corporate commercials. Ads are everywhere, and with the development of technology, many companies now have a global market for their advertisements on TV, at movies and, above all, on the Internet. How successful are these companies in making us all want and believe in the same things?

Advertising is effective in exposing people around the world to similar ideas. For example, the popularity of advertisements for weight loss on the Internet indicates that many people think that it is very important to look beautiful, and that the thinner you are, the more attractive you will be. Other powerful suggestions include the idea that owning an expensive car or the latest cell phone is a good way to indicate your success to others, or that if you want to have a girlfriend or boyfriend, you should wear certain clothes, such as designer jeans, or eat foods such as luxury ice creams. To this extent, I agree that advertising can effectively influence some people's ideas and spending patterns.

However, there is a lot of diversity in our global environment. While it is clear that some people succumb to the lure of advertising, there are many others who pursue different goals and who actively work against commercially driven ideas. These people also make use of international networks to promote their alternative ideas, such as environmental awareness, or voice concern for those who do not have large disposable incomes to spend on luxury items.

In conclusion, advertising is a powerful tool in persuading some people to believe and think alike; however, it does not have this effect on everyone. If we want to reduce the power of corporate advertising, we need to educate our children in critical thinking skills, and encourage them to look beyond the lure of the advertisement.

(306 words)

> 語注

□ reach of ...：～の力の及ぶ範囲
□ diversity：多様性
□ succumb to ...：～に屈する
□ lure：魅力
□ disposable income：可処分所得
□ luxury item：ぜいたく品、高級品
□ educate A in B：A に B を教育する

● 問題文の訳

このタスクは約 40 分で終えなさい。次のトピックについて書きなさい。

> 広告は、誰もが人生で同じ物を欲しがり、幸せになるためにはこれらの物が必要だと信じるように仕向ける、という一般に受け入れられている考えがあります。
> あなたはどの程度同意しますか。

解答では理由を述べ、自分の知識や経験から関連する例があればどのようなものでも含めなさい。
250 語以上で書きなさい。

> 解答例の訳

今日では、企業コマーシャルの射程から逃れるのは困難です。広告は至る所にあり、テクノロジーの発達とともに今では多くの企業が、テレビ、映画、そして何よりもインターネットで、全世界を自社の広告の市場にしています。私たちが皆同じ物を欲しがったり信じたりするようにすることに、これらの企業はどれくらい成功しているのでしょうか。

広告は、世界中の人を似たような考えに触れさせる上で有効です。例えば、インターネットでのダイエット広告の人気は、美しく見えることは非常に重要であり、やせていればやせているほど魅力的になると多くの人が思っていることを示しています。他の強力な暗示としては、高価な車や最新の携帯電話を所有していることは自分の成功を他者に示すよい方法だという考えや、恋人が欲しいのならデザイナージーンズのようなある種の服を着たり、高級アイスクリームのような食べ物を食べたりするべきだという考えがあります。ここまでは、広告は一部の人の考えと消費パターンに効果的に影響し得るという意見に私は同意します。

しかし、私たちが住む全世界の環境は非常に多様なものです。広告の魅力に屈する人がいるのは明らかですが、違う目標を追求し、商

業主義的な考えに反対して積極的に活動する人も数多くいます。こうした人たちも国際的ネットワークを利用して、環境意識などの自分たちの代替案を広めたり、ぜいたく品に費やす可処分所得が多くない人たちへの懸念を表明したりしようとします。

結論として、一部の人を説得して同じような考えと思いを抱かせる上で広告は強力なツールですが、誰に対してもこの効果を持つわけではありません。企業広告の力を小さくしたいのなら、子どもたちに批判的に思考するスキルを教え、広告の魅力の先にあるものを見るよう促す必要があります。

解説

広告によってすべての人が同じ物を欲しくなったり、幸せになるためにはそれが必要と思ったりするという意見に対して、どの程度賛成するかが問われています。この問題のように To what extent do you agree (or disagree with this opinion)? というタスクの場合には、複数の解答方法があり得ます。①賛成か反対のどちらか一方に絞り、理由を2つ（あるいは3つ）挙げる、②賛成・反対両方の立場にそれぞれ1段落ずつを充て、結論の段落では一方の立場から自分の意見を述べる、③賛成・反対両方の立場にそれぞれ1段落ずつを充て、結論の段落では「ある程度賛成」(I agree with ... to a certain extent / to some extent. などの表現)とする。一般的にシンプルで書きやすい順番としては①→②→③となりますが、自説とは反対の意見も考慮に入れることでよりバランスのとれた議論に見える順番は③→②→①となります。この解答例は③のタイプに分類されます。

タスクへの応答

イントロダクションの後、賛成・反対両方の主張をそれぞれ1段落ずつ、例を挙げて説明し、結論として「部分的賛成」（確かに〜だが、それがすべてに当てはまるわけではない）という意見で締めくくっています。非常に理路整然とした明確な議論で、立場も明確に示されており、タスクの内容に完璧に取り組んでいます。

論理的一貫性とまとまり

この項目では①エッセイ全体、②各段落、③文と文（のつながり）、という3つのレベルでの論理的一貫性とまとまりが評価されます。この解答例では、①エッセイ全体を通してトピックからそれることなく一貫して、広告が人々の消費行動や考え方に影響するか否かについて述べられています。②段落単位では、4つの段落をイントロダクション、影響するという立場、影響しないという立場、結論に充てる明快な構成になっています。③文と文という単位では、つながりを示す語句 (For example、Other ... include、To this extent、However、In conclusion など) が効果的に使われています。

▶ 第1段落：イントロダクション
第1文：トピック（問題1文目）の高度な言い換え (advertising → corporate commercials、encourages everyone to want → hard to escape from the reach of)／第2文：第1文の内容をより具体的に表現 (technology、global market)／第3文：タスク（問題2文目）の客観的表現への言い換え (To what extent do you agree? → How successful are these companies ...?)

▶ 第2段落：賛成の立場の主張
第1文：簡潔明瞭なトピックセンテンス（ただし第1段落とは別の表現：is effective in exposing people ... to similar ideas）／第2文：例①（ダイエットのネット広告）／第3文：例②（車、携帯電話、ファッション、食べ物）／第4文：段落のまとめ（賛成）

▶ 第3段落：反対の立場の主張
第1文：トピックセンテンス（多様性の存在）／第2文：譲歩（影響される人もいる）→反対（積極的に反対する人たちもいる）／第3文：反対の立場を取る人たちの説明

▶ 第4段落：結論
第1文：前半は賛成意見、後半は反対意見→強い影響があるが、すべての人にというわけではない、という結論／第2文：締めくくり文→主語を I ではなく we にすることで (If we want to ...、we need to ...) 客観的に言えることである印象を与えつつ、今後に関する提言で締めくくり

語彙の豊富さと適切さ

この解答例では多様な語彙・表現が使用されており、語彙の豊富さと適切さを示しています。語注にあるものと以下に挙げるものは早速練習で使って試し、次回の受験に生かせるようにしましょう。

物事の影響や効果を論じる上で、escape from the reach of ...、be effective in *doing*、a tool in *doing*、have an effect on ... といった重要な表現は押さえておきましょう。また、spending pattern、disposable income、luxury item など経済に関する語彙がいくつか出てきています。その他、expose ... to 〜、make use of ...、persuade ... to *do*、look beyond ... なども、意味を知っているだけでなく、自分で使えるようにしておきましょう。

文法の幅広さと正確さ

特に以下のような文法や文構造が文法の幅広さと正確さを示しています。早速練習で使って試し、次回の受験に生かせるようにしましょう。

▶ making us all want
使役動詞＋目的語＋動詞の原形。
▶ the thinner ...、the more ...
the ＋比較級 ...、the ＋比較級 ...。
▶ the idea that SV
同格の that。
▶ While it is clear that some people *do*, there are many others who *do*.
some と others を用いて while で対比を表現。
▶ those who *do*
those ＋関係代名詞＋動詞。
▶ SV; however, SV
セミコロンと副詞 however の使用による逆接表現。
▶ it does not ... everyone
部分否定。

SPEAKING

PART 1

回答例

E=Examiner（試験官）　　C=Candidate（受験者）

E: Good morning. Could you tell me your full name, please?
C: My name is Akiko Suzuki.
E: Can I see your identification, please, Akiko?
C: Here you are.
E: Thank you. That's fine, thank you. Now in this first part I'd like to ask you some questions about yourself. Let's talk about what you do. Do you work, or are you a student?
C: I'm a student at the moment.
E: And what do you study?
C: My major is English literature.
E: Why did you choose to study English literature, Akiko?
C: Well, I enjoyed studying English at school, so I wanted to learn more. I also like reading books, especially English books, so I chose English literature as my major.

E: I'd like to talk about money now. Is money important?
C: Yes, I think it is important, though it depends on how important it is for you to have lots of things in your life. Of course, we all need money to survive, but how much each of us needs depends on the individual. Some people want to have more than others.
E: Do people in your country save their money?
C: Some people do, yes, but perhaps more people should. I personally try to save as much as possible of what I earn from my part-time job, but some of my friends don't save at all. No one knows what will happen in the future, so I'd say that everyone should set aside some money for a rainy day.
E: What sort of things do young people spend their money on?
C: Well, it depends on the type of person; younger people tend to spend their money on entertainment, like going out for drinks, going to restaurants or buying CDs or DVDs. But actually, these days, many young people are more thrifty than their parents used to be in their youth and do not spend much money, except perhaps on their smartphones.
E: How do you feel when you don't have enough money to buy something you want?
C: I feel pretty disappointed when I can't buy something that I really want because I don't have enough money, but after that initial disappointment I often think,

回答例の訳

E: おはようございます。フルネームを教えてもらえますか。
C: スズキ　アキコです。
E: 身分証明書を見せてもらえますか、アキコ。
C: はい、どうぞ。
E: ありがとうございます。はい、結構です。さて、この最初のパートでは、あなたのことについていくつか質問させてもらいます。あなたが何をされているかの話をしましょう。社会人ですか、学生ですか。
C: 今は学生です。
E: 何を勉強していますか。
C: 専攻は英文学です。
E: どうして英文学を勉強することにしたのですか、アキコ。
C: えー、学校で英語の勉強をするのが好きだったので、もっと学びたいと思いました。それに、本、特に英語の本を読むのが好きなので、英文学を専攻に選びました。

E: お金について話しましょう。お金は重要ですか。
C: はい、重要だと思いますが、人生でたくさんの物を手にすることがどれだけ重要か次第です。もちろん、生きていくためにはみんなお金が必要ですが、一人一人がどれだけのお金を必要かは、人それぞれです。他の人よりたくさん欲しいという人もいます。
E: あなたの国の人たちは貯金をしますか。
C: はい、貯金をする人もいますが、もっと多くの人がするべきかもしれません。私は個人的に、アルバイトで稼ぐお金はできるだけたくさん貯金するよう努めていますが、まったく貯金をしない友人もいます。将来どうなるかは誰にもわかりませんから、いざというときのために、みんなある程度のお金を取っておくべきだと言いたいです。
E: 若者はどんな物にお金を使いますか。
C: えー、どんなタイプの人かによります。若者は娯楽にお金を使う傾向があります。飲みに行ったりレストランに行ったり、CDやDVDを買ったりといったことです。ですが実際には、近ごろの多くの若者は親の若いころよりも倹約家で、あまりお金を使いません。スマートフォンにかけるお金は別かもしれませんが。
E: 欲しい物を買うお金が十分にないときはどんな気持ちですか。
C: 本当に欲しい物をお金が足りなくて買えないときはかなり失望しますが、その最初の失望が過ぎてからよく思うのは、いや、もしかすると、あれは本当に欲しい物じゃなかった

well, maybe I didn't really need that thing or maybe I can save up and buy it if I really want it — I should be able to wait.

E: Now, let's move on to talk about food and meals. What's your favourite meal, for example, breakfast, lunch or dinner?

C: Well, I suppose my favourite meal would have to be dinner, because that's when I get to sit down with family and eat a more substantial meal, and some of my favourite dishes are served during dinner like *nikujaga* or *tonkatsu*, which are, ah, two very common Japanese dishes eaten for dinner.

E: How important do you think it is to have three meals a day?

C: Um, well, I think it would be recommended to have three meals a day because that allows your body to, um, receive an adequate amount of calories throughout the day, and eating one or two meals a day can make you eat too much at one time, when you should eat smaller amounts three times a day.

E: Who do you think enjoys cooking more, older or younger people?

C: That really depends on the individual of course, but perhaps, um, younger people enjoy cooking more because it's still something relatively new to them and cooking is considered quite trendy these days compared to what it was in the past when cooking was considered more of a chore.

E: Do you think more people will eat microwaved meals in the future?

C: I think this is something that people used to think years ago when microwaves were first introduced and they thought that people would start using them for general cooking, but now that microwaves have been around for a long time, I think they're considered supplementary to normal cooking tools like an oven rather than a complete alternative.

E: Thank you.

E: では、話題を食べ物と食事に移しましょう。あなたが一番好きな食事は何ですか。例えば朝食、昼食、夕食のどれでしょう。

C: えー、私が一番好きな食事は夕食ということになるだろうと思います。家族と席に座って、他の食事よりもたっぷりの食事を取ることができるのは夕食だからです。それに、私の大好きな料理が夕食に出ることがあるからです。例えば肉じゃがやとんかつですが、この2つは、あー、夕食でとてもよく食べられる日本の料理です。

E: 1日3食を食べることはどれだけ重要だと思いますか。

C: んー、えー、1日3食が推奨されるのは、そうすることで体が、んー、1日を通して十分な量のカロリーを摂取できるからだろうと思います。それに、1日1食か2食だと、1度に食べ過ぎることになるかもしれません。本来は少なめの量を1日3回食べるべきなのですが。

E: お年寄りと若者では、どちらの方が料理を楽しんでいると思いますか。

C: もちろんとにかくその人次第ですが、もしかすると、んー、若者の方が料理を楽しんでいるかもしれません。料理は若者にはまだ比較的目新しいものですし、昔は料理はむしろ家事と考えられていたわけですが、それと比べると、このごろでは料理は結構トレンディだと考えられているからです。

E: 今後、電子レンジで調理された食事を食べる人が増えると思いますか。

C: 何十年か前、電子レンジが初めて発売されたときに人々はそう考えていたと思います。電子レンジは調理一般に使い始められるだろうと考えられましたが、もう電子レンジはずっと前から普及していますから、オーブンのような通常の調理器具に完全に代わるものというより、補助的なものと考えられていると思います。

E: ありがとうございました。

> **語注**
> □ set aside ... : ～を取っておく
> □ for a rainy day :
> まさかのときに備えて
> □ thrifty : 倹約する
> □ substantial : たっぷりの
> □ chore : 家事、雑用
> □ supplementary : 補足の

PART 2

回答例

E=Examiner（試験官） C=Candidate（受験者）

E: Now I'm going to give you a topic. I would like you to talk about it for one to two minutes. You'll have one minute to think about what you're going to say before you begin talking. Before you talk you can make some notes if you wish. Here is a pencil and some paper. Do you understand?

C: Yes.

[1 minute]

E: I'd like you to talk about a wedding you have been to. Remember, you have one to two minutes for this. Don't worry if I stop you. I'll tell you when the time is up. Can you start speaking now, please?

C: I'm going to talk about a wedding that I have been to — I went to my sister's wedding, umm, the wedding was in a small town in the north of Japan, in Hokkaido, and she had this wedding about five years ago. I think it was during the summer and it was quite a nice Saturday afternoon, quite a warm day. At the wedding I met many of my family members including my immediate family and my sister and her friends, and my sister's partner's family and his friends as well, so I met a lot of different people there. Ah, this wedding was important because it was my sister's wedding, and she had actually been together with her partner for about five years before they got married, so we already knew him, and it was a very happy moment for her. It was also the first time for me to go to a sibling's wedding, so it was also important for that reason. I remember that my sister seemed happier than I had ever seen her, and she looked really beautiful with a large white wedding dress. Unfortunately, she didn't like her makeup; she thought there was too much. But that was the only thing that she didn't like. I think overall it was a wonderful experience for everyone there — a lovely wedding and very memorable — certainly one I'll never forget.

E: Thank you. Would you like to have a wedding like your sister's?

C: Oh, I sure hope so — but I would need to have a steady boyfriend in the first place. I couldn't get married without a partner, I'm afraid.

E: Thank you. Can I have the pencil and paper back, please?

回答例の訳

E: これからトピックを渡します。それについて、1分から2分話をしてほしいと思います。話を始める前に、何について話すかを考える時間が1分あります。話す前に、ご希望ならメモを取っても構いません。ここに鉛筆と紙があります。わかりましたか。

C: はい。

[1分]

E: あなたが行ったことのある結婚式について話してほしいと思います。繰り返しますが、話す時間は1分から2分です。私が途中で止めても、心配しないでください。制限時間が来たらお知らせします。それでは、スピーチを始めてもらえますか。

C: 私が行ったことのある結婚式について話します。私は姉の結婚式に行きました。んー、その結婚式があったのは日本の北部、北海道の小さな町で、姉がこの結婚式を挙げたのは5年くらい前です。結婚式は夏に行われて、なかなか天気のいい土曜日の午後だったと思います。かなり暖かい日でした。結婚式では、たくさんの親族に会いました。肉親と姉と姉の友人たちなどです。それに姉のパートナーの家族と友人たちもですから、結婚式では多くの異なる人たちに会いました。あー、この結婚式が重要だったのは姉の結婚式だったからで、実は姉は結婚前にパートナーと5年くらい付き合っていましたから、私たちは既に彼を知っていて、結婚式は姉にとってとても幸せな瞬間でした。兄弟姉妹の結婚式に行くのは初めてのことでもありましたから、その理由でも重要でした。姉がそれまで見たこともないくらい幸せに見えたことを覚えています。大きな白いウェディングドレスを着た姉は本当にきれいでした。残念なことに、姉はお化粧が気に入りませんでした。濃すぎると思ったんですね。ですが、姉が気に入らなかったのはそれだけでした。全体的には、出席者全員にとって素晴らしい経験だったと思います。素敵な結婚式で、とても記憶に残るものでした。間違いなく、絶対に忘れることのない結婚式です。

E: ありがとうございました。あなたはお姉さんのような結婚式をしたいですか。

C: ええ、もちろんです。ですがまずは恋人をつくらないといけませんね。パートナーがいないと結婚できませんから。

E: ありがとうございました。鉛筆と紙を戻していただけますか。

語注

□ **sibling**：兄弟姉妹（の1人）

PART 3

本冊：p.82　10

回答例

E=Examiner（試験官）　C=Candidate（受験者）

E: We've been talking about a wedding you have been to. We are now going to discuss some more general questions related to this topic. First, let's consider weddings and marriage in general. When is a person truly ready for marriage?

C: Um, it's hard to say really because there doesn't seem to be any, um, cultural rules about when people should get married any more. Traditionally, people got married quite young, between the ages of, say, 18 and 24 or 25, but these days more and more people are getting married later. Here in Japan, for example, it's not unusual to hear about people getting married in their early to mid-30s — ah, starting families at that age is, practically speaking, better because at this stage in life people are more prepared for something like marriage and starting a family. They have a certain amount of financial security and some life experience, and, um, they have become experienced with having relationships and living together, so I think that, generally speaking, for practical purposes, and to ensure that marriages are successful, it's probably better to get married in their 30s.

E: What kinds of things should young people do before they get married?

C: I think before people get married there are certain experiences that they should have. Um, generally speaking, it's probably better for people to have several relationships with different partners to learn about the different types of people and really discover the kind of person that suits them before they get married. And I think it's important to be adventurous and travel and experience as many things as possible, and enjoy yourself before getting married. Not to say that getting married means you can't enjoy your life, but there are some things you can't do so easily once you're married; you should do the kind of things that you really want to do with your life without having to worry about somebody else, before you get married.

E: Do you think people should get married again if their first marriage is not successful?

C: Yes, I think so, but it's also important to not give up on a marriage — people should really commit themselves to their marriage and the relationship. Marriage is something that you often have to work hard at, and you shouldn't give up easily. But I think that in cases where you have worked hard, and tried

回答例の訳

E: あなたが行ったことのある結婚式について話してきました。これから、このトピックに関連するいくつかのもっと一般的な質問について議論をします。まず、結婚式と結婚一般について検討しましょう。人が本当に結婚の準備ができるのはいつでしょうか。

C: んー、それは何とも言い難いです。人がいつ結婚するべきかという、んー、文化的ルールはもうないように思えるからです。伝統的に、人々はかなり若い年齢で結婚していました、例えば18歳から24、5歳の間ですが、近ごろはもっと後で結婚する人がどんどん増えています。例えばここ日本では、30代の初めから半ばで結婚する人のことを耳にするのは珍しくありません。あー、その年齢で結婚して子どもをつくることの方が、実際的に言って、いいのです。人生のこの段階にいる人の方が、結婚や子どもをつくるといったことの心構えができているからです。そうした人たちはある程度の経済的安定と人生経験を持っており、んー、恋愛関係を持ったり一緒に住んだりする経験を積んでいますから、一般的に言って、実際的な目的のため、それに結婚が確実にうまくいくようにするため、30代で結婚する方がたぶんいいと思います。

E: 結婚する前に、若者はどんなことをするべきでしょう。

C: 結婚する前に、しておくべき経験があると思います。んー、一般的に言って、結婚する前にいろいろなタイプの人のことを知り、自分に合うタイプの人を実際に見つけるため、いろいろなパートナーといくつか恋愛関係を持つ方がたぶんいいでしょう。そして、冒険心を持って旅行したり、できる限り多くのことを経験したりして、結婚する前に楽しむことが重要だと思います。結婚すると人生を楽しめなくなるとまでは言いませんが、結婚してしまうと、そう簡単にはできないこともあります。結婚する前に、誰か他の人のことを気にする必要がないうちに、人生で本当にやっておきたい種類のことをするべきです。

E: 最初の結婚がうまくいかなかったら、もう一度結婚するべきだと思いますか。

C: はい、そう思いますが、結婚に見切りをつけないことも重要です。結婚生活と相手との関係に本当に全力を尽くすべきです。結婚はしばしば努力して取り組まなければならないものであり、簡単に見切りをつけるべきではありません。ですが、頑張って相手との関係がうまくいくよう努めたけれども失敗したという場合は、全員の幸福のために違うパ

to get the relationship to work, but failed, it can be better to seek a different partner for the happiness of everybody, especially if there are children involved.

E: **Let's move on now to talk about marriage and society. The roles of men and women are changing. How has this impacted on how people view marriage in your culture?**

C: Well, in Japan, traditionally, like in any other culture, men and women have had very clear roles; ah, the man is responsible for, you know, bringing home the money while the woman is responsible for childcare, housework and cooking, and those sorts of things. These roles have changed to some extent, especially in Western society with marriage roles blurring. In Japan, however, the change is not so much because of changing roles but more because of a shift towards self-reliance and living by oneself. Japanese people are becoming less and less interested in relationships and marriage altogether.

E: **The media often highlights celebrity marriages and contracts that are agreed on before marriage. Is this a practical attitude towards marriage?**

C: Right, so I think you're talking about 'prenuptial agreements'; they are not very common in Japan and, um, I have heard about them in America — I think they're popular among Hollywood stars. I personally don't think they are a good idea because I believe that a relationship should be built on, um, trust, so if you're going to have a relationship without trust in the other person, then I think that the person you are marrying is not the right person. It could be a good idea, though, if one person is a lot wealthier than the other.

E: **Changes in attitudes to marriage and family responsibilities have resulted in increasing numbers of single-parent families. How will this impact society in the future?**

C: I don't think there will be any significant impact on society, umm, as long as children are brought up in a loving and supportive environment. It doesn't matter whether there is one parent, two parents, same-sex parents; I don't see that it makes a difference. It could be that, um, there could be extra pressures put on single-parent families, and this is where the government can step in to make sure that single-parent families are sufficiently supported financially, and also that they have caregivers available when necessary. It is no doubt more difficult to bring up children alone, but not impossible if the society is supportive.

E: **Thank you, our time is up now. That's the end of the speaking test.**

ートナーを探す方がいいこともあります。特に子どもが関わっているのでしたら。

E: では、結婚と社会に話を移しましょう。男性と女性の役割は変化しています。あなたの文化では、これは人々の結婚観にどのような影響を与えていますか。

C: えー、日本では伝統的に、他のどんな文化でもそうですが、男性と女性はとても明確な役割を担ってきました。あー、男は、その、家にお金を持ち帰る責任を持ち、一方、女は子育てと家事と料理の責任を持つ、そういった類いのことです。これらの役割は、特に結婚の役割が曖昧になっている西洋社会では、ある程度は変化しています。しかし日本では、こうした変化は、役割が変化しているからというより、むしろ自立と独り暮らしへの移行によるものです。日本人は、あらゆる面で恋愛と結婚への関心をどんどん失いつつあります。

E: メディアはしばしば、有名人の結婚と、結婚前に合意される契約を大きく扱います。これは結婚に対する実際的な考え方でしょうか。

C: そうですね、「婚前契約書」のことをおっしゃっているのだと思いますが、これは日本ではあまり一般的ではなく、んー、私はアメリカで聞いたことがあります。ハリウッドスターの間で流行しているのだと思います。個人的にはいい考えだとは思いません。恋愛は、んー、信頼の上に築かれるべきだと考えるからです。ですから、相手への信頼なしに恋愛関係を持とうとするなら、その結婚相手はふさわしい人ではないのだと思います。一方が他方よりずっと裕福なら、いい考えなのかもしれませんが。

E: 結婚と家族への責任に対する考え方の変化は、片親の家庭数の増加という結果を招いています。これは今後、社会にどのような影響を及ぼすでしょうか。

C: んー、子どもが愛情と支えのある環境で育てられる限り、社会に重大な影響を与えることはないと思います。親が1人だろうが2人だろうが、両親が同性だろうが、どうでもいいことです。それが重要なことだとは私は思いません。あー、片親家庭には余計な負担があり得るということなのかもしれませんが、そこでこそ政府が介入して、確実に片親家庭が経済的に十分な支援を受ける、また必要な場合は世話をしてくれる人を利用できるようにできます。子どもを1人で育てることはおそらくより難しいことなのでしょうが、社会が協力的なら不可能ではありません。

E: ありがとうございます、制限時間が来ました。これでスピーキングテストを終わります。

> **語注**
> □ adventurous：冒険好きな、大胆な
> □ blur：曖昧になる、ぼやける
> □ self-reliance：自己依存、独立独行
> □ prenuptial agreement：
> 婚前契約書《離婚時の財産分与などについて結婚前に定めた同意書》
> □ caregiver：世話をする人

解説

話の流暢さと論理的一貫性

パート2では、言及すべきポイントが必ず4つ挙げられます。すべてを詳しく説明する必要はなく、この回答は、1センテンスで簡潔に終わるものもある一方で、他のポイントを詳しく述べることでうまくまとめているよい例です。最初のポイントである where に関しては、式場となったホテルなどについて描写することもできるでしょうが、この回答例では in a small town in the north of Japan, in Hokkaido と短めに終わっています。一方、最後のポイントである why の部分に関しては、スピーチの半分以上を充てて詳しく説明しています。どのポイントに重点を置いても構わないのですが、このように最後のポイント（最も多いのは explain why）について最も詳しく説明するのが標準的な回答パターーンです。

語彙の豊富さと適切さ
※回答例内で（波線）で表示

以下のような単語や表現を練習で使い、本試験において使えるようにしておきましょう。

▶ 確実に使えるようにしたい基本語句
It depends on ... / used to *do* / allow ... to *do* / relatively / be considered ... / compared to (what it was in the past) / have been around / including / in *one's* early to mid-30s / generally speaking / to ensure that SV / not to say that SV / once SV / to some extent / when necessary

▶ 表現の幅を広げられる文
It would be recommended to *do* / It's hard to say really because SV / It's not unusual to *do* / A relationship should be built on trust. / It could be a good idea if SV / I don't think there will be any significant impact on ... as long as SV / It doesn't matter whether SV / I don't see that it makes a difference.

▶ 結婚、子育て、役割分担などに関する表現
start a family / at this stage in life / financial security / life experience / give up on a marriage / commit *oneself* to ... / have clear roles / be responsible for ... / bring home the money / a shift towards ... / single-parent families / bring up children

文法の幅広さと正確さ
※回答例内で（下線）で表示

スピーキングでは質問に対して的確な時制で答えることが必要ですが、この問題のパート2では話すべき項目がすべて過去形になっており (where it was、when it was、who you met there、why this wedding was important)、全体を通して時制（この場合基本的には過去形）が正しく使えるかが試されます。この回答例では一貫して過去形が正しく使われているだけでなく、より高度な文法事項である過去完了形が2回、過去形よりも前の「大過去」を表すために正しく使われています (she had actually been together with her partner for about five years before they got married、my sister seemed happier than I had ever seen her)。これはバンド7.0を取れる人でも正しく使えないことがある文法事項で、これをとっさに使えるだけで高度な文法力があることがわかります。

発音
※回答例内で（点線）で表示

この回答例の中では、特に以下の語の発音が間違いやすいものです。音声を聞いて正しく発音できるようにしておきましょう。

▶ 発音に気を付けるべき語
money（「ネー」ではない）、together（「ギャ」ではない）

▶ 「シ」ではなく「スィ」と発音する語
possible、CD、sit、sister、impossible

▶ アクセントに気を付けるべき語
inítial、chíldcare、hóusework

▶ 発音・アクセント両方に気を付けるべき語
entertáinment（「ター」と伸ばさない、「テー」ではなく「テイ」）、réstaurant（「ト」の部分にはほとんど母音を入れず、[str]と子音を3つ連続で発音するくらいでちょうどよい）、smártphone（「ホン」「フォーン」でなく「フォウン」）、mícrowave（「ウェー」ではなく「ウェイ」）、altérnative（「ネイ」ではない）

TEST 2
解答・解説

LISTENING 解答・解説 ……………………… 48
READING 解答・解説 ………………………… 65
WRITING 解答・解説 ………………………… 75
SPEAKING 解答・解説 ……………………… 79

Test 2 解答一覧

※バンドスコアについてはp.129をご覧ください。

Listening

#	Answer	#	Answer
1	Simmons	21	B
2	Ocean Drive	22	C
3	unlimited	23	A
4	24-month	24	B
5	White	25	A
6	(a) goldfish	26	documents
7	30(th) June / June 30(th)	27	shortlist / short list
8	cable	28	Alter / alter
9	home phone	29	Call / call
10	security	30	Ask questions / ask questions
11	D	31	actions
12	B	32	policies
13	H	33	housing
14	A	34	statistics
15	C	35	evaluate
16	G	36	cooperate / co-operate
17	tourists	37	Economic
18	Monday(s)	38	practice(s)
19	Happy Dragon	39	gender
20	3231190	40	loans

Reading

#	Answer	#	Answer
1	TRUE	21	C
2	NOT GIVEN	22	A
3	FALSE	23	C
4	FALSE	24	B
5	NOT GIVEN	25	A
6	TRUE	26	B
7	a young age	27	G
8	the ruling monarch	28	H
9	a nominations system	29	K
10	an advisory panel	30	C
11	B	31	M
12	C (順不同)	32	J
13	F	33	B
14	FALSE	34	A
15	TRUE	35	D
16	NOT GIVEN	36	A
17	TRUE	37	NO
18	FALSE	38	NOT GIVEN
19	B	39	NO
20	A	40	YES

LISTENING

SECTION 1 | Questions 1-10

本冊：p.84　🎧 11

スクリプト	スクリプトの訳

You will hear a number of different recordings and you will have to answer questions on what you hear. There will be time for you to read the instructions and questions and you will have a chance to check your work. All the recordings will be played once only. The test is in 4 sections.
At the end of the test you will be given 10 minutes to transfer your answers to an answer sheet.
Now turn to Section 1.

これからいろいろな録音をいくつか聞き、聞いたことに関する質問に答えてもらいます。指示文と質問を読む時間があり、解答を確認する機会があります。すべての録音は1度だけ再生されます。テストは4つのセクションに分かれています。

テストの最後に、答えを解答用紙に書き写すために10分間が与えられます。
ではセクション1に移りましょう。

SECTION 1

セクション1

You will hear a telephone conversation between a representative of an Internet provider service and a man who wants to get a new password. First, you have some time to look at Questions 1 to 7.

インターネットプロバイダーサービスの営業担当者と、新しいパスワードが欲しい男性の電話での会話を聞きます。最初に、質問1-7を見る時間が少しあります。

[20 seconds]　　　　　　　　　　　　　　　[20秒]

You will see that there is an example that has been done for you. On this occasion only the conversation relating to this example will be played first.

答えが書かれている例があるのがわかります。この場合に限り、この例に関する会話が最初に再生されます。

NATASHA: Good evening. This is Web Net and you're speaking with 例 **Natasha**. How can I assist you today?

MICHAEL: Hello, Natasha. I tried to log in to my Web Net account yesterday and I realised I'd forgotten my password. Are you able to help me with that?

ナターシャ：今晩は。こちらはウェブ・ネット、担当はナターシャです。本日はどういったご用件でしょうか。

マイケル：どうも、ナターシャ。昨日ウェブ・ネットのアカウントにログインしようとして、パスワードを忘れたことに気が付きました。何とかしてもらえるでしょうか。

*The person answering the call says her name is Natasha, so **Natasha** has been written in the space. Now we shall begin. You should answer the questions as you listen because you will not hear the recording a second time. Listen carefully and answer Questions 1 to 7.*

電話を受けている人はナターシャと名乗っているので、空所にはNatashaと書かれています。それでは始めます。録音を2回聞くことはないので、聞きながら質問に答えなければなりません。よく聞いて質問1-7に答えなさい。

NATASHA: Good evening. This is Web Net and you're speaking with **Natasha**. How can I assist you today?

MICHAEL: Hello, Natasha. I tried to log in to my Web Net account yesterday and I realised I'd forgotten my password. Are you able to help me with that?

NATASHA: Of course. What I'll need to do is ask you a few questions to check your identity, and then I'll issue you with a new password. Is that okay?

ナターシャ：今晩は。こちらはウェブ・ネット、担当はナターシャです。本日はどういったご用件でしょうか。

マイケル：どうも、ナターシャ。昨日ウェブ・ネットのアカウントにログインしようとして、パスワードを忘れたことに気が付きました。何とかしてもらえるでしょうか。

ナターシャ：もちろんです。必要なのは身元確認のために2、3質問させていただくことで、それから新しいパスワードを発行します。それでよろしいですか。

MICHAEL:	No problem.	マイケル：	大丈夫です。
NATASHA:	Firstly, can I have your full name please?	ナターシャ：	まず、フルネームを教えていただけますか。
MICHAEL:	Michael **1** **Simmons**, S-I-M-M-O-N-S. I don't have a middle name.	マイケル：	マイケル・シモンズ、S-I-M-M-O-N-S です。ミドルネームはありません。
NATASHA:	Great. And your date of birth?	ナターシャ：	かしこまりました。生年月日を教えてください。
MICHAEL:	It's the 27th of March, 1966.	マイケル：	1966 年 3 月 27 日です。
NATASHA:	Right, and I also need to know your previous address.	ナターシャ：	はい、それから、以前のご住所を知る必要があるのですが。
MICHAEL:	I live at 12 Wake Street, and that's in ...	マイケル：	住んでいるのはウェイク通り 12 で、どこにあるかと言うと……
NATASHA:	We have that as your current address. What was the address you registered with us before you moved there?	ナターシャ：	それは現在のご住所として登録されています。そちらに引っ越される前に当社に登録された住所はどちらですか。
MICHAEL:	Oh, yeah. I used to live at 319 **2** **Ocean Drive**. That's in East Providence.	マイケル：	あー、はい。前はオーシャン通り 319 に住んでいました。イーストプロビデンスにあります。
NATASHA:	I'll just need your contact phone number as well.	ナターシャ：	連絡先の電話番号も必要になります。
MICHAEL:	That's 0492 48002.	マイケル：	0492 48002 です。
NATASHA:	And just a few questions about your account. Do you know what your current data allowance is?	ナターシャ：	お客さまのアカウントについて 2、3 質問します。現在のデータ制限がどれくらいかご存じですか。
MICHAEL:	I upgraded to the Gold account not long ago, so it's **3** **unlimited**.	マイケル：	割と最近ゴールド・アカウントにアップグレードしたので、無制限です。
NATASHA:	Yes — unlimited data. Right, now can you just tell me about your payment plan? Which plan are you currently on, do you know?	ナターシャ：	はい、データ無制限ですね。さて、お支払いプランについてお聞かせ願えますか。現在どのようなプランに加入されているかご存じですか。
MICHAEL:	Oh, hang on a minute while I think. Yes ... I started off with the 12-month automatic renewal, but a few months ago I switched to the **4** **24-month** plan.	マイケル：	あー、考える間ちょっと待ってください。はい……最初は 12 カ月の自動更新でしたが、2、3 カ月前に 24 カ月のプランに切り替えました。
NATASHA:	That's fine. Now, when you first registered for Web Net, you selected two secret questions and provided us with the answers. In order to issue you with a new password I need you to answer those questions for me. Firstly, what is your mother's maiden name?	ナターシャ：	結構です。では、最初にウェブ・ネットに登録されたとき、秘密の質問を 2 つ選んで、答えをこちらに教えていただきました。新しいパスワードを発行するためには、その質問に答えていただかねばなりません。まず、お母さまの旧姓は何ですか。
MICHAEL:	My mother's name is Sarah. That's Sarah with an H.	マイケル：	母の名前はサラです。H が付くサラです。
NATASHA:	That sounds like her first name. We're looking for her maiden name — that's her family name before she was married.	ナターシャ：	それはファーストネームのように思えますが。お答えいただきたいのは旧姓、つまり結婚前の名字です。
MICHAEL:	Sorry, I misheard. It's, um ... **5** **White**.	マイケル：	すみません、聞き間違えました。旧姓は、えー……ホワイトです。
NATASHA:	White as in the colour?	ナターシャ：	色のホワイトですか。
MICHAEL:	Yes, that's right.	マイケル：	はい、そうです。
NATASHA:	Now, the other question you chose to answer: What was your first pet?	ナターシャ：	では、お客さまが答えるのを選んだもう 1 つの質問です。初めてのペットは何でしたか。
MICHAEL:	The first pet I ever had?	マイケル：	最初に飼ったペットですか。
NATASHA:	Yes.	ナターシャ：	はい。
MICHAEL:	It was actually a **6** **goldfish**.	マイケル：	実は金魚です。
NATASHA:	That's what it says on your file! ... Okay, that's all done for you, Mr Simmons. I've sent you a generic password, which should arrive in your e-mail box within a few minutes. I'll just make	ナターシャ：	お客さまのファイルにある通りですね！ ……さて、これで全部終わりです、シモンズさま。汎用パスワードをお送りしましたので、2、3 分後にお客さまのメールボックスに届くはずです。日付

　　　　　　　a note of the date ... **7** **30th of June**. When you log in, I suggest you go to the Member's Details section on the website and change it to something you're going to remember.
MICHAEL:　Wonderful, thanks.

Before you hear the rest of the conversation, you have some time to look at Questions 8 to 10.

[20 seconds]

Now listen and answer Questions 8 to 10.

NATASHA:　Is there anything else I can help you with today?
MICHAEL:　Yeah, there are a few things. I've been having some connection issues recently. I think the problem is with the cable that connects the modem to the computer. Do you supply those?
NATASHA:　You need a new **8** **cable**? Not a problem. I'll arrange for that to be sent off tomorrow.
MICHAEL:　Thanks. Also, I'm currently signed up for three of your services — home phone, mobile and broadband. I use the Internet a lot, on my computer and on my mobile, but to be honest I never use the home phone and I don't see why I should keep paying for that plan.
NATASHA:　Would you like me to cancel that **9** **home phone** for you?
MICHAEL:　Yes, please, if you wouldn't mind.
NATASHA:　Done. Is there anything else?
MICHAEL:　Yes, just one last thing. Do you offer any anti-virus products?
NATASHA:　Yes, we have one which offers full protection against viruses, spam and identity theft, which is useful if you're doing any online banking and that kind of thing. It's called the **10** **security** pack.
MICHAEL:　Sounds perfect. Sign me up for one of those, please.
NATASHA:　And we've got another one — it's called the parenting pack — it prevents your children from accessing harmful websites and downloading things they shouldn't.
MICHAEL:　I'm not so worried about that anymore. Both my children are adults and have left home ... so, just the security pack, thanks. That's everything.

That is the end of Section 1. You now have half a minute to check your answers.

TEST 2　■ LISTENING

語注
- □ allowance：許容量
- □ hang on：少し待つ
- □ maiden name：
　（女性の）結婚前の姓、旧姓
- □ mishear：聞き違える
- □ generic：一般的な、どれにも使える
- □ be signed up for ...：
　～に登録している
- □ identity theft：なりすまし

Questions 1-10　［解答］

1 Simmons　　2 Ocean Drive　　3 unlimited
4 24-month　　5 White　　6 (a) goldfish
7 30(th) June / June 30(th)　　8 cable
9 home phone　　10 security

● 問題文の訳

次の用紙を完成させなさい。
それぞれ2語以内か数字1つ、あるいはその両方で答えを書きなさい。

新しいパスワード

例	答え
電話を受けた人：	ナターシャ

顧客のフルネーム：	マイケル・**1** シモンズ
生年月日：	1966年3月27日
以前の住所：	**2** オーシャン通り 319 イーストプロビデンス
電話番号：	0492 48002
データ制限：	**3** 無制限
現在の支払いプラン：	**4** 24カ月
母親の旧姓：	**5** ホワイト
最初のペット：	**6** 金魚
新しいパスワードが送られる日：	**7** 6月30日
要望のあった追加のサービス：	新しい **8** ケーブル
	9 固定電話 を解約する
	10 セキュリティー パック

解説

1 女性(Natasha)が Firstly, can I have your full name please? と言ったのに対して、男性がまず Michael Simmons と答えています。その後 Simmons のつづりを言っていますので、それを書き取れるかどうかの問題です。このようなつづりの書き取りでは -mm- のように同じ文字が重なって「ダブル〇〇」と読まれる問題が頻出するので、この言い方に慣れておきましょう。

2 女性が What was the address you registered with us before you moved there? と以前の住所を尋ねたのに対して、男性が I used to live at 319 Ocean Drive. と答えていますので、Ocean Drive が正解となります。「〇〇通り」という意味の Drive まで書いてある必要があります。

3 女性が Do you know what your current data allowance is? と現在のデータ容量について尋ねたのに対して、男性が I upgraded to the Gold account not long ago, so it's unlimited. と答えていますので、unlimited が正解となります。

4 女性が Which plan are you currently on, ...? とプランについて尋ねたのに対して、男性が I started off with the 12-month automatic renewal, but a few months ago I switched to the 24-month plan. と答えていますので、24-month が正解となります。24 という数字だけや、months と複数形にしたものは不正解となります。24-month で「24ヵ月の」という意味で、形容詞的な使い方です。

5 女性が ... what is your mother's maiden name? と尋ねたのに対して、男性はまず Sarah とファーストネームを答えてしまいます。そこで女性が再度 We're looking for her maiden name と言い、男性が White と答えていますので、これが正解となります。なお、Wight のような別のつづりもあり得ますので、女性が White as in the colour? と確認したのに対して、男性が Yes と答えているので、つづりがわかります。

6 女性が What was your first pet? と尋ねたのに対して、男性が It was actually a goldfish. と答えていますので、(a) goldfish が正解となります。gold fish と離して書くと「金色の魚」という意味で、厳密には不正解となってしまうので注意しましょう (goldfish は gold を強く発音するのに対して、gold fish は fish の方を強く発音するので違いがわかります)。

7 空欄の前は New password sent on であって、by や to ではありませんので、空欄には日付（または曜日）を書くと予想できます。女性が I'll just make a note of the date ... 30th of June. と言っていますので、30(th) June / June 30(th) が正解となります。13th との間違いに注意しましょう。

8 男性が I think the problem is with the cable ... と言ったのに対して、女性が You need a new cable? Not a problem. と答えていますので、ケーブルが必要だとわかり、cable が正解となります。

9 女性が Would you like me to cancel that home phone for you? と確認したのに対して、男性が Yes, please ... と答えていますので、home phone が正解となります。phone だけだと mobile（携帯）との区別ができませんので、不正解となってしまいます。

10 男性が Do you offer any anti-virus products? とアンチウイルス製品について尋ねたのに対して、女性がまず Yes と答えて説明しています。その後で It's called the security pack. と言っていますので、security が正解となります。

SECTION 2　　Questions 11-20

スクリプト

Now turn to Section 2.

SECTION 2

You will hear a man who owns a holiday home, talking on the phone to a woman who has arranged it. First, you have some time to look at Questions 11 to 16.

[20 seconds]

Now listen carefully and answer Questions 11 to 16.

MAN: Hello, Ron Smith speaking.
WOMAN: Hi. This is Kayla Lawton. I signed up with the Holiday House agency to rent your beach house but the agent isn't available today and I have a problem — I can't remember what she said about the **11 alarm system**.
MAN: Oh, it's quite simple really. The main thing to remember is to <u>enter **by the back door**</u> which leads into the kitchen because <u>**that is where the alarm is situated**</u> — right next to the light switch **just beside the door**. If you go through the front door into the living room, it will take you longer to reach the alarm and you only have a few seconds to deactivate it. The code is 3498.
WOMAN: Okay, I've got that.
MAN: The agent will have given you the back and front door keys, <u>but there are **12 other keys**</u> that you may need — for the garage, the laundry and the little garden shed. You'll find them hanging **on a hook inside the cupboard in the hallway** next to the hot water cupboard. The laundry room is outside, next to the garage. It should be kept locked, so please remember to return the key to the hook when you've done your washing. The last tenant lost it somewhere in the garden and I had to have the lock replaced. <u>There should be some **13 laundry detergent**</u> for the washing machine next to the dishwashing liquid **under the kitchen sink**.
Oh, now about the linen. The sheets are already on the beds and there are lots of towels at the house, too. Of course you'll want to enjoy that lovely, safe swimming beach as much as possible. <u>You'll find a pile of **14 beach towels** in a basket **on the washing machine**</u>. Feel free to take these to the beach with you. We have lots of them, and they're pretty old, so it doesn't matter if they get a bit dirty or sandy. <u>There are other, newer **15 towels for use in the bathroom**</u>

スクリプトの訳

ではセクション2に移りましょう。

セクション2

別荘を所有する男性が、その別荘を借りる手配をした女性と電話で話すのを聞きます。最初に、質問11-16を見る時間が少しあります。

[20秒]

ではよく聞いて質問11-16に答えなさい。

男性：もしもし、ロン・スミスです。
女性：もしもし。ケイラ・ロートンです。ホリデー・ハウス代理店とそちらのビーチハウスを借りる契約をした者ですが、今日は業者がつかまらなくて、困っています。警報システムについて業者が言ったことを思い出せないんです。
男性：あー、とても簡単ですよ。大事なのは、忘れずに、台所に続く裏口から入ることです。裏口に警報が設置されていますから。警報はドアの真横の照明のスイッチのすぐ隣にあります。玄関から居間に入る方が警報の所まで行くのに時間がかかって、警報を切るのに2、3秒しか時間がありません。暗証番号は3498です。

女性：はい、わかりました。
男性：業者から裏口と玄関の鍵を渡されたと思いますが、他にも必要になるかもしれない鍵があります。車庫と洗濯室と小さな庭小屋の鍵です。鍵は、廊下の貯湯槽戸棚の隣の戸棚の中のフックに掛かっています。洗濯室は家の外、車庫の隣です。常に鍵を掛けておいた方がいいので、洗濯が終わったら鍵をフックに戻すのを忘れないようにしてください。最後に家を借りた人が庭のどこかで鍵をなくしてしまい、錠を交換する羽目になりました。台所の流しの下の食器用洗剤の隣に、洗濯機用の洗濯洗剤があるはずです。

あー、シーツ類の話もしておきましょう。シーツは既にベッドに置いてあって、家にはタオルもたくさんあります。もちろん、美しくて安全なあの海水浴場を思う存分楽しみたいでしょう。洗濯機の上のかごに、ビーチタオルを積んであります。遠慮なくビーチへお持ちください。ビーチタオルはたくさんありますし、かなり古いですから、多少汚れたり砂まみれになったりしても構いません。その他にお風呂専用のもっと新しいタオルもあって、貯湯槽戸棚にあります。貯湯槽の上の棚です。このタオルはビーチに持って行かないでください。

only; these are **in the hot water cupboard**, on the shelf up above the cylinder — please don't take these ones down to the beach.

Ah, what else? Oh, yes. I should tell you that the electricity supply is generally reliable but sometimes there are power surges which make a few **16 light bulbs** blow. If that happens, don't worry, there are **spare light bulbs in a shoebox on the chest of drawers in the bedroom**. That reminds me, the main power supply is switched off at the mains box, which is above the front door. The first thing to do when you arrive is to pull down the large lever — it's clearly labelled 'mains switch' — you don't need to touch any of the other switches.

WOMAN: Thank you. Anything else?

Before you hear the rest of the conversation, you have some time to look at Questions 17 to 20.

[20 seconds]

Now listen and answer Questions 17 to 20.

MAN: Oh, one more thing — something that might interest you is a folder of local information — you know the sort of thing, interesting places to visit, opening hours for the shops and services in the town ... plus a little map of local walks. It's on top of the TV along with the remote control. Parking in the town is usually really easy except for weekends when the place is swamped with **17 tourists**, so I would recommend doing your shopping on weekdays. Oh, one thing though, if you want to combine a shopping expedition with a visit to the Early History Museum, you should know that it's not open on **18 Mondays**. There are lots of good places to eat in town, too. You'll find a list of menus and takeaway prices for some of the more popular local cafés and restaurants. If you like Chinese, the **19 Happy Dragon** has excellent food, or I'd recommend the Pizzeria if you prefer Italian — they have a good selection of takeaway pasta and pizza as well. The Happy Dragon is a firm favourite with the locals, though. Both restaurants deliver, free of charge, but note the phone numbers have changed since the menus were printed. Phone **20 3-2-3-1-1-9-0 for pizza** and 3-2-3-9-9-1-1 for Chinese. You won't be disappointed.

WOMAN: Thanks a lot, I'll do that.

That is the end of Section 2. You now have half a minute to check your answers.

語注

- holiday home：別荘
- deactivate：（機械など）を切る
- shed：小屋
- hot water cupboard：貯湯槽戸棚《お湯の入ったタンクがあり、衣類などを乾燥させる》
- tenant：借家人
- detergent：洗剤
- dishwashing liquid：食器用洗剤
- linen：リネン、シーツ類
- surge：サージ《電流の急激な増加》
- chest of drawers：整理だんす
- mains box：ブレーカー
- be swamped with ...：～でごった返す
- takeaway：持ち帰り用の

Questions 11-16 [解答]

11 D　12 B　13 H　14 A　15 C　16 G

●問題文の訳

以下の品目はそれぞれどこに置いてあるか。
囲みの中から6つ答えを選び、質問11-16の解答欄にA-Iのうち正しい文字を書きなさい。

	場所
A	洗濯機の上
B	廊下の戸棚の中
C	貯湯槽戸棚の中
D	裏口の隣
E	浴室の中
F	テレビの上
G	靴箱の中
H	台所の流しの下
I	玄関のドアの上

11 警報
12 他の鍵類
13 洗濯洗剤
14 ビーチタオル
15 バスタオル
16 電球

解説

11 女性が I can't remember what she said about the alarm system. と言ったのに対して、男性が enter by the back door ... that is where the alarm is situated — right next to the light switch just beside the door と答えていますので、警報は裏口から入ってドアの真横の照明のスイッチのすぐ隣にあるとわかり、D の next to back door が正解となります。

12 業者から渡された玄関と裏口の鍵以外の鍵については、男性が ... but there are other keys ... You'll find them hanging on a hook inside the cupboard in the hallway ... と言っていますので、B の in hallway cupboard が正解となります。cupboard は日本語では「カップボード」と呼ばれていますが、実際の発音はかなり異なるので確認しておきましょう。

13 洗濯洗剤については、男性が There should be some laundry detergent for the washing machine ... under the kitchen sink. と言っていますので、H の under kitchen sink が正解となります。for the washing machine という部分の for が聞き取れないと、A の on washing machine を選んでし

まうかもしれません。なお、laundry も、日本語の「ランドリー」とは発音が異なるので注意しましょう。

14 ビーチタオルは、男性が You'll find a pile of beach towels in a basket on the washing machine. と言っていますので、A の on washing machine が正解となります。なお、towel も実際の発音は「タオル」ではありませんので、正しく覚えましょう。

15 男性がビーチタオルに続いてバスタオルの説明をします。There are other, newer towels for use in the bathroom only; these are in the hot water cupboard ... と言っていますので、C の in hot water cupboard が正解となります。for use in the bathroom という部分は「浴室で使用する」という意味で、「浴室内にある」という意味ではありませんので、E の in bathroom は不正解です。

16 電球については、男性が there are spare light bulbs in a shoebox on the chest of drawers in the bedroom と言っていますので、G の in shoebox が正解となります。16番に答え終えて特にひっかけもなさそうだと判断したら、すぐに17番以降の問題を確認する作業に取り掛かるとよいでしょう。

Questions 17-20 [解答]

17 tourists　18 Monday(s)
19 Happy Dragon　20 3231190

●問題文の訳

次のメモを完成させなさい。
それぞれ2語以内か数字1つ、あるいはその両方で答えを書きなさい。

17 観光客 がとても多いので、週末に町で駐車するのは難しい
博物館は 18 月曜日 が休み。
勧められた飲食店
・中華料理は 19 ハッピー・ドラゴン
・イタリア料理はピッツェリア
テイクアウト用ピザの電話番号— 20 3231190

解説

17 家の設備についてひととおり説明した後、男性は町の情報を話します。駐車については、Parking in the town is usually really easy except for weekends when the place is swamped with tourists ... と言っていますので、tourists が正解となります。空欄の前は many ですから、複数の -s がない

と不正解となってしまいます。

18 the Early History Museum に行きたければ you should know that it's not open on Mondays と言っていますので、Monday(s) が正解となります。Mondays と -s が付いているのは「毎週月曜」という意味ですが、この問題では Monday だけでも同じ意味として正解となります。

19 中華とイタリアン、それぞれよい店を紹介しています。If you like Chinese, the Happy Dragon has excellent food と言っていますので、Happy Dragon が正解となります。

20 the phone numbers have changed since the menus were printed と言っている部分が予告となっていますので、電話番号を言うのだろうと予想して答えを待ち構える必要があります。あとは Phone 3-2-3-1-1-9-0 for pizza と言っている部分を聞き取れるかどうかの問題です。

SECTION 3　Questions 21-30

スクリプト

Now turn to Section 3.

SECTION 3

You will hear a college professor and a postgraduate student Diana discussing her recent internship experience. First, you have some time to look at Questions 21 to 25.

[20 seconds]

Now listen carefully and answer Questions 21 to 25.

PROF:　Thanks for coming in today to discuss your internship experience. Completing some sort of work experience, like an internship, is a core part of our Master's programme, and we want to make sure students are able to make the most of it.
DIANA:　That's fine.
PROF:　So, as I understand, you were offered an internship by Gregory Associates. Is that correct?
DIANA:　Actually, I got offers from a few companies, but Gregory Associates was the only one I seriously considered.
PROF:　Was there any reason for that?
DIANA:　Yeah. They didn't offer the best conditions — some of the other companies were offering to cover transportation and other living costs, that kind of thing — but I knew Gregory Associates was a **21 widely recognised leader in the industry**, and that was the big factor for me.
PROF:　And were you happy with your choice?
DIANA:　Well, yes and no.
PROF:　Mixed feelings?
DIANA:　Yeah. I mean, don't get me wrong — everyone in the office was great. They didn't talk down to me and they were always happy to assist if I wasn't sure about something.
PROF:　Was it the work, then? Some students do find internships a little tedious and boring.
DIANA:　It's not that it was boring. I was doing new things every day, and I loved that. They really kept me on my toes. It's just that, I'm studying economics, you know? But most of the projects I was assigned to involved more ... administrative stuff ... **22 It just wasn't relevant to what I've been studying.**
PROF:　I'm sorry to hear that. I'll make a note of it. Let's

スクリプトの訳

ではセクション3に移りましょう。

セクション3

大学教授と大学院生ダイアナが、彼女の最近のインターンシップ体験について話し合っているのを聞きます。最初に、質問21-25を見る時間が少しあります。

[20秒]

ではよく聞いて質問21-25に答えなさい。

教授：　今日は君のインターンシップ体験について話し合うために来てくれてありがとう。インターンシップのような何らかの就業体験をやり終えることは私たちの修士課程の核となる部分だから、確実に学生がその体験を最大限に活用できるようにしたいと私たちは思っているんだ。
ダイアナ：結構です。
教授：　それじゃあ、私の知るところでは、君はグレゴリー・アソシエーツからインターンシップの話をもらった。それで間違いない？
ダイアナ：実はいくつかの会社からお話を頂いたのですが、真剣に検討したのはグレゴリー・アソシエーツだけです。
教授：　それには何か理由があったの？
ダイアナ：ええ。グレゴリー・アソシエーツが最高の条件を提示したわけではありません。他の会社には、交通費などの生活費とか、そういったものを出すと言ってくれたところもあったんですが、グレゴリー・アソシエーツが広く認められた業界最大手だと知っていたので、それが私には大きな要因でした。
教授：　その選択には満足した？
ダイアナ：うーん、はいといいえです。
教授：　複雑な気持ち？
ダイアナ：ええ。つまり、誤解しないでいただきたいのですが、会社の人は皆さんいい方たちでした。私を見下したように話す人はいませんでしたし、何かわからないことがあればいつも喜んで助けてくれました。
教授：　じゃあ仕事かな？　インターンシップは少し退屈でうんざりだと思う学生もいるからね。
ダイアナ：うんざりしたわけではありません。毎日新しいことをして、とても楽しかったです。仕事では本当に気が抜けませんでした。ただ、その、私は経済学を勉強しているわけですから。ですが私に割り振られた企画のほとんどは、事務仕事が多くて……勉強してきたことに全然関係なかったんです。
教授：　それは残念だったね。それは書き留めておくよ。い

	talk about the good things. What did you particularly enjoy about the experience?
DIANA:	Well, as an intern, the managers do tend to keep you at arm's length — they just don't trust you enough to let you take on a lot of responsibility for the big projects.
PROF:	That's understandable.
DIANA:	Yes, but in a way, I liked that — because **23 I got to stand back and watch**, and get a real sense of how a company like that runs on a day-to-day basis. And **that was the highlight for me**.
PROF:	That's great to hear. How did you find managing the internship alongside your study commitments?
DIANA:	Well, because my internship was over the summer break, that wasn't an issue for me at all.
PROF:	Okay. What would you say was the biggest struggle then?
DIANA:	In the beginning, I might have said the hours. Those 6 a.m. starts were tough! But I quickly got used to that. In retrospect, **24 the biggest difficulty was getting by on such a tight budget**. As I wasn't earning anything, the whole experience really drained my savings account.
PROF:	Yeah, that can be tough. And my last question: what was the outcome of this internship for you? Some of our students are lucky enough to get offers of employment before finishing.
DIANA:	At first, I was hoping I would be one of them. In the end I wasn't, but I'm happy about that now.
PROF:	Why's that?
DIANA:	Well, over the course of the internship, I ended up reconsidering whether this industry is really for me after all. I'm going to finish my degree, because I'm only a semester away from graduation now, but then after that **25 I've decided to pursue a different line of work**.
PROF:	Well, I do hope you're successful with that.

Before you hear the rest of the conversation, you have some time to look at Questions 26 to 30.

[20 seconds]

Now listen and answer Questions 26 to 30.

PROF:	Now, we're putting together a step-by-step guide about the process for students who want to apply for internships, and we were wondering if you could help us with it.
DIANA:	Sure.
PROF:	What would you say is the first step?
DIANA:	Before they do anything else, students need to

	get their **26** <u>documents</u> sorted. Companies need to see all sorts of things, such as reference letters and verified copies of academic transcripts. It can take time to get it all together, so applicants need to get onto this as soon as possible.
PROF:	Great, we'll put that down as Number One. And then students should begin researching companies?
DIANA:	Absolutely. They should look at a wide range of companies and the internships they offer. They really shouldn't limit themselves at that stage.
PROF:	It would be time-consuming to apply to them all, though.
DIANA:	Yeah, so I think they need to weed out those positions they are not qualified for or that don't meet their own needs and interests, and then <u>put together a **27** shortlist consisting only of those positions that are a good match</u>.
PROF:	And then?
DIANA:	Well, the next part is the applications, of course. I think the big mistake here is that some students just send the same cover letter and the same CV to each company, when in reality every position is a little bit different. <u>They really need to **28** alter their applications so that they refer to the individual needs of each position.</u>
PROF:	I'll make a note of that. And should students follow up on their applications?
DIANA:	I think so. It's best to **29** <u>call</u> each company — an e-mail is too easy to ignore or delete. And not too soon, either — <u>a week after the applications have been submitted is probably ideal</u>.
PROF:	So if they get an interview, what's next?
DIANA:	Obviously they need to prepare. For me this included all sorts of things, like practising my body language in front of the mirror and researching common interview questions online.
PROF:	Any tips for the interview itself?
DIANA:	Most students are so obsessed with having the right answers, but I think <u>the most important thing is actually to **30** ask questions</u>. It shows the employer that you are genuinely interested in their company and in the position.
PROF:	That's really helpful advice. Thanks for coming by today.
DIANA:	No problem.

That is the end of Section 3. You now have half a minute to check your answers.

TEST 2 ■ LISTENING

語注

- make the most of ... : ～をできるだけ利用する
- mixed feelings : 複雑な思い
- talk down to ... : ～を見下した調子で話す
- tedious : 退屈な
- on *one's* toes : 用意［心構え］ができた
- assign A to B : B(人)に A(仕事など)を割り当てる
- administrative : 管理上の、事務の
- relevant to ... : ～に関連がある
- at arm's length : 一定の距離を置いて
- take on ... : (責任など)を引き受ける
- in retrospect : 振り返ってみると
- get by on ... : ～で何とか生活する
- drain : (資産など)を使い果たす
- savings account : 普通預金
- put together ... : ～をまとめ上げる、編集する
- reference letter : 紹介状
- verify : ～の正しさを証明する
- academic transcript : 成績証明書
- time-consuming : 時間のかかる
- weed out ... : ～を取り除く
- shortlist : 候補者リスト
- cover letter : カバーレター《履歴書や論文に添える手紙》
- follow up on ... : ～を引き続いて追求する
- be obsessed with ... : ～に取りつかれている
- genuinely : 本当に、心から
- come by : 立ち寄る

Questions 21-25 ［解答］

21 B   **22** C   **23** A   **24** B   **25** A

● 問題文の訳

A, B, C から正しい文字を選んで書きなさい。

21 なぜダイアナはグレゴリー・アソシエーツからの申し出を受け入れたのか。
 A その申し出は彼女の交通費を賄った。
 B その申し出は有名企業からのものだった。
 C その申し出は彼女が受けた唯一のものだった。

22 ダイアナが失望したのは、
 A 仕事の決まった手順が同じことの繰り返しだと思ったからである。
 B スタッフがあまり協力的でなかったからである。
 C 仕事が自分の勉強と関係なかったからである。

23 ダイアナがインターンシップで最も好きだったことは何か。
 A 職場がどのように運営されているかを観察すること
 B 企画の完成に責任を持つこと
 C プロジェクトマネージャーたちと緊密に仕事をすること

24 インターンシップの最も難しい部分は何だったか。
 A 勉強と両立させること
 B あまりに少ないお金で生活すること
 C とても長時間働くこと

25 インターンシップの間にダイアナは、
 A 自分のキャリアについての考えを変えた。
 B その会社から仕事の誘いを受けた。
 C 勉強を続けないことに決めた。

解説

21 ダイアナが some of the other companies were offering to cover transportation と言っている部分は、他社ですので A は不正解です。その後ダイアナは Gregory Associates was a widely recognised leader in the industry と言っていますので、B が正解です。C は、I got offers from a few companies と合いません。

22 ダイアナ が It just wasn't relevant to what I've been studying. と言っている部分を the work was not related to her studies と言い換えた C が正解となります。be relevant to ... (～と密接な関連がある) は必須表現です。毎日異なる業務をしていた、スタッフは皆親切だったと言っているので、A と B は誤りです。

23 ダイアナは the managers do tend to keep you at arm's length — they just don't trust you enough to let you take on a lot of responsibility for the big projects と言っていますので、B と C は不正解です。その後で I liked that — because I got to stand back and watch 以下、1 歩下がって職場全体を眺められたのが highlight だったと言っていますので、A が正解となります。

24 教授が What would you say was the biggest struggle then? と尋ねたのに対して、ダイアナは最終的には In retrospect, the biggest difficulty was getting by on such a tight budget. と言っていますので、B が正解となります。A についてはまったく問題なかったと答えており、C については、最初は大変だったが慣れたと答えています。C は紛らわしいですが、In the beginning, I might have said the hours. と言った時点で、「最初ならそう答えたかもしれないが、実際には……」と次に否定されることを予想しましょう。

25 ダイアナはインターン期間中に仕事の誘いを受けたいと思わなくなったがそれでよかったと思う、と言っているので B は不正解です。続けて、それでよかった理由を、インターンを通じて自分のキャリアについて考え直したと述べ、I've decided to pursue a different line of work と言っていますので、A が正解となります。I'm going to finish my degree (学位は取ります) と言っていますので、C は不正解です。

Questions 26-30 ［解答］

26 documents   **27** shortlist / short list
28 Alter / alter   **29** Call / call
30 Ask questions / ask questions

● **問題文の訳**

次のフローチャートを完成させなさい。
それぞれ 2 語以内で答えを書きなさい。

インターンシップの申請方法

| 前もって自分の 26 <u>書類</u> を準備する |

| さまざまな会社について調べる |

| 適切な仕事の 27 <u>候補リスト</u> を作る |

| それぞれの仕事に対して申請書(の内容)を 28 <u>変える</u> |

| 1 週間後に会社に 29 <u>電話する</u> |

| 面接の準備をする |

| 面接の間に 30 <u>質問する</u> |

解説

26 ここからはインターンシップの手順についてのまとめです。ダイアナが Before they do anything else と言い始めている部分が空欄の後ろの in advance に相当します。それに続く students need to get their documents sorted という部分の get ... sorted が空欄の前の Organise の意味ですので、documents が正解となります。document は可算名詞ですので、複数の -s が必要です。

27 何を作るべきかについては、ダイアナが put together a shortlist consisting only of those positions that are a good match と言っている部分の put together が空欄前の Create に、a good match が空欄後の appropriate に言い換えられていますので、shortlist が正解となります。shortlist はリーディングでもよく出題されますので、IELTS では必須の語です。

28 それぞれの仕事に対して申請書をどうするかです。ダイアナが They really need to alter their applications so that they refer to the individual needs of each position. と述べていますので、Alter / alter が正解となります。alter の発音に注意しましょう。

29 応募書類を提出した後で follow up すべきか、と教授に聞かれて、ダイアナは It's best to call each company と答えています。その後で a week after the applications have been submitted is probably ideal と言っている部分が空欄の後の after one week に対応するとわかるので、Call / call が正解となります。

30 教授が Any tips for the interview itself? とアドバイスを求めたのに対して、ダイアナが the most important thing is actually to ask questions と答えていますので、Ask questions / ask questions が正解となります。

SECTION 4 | Questions 31-40

本冊：p.88　🎧 14

スクリプト

Now turn to Section 4.

SECTION 4

You will hear the first lecture of a course in Development Studies. First, you have some time to look at Questions 31 to 40.

[40 seconds]

Now listen carefully and answer Questions 31 to 40.

Good morning, everyone, and welcome to your first lecture in Development Studies.

Development Studies, as a discipline, can be boiled down to a couple of core objectives. Basically, we are trying to understand how it is that societies experience particular kinds of change and how they progress as they develop. We're also trying to go beyond that, however, and work out how different sorts of **31 actions** can facilitate or even encourage these changes to happen.

To achieve these objectives, there are two key approaches that underpin Development Studies. Firstly, there's a theoretical approach, which is all about the 'how' of change. With theory we can explore some of the big questions: What kind of change should we aspire to, and how can this be achieved? But we don't just talk; we've also got to apply some of this thinking. So through the applied approach we're looking at specific **32 policies**, and trying to understand how they can most effectively be put into place.

Although we try not to limit ourselves, we do focus on a few key areas. Due to our location, for example, the Asia-Pacific region is an important area of research for us. At the moment we're doing a lot of work on urbanisation, and there are two elements to this. One is employment, as urbanisation leads to major employment problems, and the other is **33 housing** — with so many people moving to cities, many of them struggle to find a place to live. Other issues of particular interest to our staff are migration and, of course, trade.

So what will you be able to do with a degree in Development Studies? Well, firstly, you'll develop a full working knowledge of all aspects of development. You'll also learn how to gather data. We include sessions on how to gather **34 statistics**, but we mostly

スクリプトの訳

ではセクション4に移りましょう。

セクション4

開発学の授業の1回目の講義を聞きます。最初に、質問31-40を見る時間が少しあります。

[40秒]

ではよく聞いて質問31-40に答えなさい。

おはよう皆さん、開発学の1回目の講義にようこそ。

学問分野としての開発学は、詰まるところ2つの主要な目的に行き着きます。基本的に私たちは、社会がどのようにして特定の変化を遂げるのか、社会は発展とともにどのように進歩するのかを理解しようと努めています。しかしまた私たちは、さらに踏み込んで、さまざまな種類の行動がどのようにしてこれらの変化を容易にしたり、促したりさえし得るのかを解明しようと努めています。

これらの目的を達成する上で、開発学を支える鍵となるアプローチが2つあります。第1に、理論的アプローチがあります。これはもっぱら変化の「どのように」に関するものです。理論を持っていれば、大きな疑問のいくつかを探求することができます。私たちはどういった変化を強く望むべきなのか、それはどうすれば達成できるのか、といった疑問です。しかし空論ばかりでは駄目です。この思考の一部を応用することもしなければなりません。ですから私たちは応用的アプローチを通して特定の政策を検討し、どうすればその政策が最も有効に実行され得るかを理解しようと努めています。

自分に限界を作らないよう努めてはいますが、私たちはいくつかの鍵となる分野に焦点を絞っています。例えばわが国の位置のため、アジア太平洋地域は私たちの重要研究分野です。今は都市化について多くの研究をしていますが、これには2つの要素があります。1つは雇用で、都市化は重要な雇用問題につながります。もう1つは住宅です。これだけ多くの人が都市に移住すると、移住者の多くは住む場所を見つけるのに苦心します。私たちのスタッフが特に関心を持っている他の問題は、移住と、もちろん貿易です。

では、開発学の学位で何ができるようになるのでしょうか。えー、第1に、開発のあらゆる側面についての詳細な実践的知識が身に付きます。また、データの集め方も学びます。統計の集め方を学習する時間も授業に含まれていますが、主に文書データに絞ります。つまり、政策提言報告や研究レポートなどで

focus on textual data, that is, policy briefings, research reports, and so on. Once you've done your research, you need to know what it all means; after all, there's not much point in collecting a whole lot of data if you don't know whether it is significant or not — so we're going to teach you how to critically **35** evaluate your findings. And finally, teamwork is a big part of development work — your major piece of research work for this class is done in groups of four, so you're going to learn how to **36** cooperate as a team in order to plan and conduct this research assignment.

I want to move on now to give you a brief overview of how Development Studies has evolved as a discipline since it was first established.

The first thing to note is that, unlike other subjects, such as mathematics or philosophy, Development Studies is very young. It began taking shape as a formal discipline only in the 1950s. At that stage, **37** economic concerns were at the forefront of nearly all research efforts. Researchers assumed that development in general could be measured by indicators such as Gross Domestic Product (GDP), or unemployment levels.

In the 1970s, a new set of scholars took charge. These researchers, informed by the social movements of the 1960s, brought a new set of issues to the table. At that time, Development Studies grew increasingly critical of established **38** practices, and the assumptions that lay behind these practices. Questions were raised in three areas: the role of power in creating policy, the importance of environmentally sustainable change, and problems with inequalities in terms of **39** gender.

From the 1980s onwards, the economy staged a comeback as a centrepiece of development practice. A key factor here was the reduced significance of national governments due to a number of market-led reforms in many countries around the world. In contrast to the 1950s, however, researchers have recently shown a heightened interest in smaller-scale economic projects. One significant innovation here is the idea of making tiny **40** loans, sometimes only a few dollars, to help women, in particular, to start up a small business.

And that brings us to today. So let's finish now by talking about … *[fade]*

That is the end of Section 4. You now have half a minute to check your answers.

[30 seconds]

す。研究を終えたら、それがいったい何を意味するのかを知ることが必要です。結局、データに重要性があるのかないのかがわからなければ、データをいくらたくさん集めたところで大した価値はありません。ですから、研究成果を批判的に評価する方法を教えます。そして最後に、チームワークは開発研究の大きな部分です。この授業での皆さんの主要な研究作業は4人グループで行われますから、この研究課題を計画して実行するため、チームで共同作業をする方法を学ぶことになります。

では次に移って、開発学が最初に打ち立てられてから、学問としてどのように進化してきたかを手短に概観してみたいと思います。

まず注目すべきなのは、数学や哲学といった他の学科と違って、開発学は非常に歴史の浅い学問だということです。正式の学問の形を取るようになったのは1950年代のことにすぎません。その段階では、経済的関心がほぼすべての研究の取り組みの中心にありました。国内総生産（GDP）や失業率などの指標で開発一般を測ることができる、と研究者は当然のように思っていました。

1970年代に、新しい学者グループが主導的立場に就きました。1960年代の社会運動に影響を受けたこれらの研究者は、新たな論点の数々を提案しました。そのころ開発学は、定着した慣行とその背後にある仮定に対する批判を次第に強めました。3つの分野で疑問が提起されました。政策づくりにおける権力の役割、環境的に持続可能な変化の重要性、性別の観点からの不平等についての問題です。

1980年代以降は、開発実践の中心として経済が復活を果たしました。ここでの主要な要因は、世界中の多くの国におけるいくつかの市場主導の改革が原因で、国家政府の重要性が減少したことでした。しかし1950年代とは対照的に、研究者は近年、より小規模の経済計画への関心を高めています。ここでの重要な革新の1つは、ごく少額の融資、ときにはわずか数ドルの融資を行い、特に女性が小さな会社を立ち上げるのを助けるという考えです。

そしてそれから現在に至るわけです。では締めくくりにお話しするのは……［フェードアウト］

これでセクション4は終わりです。答えを確認する時間が今から30秒あります。

[30秒]

TEST 2 ■ LISTENING

That is the end of the listening test. In the IELTS test you will now have 10 minutes to transfer your answers to the answer sheet.

これでリスニングテストは終わりです。IELTS テストでは、解答を解答用紙に書き写す時間が今から10分あります。

語注

- □ discipline：学問分野、学科
- □ be boiled down to ...：～に要約される
- □ objective：目標、目的
- □ facilitate：～を容易にする、促進する
- □ underpin：～を支える、補強する
- □ aspire to ...：～を熱望する
- □ put ... into place：～を実行する
- □ urbanisation（英）= urbanization：都市化
- □ working：実用的な
- □ textual：本文の
- □ briefing：事前説明
- □ findings：（研究などの）成果
- □ overview：概観、要約
- □ take shape：具体化する
- □ forefront：最前線、最先端、中心
- □ take charge：支配する、掌握する
- □ inform：～に影響を与える
- □ bring ... to the table：～で状況の改善に貢献する
- □ stage a comeback：返り咲きを果たす
- □ centrepiece（英）= centerpiece：最も重要なもの、中心
- □ heighten：～を高める、増大させる

Questions 31-40　[解答]

31 actions	32 policies	33 housing
34 statistics	35 evaluate	
36 cooperate / co-operate		37 Economic
38 practice(s)	39 gender	40 loans

● 問題文の訳

次のメモを完成させなさい。
それぞれ1語で答えを書きなさい。

開発学

開発学が理解しようと試みること：
- 社会は時とともにどのように変化し進歩するか
- これらの変化を起こすためにはどんな 31 　行動　 が役に立つか

2つのアプローチ：
- 理論的（変化がどのように生じるかを理解する）
- 応用的（特定の 32 　政策　 とそれらをどのように応用し得るかを調査する）

中心となる分野：
アジア太平洋地域；都市化（雇用と 33 　住宅　 を含む）；移住と貿易

以下のスキルを磨く：
- 主要な開発の論点を詳細に理解する
- データを集める（34 　統計　 と文書データの両方）
- 研究の成果を慎重に 35 　評価する　
- 研究プロジェクトで 36 　共同作業をする　

開発学の簡単な歴史：

1950年代	―この学問分野が出現した。37 　経済　 問題を主に検討した。
1970年代	―開発学は一般的な 38 　慣行　 とその背後にある仮定に対してより批判的になった。権力、環境の持続可能性、39 　性別　による 不平等の問題に関する疑問が提起された。
1980年代から現在	―国家政府はもはや以前ほど重要ではなくなった。とてもわずかな 40 　融資　 を行うなどの小規模な慣行への関心の増大。

解説

31 開発学が理解しようとしていることについてです。how different sorts of actions can facilitate or even encourage these changes to happen という部分が、空欄前後の what ○○ help to make these changes に対応していますので、正解は actions となります。空欄の後ろは help ですので、単数形の action では不正解となってしまいます。

32 2つあるアプローチの、applied（応用的）の方についてです。So through the applied approach we're looking at specific policies という部分から、正解は policies であるとわかります。なお、空欄の後ろの and how they can be applied という部分に複数形に対応した they があることからも、単数形の policy では不正解となってしまいます。

33 都市化について、there are two elements to this と2つの要素があることを前置きし、One is employment ... and the other is housing と述べていますので、housing が正解となります。この Section 4 の中では最も素直な問題ですので、確実に正解したいところです。

34 どのようなスキルを向上させるかについてです。You'll also learn how to gather data. の後で、We include sessions on how to gather statistics と述べていますので、statistics が正解となります。statistics（統計）の最後の s を忘れないようにしましょう。

35 研究の成果をどうするかについては、we're going to teach you how to critically evaluate your findings から、evaluate が正解となります。

36 you're going to learn how to cooperate as a team in order to plan and conduct this research assignment という部分から、cooperate が正解となります。また、cooperate は

63

corporate と混同しがちなので、正しい発音・正しいつづりで覚えましょう。

37 ここからは開発学の歴史についてです。in the 1950s という年代が聞こえてきた次の文で、At that stage, economic concerns were at the forefront ... と述べていますので、Economic が正解となります。なお、economical は「節約になる」という意味ですので、不正解となってしまいます。

38 歴史の中の、1970年代についてです。At that time, Development Studies grew increasingly critical of established practices という部分から、practice(s)（慣行）が正解となります。空欄の前では、established（確立された）が common（一般的な）に言い換えられています。

39 1970年代に疑問が提起された3分野が並列されており、その最後に problems with inequalities in terms of gender と言っていますので、gender が正解となります。gender は社会的・文化的役割としての性別を表し、生物学的な性別を表す sex と区別して用います。

40 80年代以降についてです。a heightened interest in smaller-scale economic projects という表現が聞こえてきた次の文で、One significant innovation here is the idea of making tiny loans と述べていますので、loans が正解となります。なお、loan は可算名詞ですので、-s がないと不正解です。また、スペルミスの多い単語ですので気を付けてください。

READING

READING PASSAGE 1 | Questions 1-13

本冊：p.89-91

パッセージの訳

約 20 分で次のリーディング・パッセージ 1 に基づく質問 1-13 に答えなさい。

ナイト爵位
古来からの伝統

A ナイト爵位は、イギリスの個々の市民に栄誉を授ける、最古にして最も威信のある形式の 1 つである。当初は、戦闘での働きのみに基づき軍隊の構成員に授与されていたこの賞だが、今では、国民生活に対するすべての貢献を認めるものとなっている。近年最も注目されるナイト爵位のいくつかは、サー・エルトン・ジョンやサー・ポール・マッカートニーのような音楽家や芸能人に与えられたものであり、そしてまた財政、産業、教育分野を代表する人々にも授与されている。非イギリス連邦国の市民は、「サー」や「デイム」の称号を用いることが許されない「名誉」ナイト爵位を受ける資格を持つ。イギリスの伝統だと思われているが、ナイト爵位が受け継がれてきた起源は、実は古代ローマにさかのぼる。ナイト爵位は古代ローマから中世にはヨーロッパ数カ国に広まり、ある特徴を備えるようになったのである。騎士になろうとする者は、年齢が若いころから厳しい軍事訓練を受けなければならなかった。既存の騎士の助手（従者として知られていた）を務めることや、戦闘に参加することが訓練に含まれていた。従者は騎士の戦支度をし、当時の重くて扱いにくい甲冑を騎士が装着するのを助けるすべを学ばねばならなかった。従者はこの甲冑を磨いてきれいにし、よい状態に保つ責任を負っていた。また従者は、寛容、無私、勇敢さ、戦闘での技能といった騎士道に則った振る舞いを実際に示さなければならなかった。最後に、騎士を目指す者は、自分の馬と武器と甲冑を買い、そうして、支配する君主に毎年最低限の期間仕える時間を作るだけの資力も必要とされた。

B 現代では、この過程は大きく異なる。形式化された軍事訓練や政治的後援に依拠する代わりに、指名制度が用いられている。こうすれば、学校や企業のようないかなる団体も、あるいはただの社会の仲間ですらも、ある人の名前をナイト爵位の候補に挙げることができる。その後、君主の代理を務める諮問委員会が、集まった申請書から未来のナイトとデイムを審議して選出する。選ばれた人には、その栄誉を受けることを望むか確かめるため、発表前に慎重に連絡が取られる。

C まれな事例だが、剥奪として知られる手続きによりナイト爵位が取り消されることがある。最もよくあるのは、受勲者が犯罪行為で有罪となった場合である。オーストラリア・クイーンズランド州の警察官テリー・ルイスは、70 万ドル相当の賄賂を賭博の胴元とカジノから受け取り、1981 年にオーストラリア人政治家の署名を偽造して警察の書類に書いたことを含む一連の違法行為に関与した後、ナイト爵位を剥奪された。ルイスは再三無罪を主張し、誤ってこれらの罪で訴えられたと示唆したが、彼の控訴は裁判で敗れた。もっと重大な事件としては、イギリスの美術史家で諜報機関の役人アンソニー・ブラントが、二重スパイとして働きソ連に機密資料を渡していたことが判明した後、ナイト爵位を失った。

D あからさまな違法行為や反逆罪ではなく、無能力という理由でもナイト爵位は剥奪されてきた。2004 年に「銀行業への尽力」でナイトに叙せられたロイヤル・バンク・オブ・スコットランドの CEO フレッド・グッドウィンは、わずか 4 年後、この銀行が 240 億ポンドの損失を出した際の最高責任者だった。合法的に受給する資格を持つ 1,600 万ポンドの年金は維持できたものの、女王の諮問委員会が「当時の最高意思決定者」と判断したため、グッドウィンはナイト爵位を取り消された。こうしたスキャンダルは、21 世紀社会におけるナイト爵位の役割と妥当性に関する活発な議論に貢献している。

語注

- prestigious：威信のある
- initially：初めは
- confer A upon B：A を B に授与する
- solely：ただ、単に
- notable：際立った、著名な
- bestow A on B：A を B に授ける、与える
- Commonwealth：イギリス連邦
- eligible for ...：～の資格のある
- honorary：名誉として与えられる
- date back to ...：～にさかのぼる
- would-be：～志望の
- esquire：（騎士の）従者
- equip：～に装備する
- cumbersome：扱いにくい
- armour（英）= armor：甲冑
- chivalrous：騎士道にかなった
- generosity：気前のよさ、寛容
- selflessness：無私
- fearlessness：恐れを知らないこと
- monarch：君主
- formalise（英）= formalize：～を形式化する
- patronage：後援、保護
- put forward A for B：A を B の候補に挙げる
- advisory panel：諮問委員会
- sovereign：君主、元首
- deliberate：～を熟考する、審議する
- pool：集まり
- discreetly：慎重に
- revoke：～を取り消す、無効にする

- ☐ forfeiture：没収、剥奪
- ☐ recipient：受賞者
- ☐ strip A of B：
  A から B を取り上げる、没収する
- ☐ be implicated in ...：
  ～に関係している
- ☐ bookmaker：
  （競馬など賭博の）胴元、ブックメーカー
- ☐ forge：～を偽造する
- ☐ falsely：誤って

- ☐ historian：歴史家
- ☐ confidential：秘密の、機密の
- ☐ forfeit：～を没収する、剥奪する
- ☐ incompetence：無能、不適格
- ☐ outright：まったくの、明らかな
- ☐ illegality：違法行為
- ☐ treason：反逆（罪）
- ☐ preside over ...：
  ～について責任ある立場にある
- ☐ retain：～を保持する、持ち続ける

- ☐ be entitled to ...：
  ～の権利がある、資格がある
- ☐ annul：～を無効にする、取り消す
- ☐ deem A B：
  A を B と考える、判断する
- ☐ spirited：活発な
- ☐ relevance：妥当性、重要性

Questions 1-6　［解答］

| 1 TRUE | 2 NOT GIVEN | 3 FALSE |
| 4 FALSE | 5 NOT GIVEN | 6 TRUE |

● 問題文の訳

下の記述はリーディング・パッセージ1で与えられている情報と合致するか。
解答用紙の解答欄1-6 に
　　記述が情報と合致するなら TRUE
　　記述が情報と矛盾するなら FALSE
　　この点に関する情報がなければ NOT GIVEN
と書きなさい。

1　ナイト爵位は最初、軍役に対してのみ授与された。
2　今ではほとんどのナイトは芸術界と芸能界出身者である。
3　イギリス連邦以外の出身の人にはいかなる種類のナイト爵位も授与され得ない。
4　ナイト爵位はイギリスで始まった。
5　従者すなわち騎士訓練生は、通例仕える騎士と親類だった。
6　従者は自身の装備を買うお金が必要だった。

解説

パッセージは短く（579語）、内容も難解なものではありませんので、20分未満で解答したい問題です。質問7-10はパッセージ中の語句をそのまま書き写さなければいけません。メモや表ではなく、要約文中の空欄ですから、冠詞を落としただけで不正解となります。質問1-6 の6問と質問7-10 の4問はそれぞれパッセージ中で同じ順番で関連箇所が出てきますが、質問11-13 のような多肢選択の場合には選択肢の順番とパッセージ中の情報の順番が一致するとは限りません。

1　段落Aの第2文に Although initially conferred upon members of the armed forces solely on the basis of their performance in combat と、当初は戦闘での働きだけに対して与えられていたことが書かれていますので、TRUE です。パッセージと問題文の言い換えは initially → first、conferred upon → awarded、performance in combat → military service となっています。

2　段落Aの第3文に Some of the ... knighthoods of recent times have been bestowed on musicians or entertainers と書かれていますが、これは一部の例を挙げているだけで、どれくらいの割合なのかは不明です。これに対して、問題文では Most（ほとんどの）となっていますので NOT GIVEN となります。

3　段落Aの第4文に Citizens of non-Commonwealth countries are eligible for an 'honorary' knighthood と、イギリス連邦国以外でも違った形のナイト爵位をもらえることが書かれているのに対して、問題文では cannot と否定しているので、FALSE となります。eligible for ...（～の資格がある）という表現が鍵となります。

4　段落Aの第5文に Perceived to be a British tradition, the legacy of knighthoods actually dates back to ancient Rome とあり、古代ローマからあると書かれているのに対して、問題文では「英国発祥」となっていますので FALSE です。Perceived to be ...（～だと思われているが）はここでは逆接の意味の分詞構文です。

5　段落Aの第6文に spending time as an assistant (known as an esquire) to an existing knight と書かれていますが、騎士と助手（従者）が血縁関係（related to）にあったかどうかは述べられていませんので、NOT GIVEN となります。related to の意味が正確につかめていないと正解できない問題です。

6　段落Aの最後の文に the potential knight also required the financial means to purchase horses, weapons and armour for himself と書かれていますので、騎士志望者は自分の装備を買わなければならず、TRUE です。パッセージと問題文の言い換えは financial means → money、horses, weapons and armour → equipment、for himself → own となっています。

Questions 7-10　［解答］

7　a young age　　8　the ruling monarch
9　a nominations system
10　an advisory panel

● 問題文の訳

次の要約を完成させなさい。
それぞれ本文から3語以内で選びなさい。
解答用紙の解答欄7-10 に答えを書きなさい。

ナイト爵位の選抜：昔と今

ナイトになる過程は時を経て変化した。中世には、人々は 7 　年齢が若いころ　 に騎士になる訓練を始めた。勇敢で熟練した戦士であることを示さなければならず、1年の一部分を 8 　支配する君主　 のために働くことが求められた。現在は、ナイト爵位に叙任さ

れる可能性のある人は **9** 　指名制度　 によって選ばれる。最終決定は **10** 　諮問委員会　 が行う。

解説

7 段落Aの第6文にA would-be knight had to undergo strict military instruction from a young age と書かれていますので、a young age が正解となります。パッセージの military instruction が空欄の前の training に言い換えられています。

8 段落Aの最後の文にmake himself available to serve the ruling monarch for a minimum period each year と書かれていますので、仕える相手である the ruling monarch が正解となります。monarch は可算名詞ですので、the がないと不正解となります。serve が空欄前の work for に、for a minimum period each year が空欄後の for part of the year に言い換えられています。

9 現代では何によって選ばれるかについては、段落Bの冒頭に In modern times, the process is very different. というトピックセンテンスがあり、その次の文で具体的に a nominations system is used と書かれていますので、a nominations system が正解となります。nomination system という単数形を用いた表現も正しい英語ですが、リーディングではパッセージ中の単語をそのまま書き写さなければいけません。

10 誰が選考の最終決定をするかについては、段落Bの第4文に After this, an advisory panel ... deliberates and selects the future knights and dames と書いてありますので、an advisory panel が正解となります。パッセージ中の selects が問題文中の A final decision is made に言い換えられています。

Questions 11-13 ［解答］

11 B 　**12** C 　**13** F 　（順不同）

●問題文の訳

A-F から3つの文字を選んで書きなさい。
正しい文字を解答用紙の解答欄 11-13 に書きなさい。
次のうちどの3つが、人がナイト爵位を失う理由として本文で述べられているか。

A 犯していない罪で人を罰すること
B 重要書類に別人の名前を使うこと
C 会社のずさんな経営
D 年金の支払いを不正に受け取ること
E 競馬やトランプでギャンブルをすること
F 外国政府に秘密情報を教えること

解説

11 段落Cの第3文に Terry Lewis がナイト爵位を剥奪された経緯について説明があり、forging the signature of an Australian politician on a police document と書かれていますので、Bが正解となります。forging the signature → using another person's name、police document → important paper とそれぞれ言い換えられています。

12 段落Cの最後の文に Anthony Blunt がナイト爵位を剥奪された経緯の説明があり、handing confidential material over to the Soviet Union と書かれていますので、Fが正解となります。confidential material → secret information、the Soviet Union → a foreign government と言い換えられています。

13 段落Dの第2文に Fred Goodwin についての説明として presided over a 24-billion-pound loss at the bank とあり、次の文でその損失に対して「当時の最高意思決定者」と判断されてナイト爵位を取り消されたと書かれています。よってCが正解となります。パッセージ中の presided over が選択肢の management に言い換えられています。

READING PASSAGE 2 | Questions 14-26

本冊：p.92-95

> パッセージの訳

約20分で次のリーディング・パッセージ2に基づく質問14-26に答えなさい。

「とにかくやれ！」
あるいは、先延ばしの微妙な技法

A 慢性的な時間の浪費の一種である先延ばしは、害のないささいな人間的欠点だと以前から片付けられてきた。しかし今、研究者はこの習慣をもっと真剣に検証し始めているが、そうするのはまったくもっともなことかもしれない。と言うのも、今や20％のアメリカ人が先延ばしの症状があることを認めていて、1970年から15％も急増しているのである。数字のこの急上昇をどう説明すればいいのか、研究者は困惑しているが、先延ばしが人々の生活を大きく混乱させていることに疑いはない。1つの副作用が最も予想しやすいかもしれない。症状のある人は締め切りを守ったり目標を達成したりできないので、先延ばしが学術上の責任や仕事の責任を果たす妨げになることである。しかし犠牲になるものは他にもある。先延ばしする人は、責任の負担を他者に転嫁して約束を破ることで、職場と私生活いずれの人間関係も徐々に悪化させるのだが、そうしたことはすべて自分の幸福を損なう結果となる。ある研究では、1つの学期が経過する間、先延ばしする大学生は先延ばししない学生より、際立って弱い免疫系、胃腸の不調、不眠症の高い発生を患うことが注目された。

B 先延ばしする人に希望はあるのだろうか。打ち負かすのが困難な魔物であることは誰もが認めるが、数人の自称先延ばし指南者が、その目的のための戦略を開発した。その有効性を示す証拠は現段階では主に個人的事例に基づくものだが、これらの戦略の中には、少なくとも将来の研究への道を開く上で有望なものもある。

C キャリアカウンセラーのエイミー・サイクスは、基本に重点を置く。まずは同調圧力を受け入れることだ、と彼女は言う。多くの減量グループと自助グループは、より幅広い仲間に対して説明責任を持つよう個人を促すが、この社会的セーフティーネットは先延ばしする人によっても同様にうまく利用され得る、とサイクスは考えている。視点を変えてみることも極めて重要だと考えられる。「私たちは人に何かをしてもらいたいと思えば、それがどんなにいいことなのかをわかってもらおうとします」とサイクスは述べる。「ですが自分がそれをしなければならなくなると、したくない理由ばかりに焦点を当てるのです」。そうではなく、自分の興味をかき立て、自分の重要な計画をもっと魅力的にする方法を見つけるべきだ、と彼女は論じる。例えば、計画をちょっとした競技会や実態調査団に変えてみる、といったことである。何をやってもうまくいかなければ、自分の苦労に対して自分に報いなければならないとサイクスは考える。理想的には、作業を終えた時点でのちょっとしたご褒美である。「大したものじゃなくていいんです」と彼女は言う。「パンケーキでも温かいお風呂でも好きなテレビ番組の1話でも、何でもうまくいくでしょう」。

D こうしたヒントは一部の人にはいささか平凡過ぎるかもしれないが、人間の精神に関するもっと狡猾な展開を考え出した人たちもいる。そうした方法の1つを考案したのが、推理作家レイモンド・チャンドラーである。チャンドラーは、基本的だが決定的な観察を基に戦略を築いた。すなわち、先延ばしする人はまったく無為にぼーっとしていることはめったになく、むしろ、ベッドの後ろに掃除機をかけたり、冷蔵庫の中を片付けたり、窓掃除をしたりなどといった、役には立つがそれほど急を要さない作業に携わる傾向がある。その結果、彼らは自分を「だまし」て、生産的なことをしたという気持ちと満足感を味わい、それが最初の計画からさらに注意をそらすことになる。チャンドラーは探偵小説を書く際にある手法を援用して成功したのだが、その内容は、先延ばしする人が次の2つのことのうち1つをしてよい一定の時間を取っておくというものである。2つとは、完全に何もしないか、完成させたいと願う計画に取り組むかである。それほど緊急ではない作業に忙殺される満足感もないままじっと座っていると、チャンドラーは、退屈な単調さのむずむずする感覚が染み込んでくるのをじわじわと感じた。5分か10分もしないうちにこのむずむずは耐え難くなり、彼は小説を書き始めなければならないと感じたのである。

E 別の先延ばしする人、哲学教授ジョン・ペリーは、本質的にチャンドラーと同じ理解に基づいて先延ばしに対する戦略を考案した。その理解とは、先延ばしする人は実際は「辛うじて役に立つ」作業をすることはかなり得意で、本来しているはずの作業は苦手だというものである。従って、作業完了の成功を妨げているのは、実は生産的活動という優れた推進力——先延ばしそのもの——ではなく、むしろ、私たちが自分の計画をどのように緊急性の階層に順序立てるかなのだ、と彼は推測した。例えば先延ばしする人が翌朝8時までに課題を終える必要があるとすると、ありがちなのは、課題をする代わりに鉛筆を削っている事態である。「しかし鉛筆を削ることしか先延ばしする人に残されていないのなら、この世のどんな力もその人に鉛筆を削らせることはできないだろう」とペリーは述べる。この方法の鍵は、優先順位をランク付けし、それから最も緊急の作業のランクを少し下げ、結局それほど必須ではないけれども潜在的には非常に難しい、重要な感じのする計画をトップに持ってくることである。論文の締め切りを抱えた学生が、絶対にメールボックスを整理し直さなければならない、あるいは途中までしか読んでいないほこりをかぶったあの古い小説を読み終えなければならないと自分を納得させられるなら、論文の締め切りが突然はるかに上位の選択肢に思えるようになる。

F 古代ギリシャ人が先延ばしと格闘し、現代世界のすべてのライフコーチ、カウンセラー、モチベーショナルスピーカーも先延ばしを私たちの暮らしから消すことができないのなら、先延ばしが真に葬り去られることはありそうもないように思える。しかし、こうした先延ばしの権威が証明しているように、正しい戦略には先延ばしの影響を最小にする潜在力がある――そうした戦略を使う段階にまでたどり着ければの話だが。

語注

- dismiss：（考えなど）を捨てる、退ける
- innocuous：悪意のない、害のない
- foible：ちょっとした欠点
- sober：まじめな
- be bemused：困惑する
- wreak havoc on ...：～に大混乱を起こす
- predictable：予想できる
- hamper：～を妨げる
- commitment：用事、責任
- sufferer：苦しむ人、悩む人
- renege on ...：（約束など）を破る
- procrastinator：先延ばしする人
- undermine：～をひそかに傷つける
- take a toll on ...：～に悪影響を及ぼす
- well-being：幸福、福利
- semester：学期
- notably：著しく、際立って
- immune system：免疫系
- gastrointestinal：胃腸の
- occurrence：発生、出現
- insomnia：不眠症
- peer：仲間、同僚
- demon：（心の中の）魔物
- self-styled：自称の
- efficacy：効き目、効力
- anecdotal：逸話の、個人の体験談に基づく
- avenue：問題解決の手段
- embrace：～を喜んで受け入れる
- peer pressure：同調圧力
- self-help：自助
- accountable：説明責任のある
- harness：～を利用する
- pique：（興味など）をそそる
- fact-finding：実情調査の
- recompense A for B：AにBの償いをする
- treat：楽しみ、喜び
- do the trick：目的を達する、うまくいく
- garden variety：普通の、ありふれた
- cunning：ずる賢い
- twist：意外な展開
- psyche：精神、心
- sit about：何もしないでいる
- inactively：不活発に、怠惰に
- pressing：緊急の、差し迫った
- productivity：生産力、生産性
- distraction：気が散ること
- busy oneself with ...：～で忙しく過ごす
- itch：（むずむずするような）欲望
- tedious：退屈な、飽き飽きする
- monotony：単調さ
- sink in：染み込む
- intolerable：耐え難い
- insight：洞察力、理解
- marginally：ぎりぎり、辛うじて
- surmise：～と推測する
- completion：完成、完了
- engine：原動力、推進力
- hierarchy：階層制
- bump down ...：～の地位を下げる
- daunting：気力をくじくような、ひるませる
- reorganise（英）= reorganize：～を再編成する
- life coach：ライフコーチ《人生の指南をする人》
- motivational speaker：モチベーショナルスピーカー《やる気を起こさせる演説をする人》
- put ... to rest：～を静める、終わらせる
- guru：指導者、権威者
- get around to ...：やっと～に取り掛かる

Questions 14-18 ［解答］

14 FALSE　15 TRUE　16 NOT GIVEN
17 TRUE　18 FALSE

● 問題文の訳

次の記述はリーディング・パッセージ2で与えられている情報と合致するか。
解答用紙の解答欄14-18に
　記述が情報と合致するなら TRUE
　記述が情報と矛盾するなら FALSE
　この点に関する情報がなければ NOT GIVEN
と書きなさい。

14 先延ばしは深刻な問題だと常に認識されてきた。
15 先延ばしが増えた理由は不明である。
16 学生は最も先延ばしする可能性の高いグループである。
17 さまざまな健康問題が先延ばしと関連付けられてきた。
18 先延ばしを止めるほとんどの技術は科学的研究に基づいている。

解説

質問14-18のような TRUE/FALSE/NOT GIVEN の問題で YES や NO を書かないようにご注意ください。TRUE/FALSE はパッセージ中の情報と一致しているか、YES/NO は筆者の意見と一致しているかが問われます。質問19-25はパッセージ中の人名に注目し、人名が出てくるごとに答えていきます。質問26のように結論を問う問題は、通常最後の段落に注目します。

14 パッセージ冒頭の文で Procrastination ... has long been dismissed as an innocuous human foible. つまり真剣に考えられてこなかったと書かれているのに対して、問題文ではずっと a serious problem とされてきたとあるので、FALSE が正解となります。innocuous や foible の意味がわからなくても、dismissed や前後の文脈から推測しましょう。

15 段落Aの第3文に Researchers are bemused as to what explains this sharp rise in the figures と書いてありますので、原因は不明ということで TRUE が正解となります。

16 段落Aの第4文に academic、最後の文に university students が見つかりますが、学生と他のグループを比べてはいませんので、NOT GIVEN が正解となります。FALSE が正解となるのは、問題文の内容がパッセージ中の情報によって否

定される場合です。この問題に関して言えば、もしパッセージ中で学生と他のグループが比べられていて、他のグループの方が可能性が高いか差がないと書かれていればFALSEが正解となります。

17 段落Aの最後の文のprocrastinating university studentsがweaker immune systems, more gastrointestinal problems, and higher occurrences of insomniaを患っているという部分が、問題文ではA range of health problemsとまとめられており、TRUEが正解となります。

18 段落Bの最後の文でprocrastinationへの対策が述べられていますが、evidence for their efficacy is largely anecdotalと書かれています。つまり客観的な証拠がないということですので、based on scientific studyとは矛盾し、FALSEが正解となります。anecdotalという単語はanecdotal evidence (逸話的証拠) というコロケーションで頻出する重要単語です。

Questions 19-25 ［解答］

| 19 B | 20 A | 21 C | 22 A | 23 C | 24 B | 25 A |

● 問題文の訳

次の記述(質問19-25)と下の人物リストを見なさい。
それぞれの記述を正しい人物A, B, Cと組み合わせなさい。
A, B, Cから正しい文字を選んで解答用紙の解答欄19-25に書きなさい。

19 家事をすることは重要な仕事を避けるありふれた方法である。
20 他者から支援を受けろ。
21 重要な作業の前に退屈な作業のリストを作れ。
22 仕事をもっと面白くする方法を探せ。
23 リストは先延ばしを減らす強力なツールである。
24 退屈を動機付けとして使え。
25 作業が完了したときに報酬を使え。

人物リスト
A　エイミー・サイクス
B　レイモンド・チャンドラー
C　ジョン・ペリー

解説

19 段落Dでレイモンド・チャンドラーの意見が紹介されています。彼は、先延ばしをする人は何もしないのではなく、しなくてよいことをするのだと指摘していて、第2文でvacuuming behind the bed, cleaning out the fridge, washing the windowsのような家事を例として挙げていますので、Bが正解となります。パッセージ中の具体例が問題文ではまとめた言葉で言い換えられている、という典型的出題パターンです。

20 段落Cでエイミー・サイクスの意見が紹介されています。第2文のembrace peer pressure、第3文のhold themselves accountable to a wider circle of their peersという部分がGet support from other peopleと言い換えられていますので、Aが正解となります。仲間の重要性が彼女の主張の1つです。peer pressureは理解するだけでなく、スピーキング・ラ

イティングでも使えるフレーズにしておきましょう。

21 段落EでジョンΓペリーの意見が紹介されています。第5文のrank one's priorities ... and place at the top some ... projects which are ultimately not all that essentialは、優先順位のリストを作り、それほど大事ではないことをあえてそのトップにすることで、本当にやるべきことをやる気になるということです。これは問題文の内容と一致しますので、Cが正解となります。他動詞であるplaceの目的語はprojectsです。

22 エイミー・サイクスの意見が挙げられている段落Cの第7文でwe should ... find ways to make our important projects more attractiveと書かれています。これは、視点を変えることで自分のすべきことを魅力的に見せるという工夫のことを言っており、Aが正解となります。projects → work、attractive → interestingという言い換えになっています。

23 質問21と同じ段落E第5文でThe key to this approach is to rank one's prioritiesと書かれているのが該当しますので、Cのジョン・ペリーが正解となります。rank one's prioritiesがListsに言い換えられています。

24 レイモンド・チャンドラーの意見が挙げられている段落Dの第4文にdo one of two things: absolutely nothing or work on the projectと書かれています。そうすることで退屈になり過ぎて、仕事をしなければならない気になるというのが彼の意見ですので、一致するBが正解となります。

25 段落Cの第8文でSykes believes we must recompense ourselves for our troubles, ideally with little treats upon finishing a taskと書かれており、ご褒美を与えることで自分に報いるべきだというサイクスの主張が一致しますので、Aが正解となります。recompense → Use rewards、upon finishing → when ... is completedと言い換えられています。

Question 26 ［解答］

| 26 B |

● 問題文の訳

A, B, C, Dから正しい文字を選んで書きなさい。
正しい文字を解答用紙の解答欄26に書きなさい。
筆者の結論は何か。

A 先延ばしを減らす戦略の中にはうまくいったと証明されたものもある。
B 先延ばしが完全に排除されることは決してない。
C 先延ばしする人はライフコーチを雇って助けてもらうべきだ。
D ほとんどの先延ばしする人は、もっと能率的に作業する方法を学びたいと思っている。

解説

26 結論が問われていますので、最後の段落に注目します。段落F第1文でit seems unlikely that procrastination will ever truly be put to restと述べられていますので、Bが正解となります。unlikely → will never、truly → completely、put to rest → eliminatedという言い換えになっています。

READING PASSAGE 3 | Questions 27-40

パッセージの訳

約20分で次のリーディング・パッセージ3に基づく質問27-40に答えなさい。

進化がわれわれに不利に働くとき

A やりと石器だけで武装した狩猟採集民の小部族が地上を歩き回った時代から、生活はほとんどあらゆる面で様変わりした。今やわれわれは、ジャングルの中でこっそり獲物の後を追うのではなく、スーパーマーケットで肉を買う。夜は洞穴の代わりに家屋や高層ビルが雨風から守ってくれる。しかしこうした変化にもかかわらず、いくつかの非常に基本的な反応は消えずに残っている。暗い路地で知らない人とすれ違うときにわれわれを襲う、意識が高まった短くて鋭い感情は、われわれの祖先がやぶの中を歩いていて、近くで乾いた小枝がぽきっと音を立てるのを耳にしたときに経験した感覚と、生理学的に言って何ら変わらない。これは「闘争・逃走」反応と呼ばれるもので、この反応に助けられてわれわれは危険な状況を特定し、その名が示す通り、対決に向けて力を奮い起こすか、あるいは全速力で逃げ出すかによって決然と行動することができる。

B サバイバルモードへのこの移行は、突然の不安と一般に言われることが多い。つまり、状況が「おかしい」あるいは「正しくない」という感覚である。しかし、この感覚は実際には、途方もなく複雑な心身の一連の作用の結果であり、その1つは、脳の「恐怖中枢」である視床下部が交感神経系と副腎皮質系に指示して、最初は別々に、その後一緒に働かせてホルモンと化学物質の強力な混合物を混ぜ合わせて作り、血流の中に分泌することである。動悸が高まり、同時に呼吸数も増える。生身の対決または慌ただしい撤退に必要より大きな筋肉へと血液の供給の方向が変わると、皮膚は冷たく感じる（それゆえ「寒気」が背筋を走る）。脳はこのとき「全体像」の思考を優先する傾向があるので、重要度の低い問題に集中する力も下がる。

C この本能的な反応がなければ人類は決して生き残れなかっただろうが、現在ではこの反応は助けよりも妨げになることがよくある。年月を経て身体的脅威の事例は減ったものの、闘争・逃走反応の作動は、主に心理的欲求不満に反応して、実際は増加している。しかしこれは問題となる。なぜなら、闘争・逃走メカニズムが最も有効に機能するのは、倒れる木や野生動物のように身体的危害の原因となり得るものに対する反応としてであり、どなりつける上司や交通渋滞や電話の返事をよこさなかった配偶者に反応してではないからである。こうした精神的苦痛の事例の間、理性的で冷静な思考ができなくなるといった闘争・逃走が身体的に現れると、問題を実際には悪化させかねない。

D 歓迎されなくなっても居座り続けている進化上の発達の同様のケースが、「頭の中のおしゃべり」の例である。頭の中のおしゃべりとは、われわれの頭を占めるとりとめのない思考と独り言の途切れない流れで、われわれが間違いなく常に「スイッチが入っている」ようにし、危険と脅威を探している。これは、3時間の狩りに出掛けている孤独な穴居人には有用だったろうが、感覚を通して入ってくる情報で既に過負荷状態の現代世界では、ありもしない困難に思い悩む原因となり、ときには闘争・逃走反応を必要もないのに誘起する。

E 頭の中のおしゃべりと闘争・逃走反応というこの一対の力は、結合して現代人の精神をめちゃくちゃにし、一部の研究の示唆するところでは、今日のすべての病の最大80％の原因となっているものの急増を招いている。つまり、ストレスである。多くの人はストレスを単なる感情だと誤って考えているが、ストレスは実際には、特定のホルモンが体内で累積的に自然増加することに起因する生理的状態である。それらのホルモンは、短時間の急激な量ならわれわれの助けになり得るが、適切に代謝されなければ毒性を持つ。こうした潜在的に有毒なホルモンの代謝は強度の身体運動に依存するのだが、強度の身体運動は本来、闘争・逃走プロセスの一部として進化した。つまり、ホルモンの放出には通常、強度の身体運動（戦うか走る）が続き、それが体をバランスの取れた状態に戻したのである。しかし今日の遭遇では、強度の身体運動という必須の要素が欠落している。例えば、腹を立てた従業員が同僚を殴ることはできないし、いらいらしたドライバーが混雑した交差点で車をぶつけながら強行突破することなどあり得ないのである。

F このバランスを回復するために何ができるだろうか。ストレスの研究者ニール・F・ニーマークは、驚くようなことではないかもしれないが、有効な戦略の1つとして身体運動を推奨する。幸いなことに、この運動がもともとのストレス刺激と完全に無関係だと認識できるほど脳は賢くないので、こうしてわれわれは自分の体を効果的に「だまし」、腹立ちの元となった人の代わりにサンドバッグにパンチを打ち込むことで、ストレスホルモンを代謝することができる。もう1つの選択肢は、ハーバードの心臓専門医ハーバート・ベンソンが発見した「リラクセーション反応」である。深呼吸、瞑想、単純で肯定的な言葉の反復といった特定の行動が、頭の中のおしゃべりと闘争・逃走反応の解毒剤として作用し、これらをなくして神経系を落ち着かせ心身のリラックス状態を誘発することを、ベンソンは発見した。現代の西洋社会に極めて特有のストレス蓄積の循環を終わらせようとするなら、これらの手法を生活と一体化させることが重要になる。

語 注

- hunter-gatherer：狩猟採集民
- roam：〜を歩き回る
- spear：やり
- stalk：〜の後をそっとつける
- high-rise：高層ビル
- linger on：なかなか消えない
- heighten：〜を高める
- sweep through ...：（感情が）〜を襲う
- alley：小道、路地
- physiologically：生理（学）的に
- twig：小枝
- flight：逃走
- decisively：決然と、断固として
- muster：（力）を奮い起こす
- confrontation：対決、対立
- unease：不安、心配
- hypothalamus：視床下部
- sympathetic nervous system：交感神経系
- adrenal-cortical system：副腎皮質系
- potent：強力な、強大な
- secrete：〜を分泌する
- bloodstream：血流
- heartbeat：心臓の鼓動、動悸
- respiratory：呼吸の
- spine：背骨
- redirect：〜の向きを変える
- retreat：退却、撤退
- prioritise（英）= prioritize：〜を優先する
- big picture：全体像
- instinctive：本能的な
- hindrance：妨害、邪魔
- activation：活性化、作動
- pose：（問題など）を投げ掛ける
- fulminate：恐ろしい剣幕でどなる、怒号する
- distress：苦悩、心痛
- manifestation：現れ、兆候
- exacerbate：〜を悪化させる
- overstay one's welcome：長居して嫌がられる
- ceaseless：絶え間ない
- scattered：散在する
- self-talk：独り言
- boon：利益、恩恵
- caveman：穴居人
- overload：〜に負担をかけ過ぎる
- sensory：感覚の
- fret：くよくよする、思い悩む
- non-existent：存在しない
- predicament：窮状、苦境
- wreak havoc on ...：〜に大混乱を引き起こす、〜を荒らす
- psyche：精神
- spike：突然の急上昇
- erroneously：間違って、誤って
- physiological：生理学の、生理的な
- cumulative：累積の
- accrual：自然増加
- toxic：有毒な
- metabolise（英）= metabolize：〜を代謝させる
- metabolism：代謝
- exertion：激しい運動
- resentful：憤慨した、腹を立てた
- ram one's way through ...：〜を押し分けて進む
- intersection：交差点
- stimulus：刺激
- relaxation：緩和、軽減
- cardiologist：心臓専門医
- meditation：瞑想
- affirmative：肯定的な
- antidote：解毒剤、解決手段
- induce：〜を引き起こす、誘発する
- accumulation：蓄積
- endemic：特有の

Questions 27-32 ［解答］

27 G　28 H　29 K　30 C　31 M　32 J

●問題文の訳

下のリストの語 A-O を使って要約を完成させなさい。
A-O から正しい文字を解答用紙の解答欄 27-32 に書きなさい。

闘争・逃走反応

現代人は、遠い過去にジャングルで必要とされた **27 本能** をまだ持っている。その１つ「闘争・逃走」反応は、本来は人間が **28 脅威** を認識し行動を起こす助力となっていた。今日この同じ反応は、ほとんどが単なる **29 不安** 感として現れる。これは、視床下部が **30 物質** を生産して血液中に放出し、それに続いて心拍数と呼吸が増え、血液が他の臓器へとそれて体温の **31 低下** を感じることの結果である。この **32 システム** は、かつては人間の生存に極めて重要だったものの、今では、実際の脅威ではなく知覚された脅威の結果として起こるようになっている。

A	計画	B	強さ	C	物質
D	知らない人	E	温かさ	F	混合物
G	本能	H	脅威	I	力
J	システム	K	不安	L	圧力
M	低下	N	問題	O	上昇

解 説

質問 27-32 のような要約問題には、パッセージ中の単語を抜き出して書くタイプと選択肢があるタイプの２種類があります。ここでは後者で、選択肢の単語はパッセージ中の単語と同一ではなく、言い換えられたものになっています。１番目のパッセージを短時間で終えておいて、３番目のパッセージに多めの時間を充てるのが定石ですが、言い換えられていて難しいと感じる場合には、選択肢が少ない質問 33-36、質問 37-40 を優先してもよいでしょう。

27 段落Ａの第２文に jungle という単語が見つかり、第３文で some very basic responses linger on と述べられています。ジャングルにいたころに持っていたものがまだ人間に残っているということで、この段階でこの responses が instincts （本能）のことだとわかるのが理想です。それができなかった場合でも、段落Ｃの冒頭で this instinctive response と書かれているのを見て気付かなければいけません。Ｇの instincts が正解となります。

28 その本能について、段落Ａの最後の文で it helps us to identify と述べられている部分が、空欄の前の assisted humans to recognise に言い換えられています。identify されるものとして、パッセージでは dangerous situations となっているものを言い換えたのがＨの threats（脅威）です。空欄の後ろの and take action は、パッセージの and act decisively の言い換えです。

29 その本能が現代ではどう現れるかについてです。段落Bの第１文の described as a sudden unease, a sense that a situation is 'off' or 'not right' という部分の sense が、空欄の前の feeling に言い換えられています。従って、unease の同義語であるKの anxiety が正解となります。

30 段落Bの第２文中の blend と secrete が空欄の前の producing and releasing に言い換えられていますので、パッセージ中の hormones and chemicals を言い換えたCの substances が正解となります。空欄の後ろの into the blood はパッセージ中の into the bloodstream とほとんど同じ表現で、大きなヒントとなっています。

31 段落Bの第４文の Skin feels cold（皮膚は冷たく感じる）という部分が、空欄の前後の the sensation of a ... in temperature（温度の…の感覚）に対応していますので、Mの drop が正解となります。空欄の後ろの in temperature と相性がいいのは Oの rise と Mの drop しかありません。

32 段落Cの第１文は、this instinctive response はかつて人類の生存に必須だったが、現代ではむしろ妨げとなっていることを述べています。この部分がこの問題の解答の根拠となり、選択肢の中でこの instinctive response の言い換えとしてふさわしいものは Jの system しかありません。

Questions 33-36 ［解答］

33 B　**34** A　**35** D　**36** A

● 問題文の訳

A, B, C, D から正しい文字を選んで書きなさい。
正しい文字を解答用紙の解答欄 33-36 に書きなさい。

33 闘争・逃走反応が作動すると、次のことが困難になる。
- A　呼吸の速度を増すこと
- B　小さな問題に集中すること
- C　体温を保つこと
- D　長時間走ること

34 闘争・逃走反応は今日では以前ほど有用ではないが、それは、現代の個人が
- A　身体的脅威に遭遇することが減ったからである。
- B　日々の小さな困難を容易に処理できるからである。
- C　創造的な問題解決を以前よりうまくできるからである。
- D　危険な動物を狩る必要がないからである。

35 「頭の中のおしゃべり」のデメリットの１つは、人が
- A　しゃべり過ぎて重要な情報を聞き逃すかもしれないことである。
- B　独りで過ごす時間が多過ぎるかもしれないことである。
- C　本当の脅威から注意がそらされるかもしれないことである。
- D　実在しない問題を心配するかもしれないことである。

36 筆者の示唆によると、ストレスが増えている理由は、
- A　身体による解放の欠如である。
- B　脅威の数の増加である。
- C　健康問題が増えていることである。
- D　一部のホルモンの喪失である。

解説

33 段落Bの最後の文の The ability ... suffers が問題文では it is difficult to ... と言い換えられています。ability の後ろの to concentrate on issues of minor importance と一致するBが正解となります。concentrate → focus、issues → problems、minor → small と言い換えられています。

34 現代の闘争・逃走反応について、段落Cの第１文の more of a hindrance than a help という部分が、問題文では less useful と言い換えられています。その説明として、続く第２文で instances of physical threats have decreased と述べられている部分と一致するAが正解となります。Dも的外れではありませんが、野生動物は、段落Cで倒れる木とともに本来の闘争・逃走反応を必要としていた例の１つとして言及されているにすぎず、理由としては不十分です。

35 段落Dの第１文に 'mind chatter' という表現があり、その説明として同じ段落の最後の文で it causes us to fret about non-existent predicaments と述べられていますので、Dが正解となります。fret → worry、predicaments → problems、non-existent → not real と言い換えられています。

36 段落Eで、ストレスについて詳しく説明しています。ストレスの原因になるホルモンは適切な代謝をしなければ害になり、闘争・逃走反応には本来、強度の身体運動による代謝が伴っていたとあります。それに対する現代の状況については、段落最後の文に the vital element of physical exertion is missing と書かれていますので、Aが正解となります。missing → lack、exertion → release と言い換えられています。段落Eの第１文に問題のキーワードである stress が登場しますが、段落の最後まで読まないと解答できないように問題が作られています。

Questions 37-40 ［解答］

37 NO　**38** NOT GIVEN　**39** NO　**40** YES

● 問題文の訳

下の記述はリーディング・パッセージ３での筆者の見解と合致するか。
解答用紙の解答欄 37-40 に
　記述が筆者の見解と合致するなら YES
　記述が筆者の見解と矛盾するなら NO
　この点に関して筆者がどう考えているか判断できなければ NOT GIVEN
と書きなさい。

37 ストレスは感情である。
38 職場でのけんかが増えている。
39 ホルモンを代謝するためには、運動はストレスのもともとの原因と関連させられなければならない。
40 ポジティブな言葉を言うことでストレスを減らすことができる。

解説

37 問題文では「ストレスは感情である」となっていますが、段落Eの第2文に Stress, erroneously considered by many to be a mere feeling, is actually a physiological condition という反対の情報がありますので、NO が正解となります。

38 段落Eの最後の文で a resentful employee cannot punch his co-worker と述べられていますが、これは単に職場でストレスを解消することはできないという例です。職場でのけんかが増えているかどうかを判断する情報はありませんので、NOT GIVEN が正解となります。

39 段落Fの第3文に the brain is not clever enough to realise that this exercise is completely unrelated to the original stress stimulus と書かれており、つまりもともとのストレスの原因と関係がないことによってもホルモンを代謝してストレスを解消できるとあります。これは問題文と反対の内容ですので、NO が正解となります。パッセージ中の unrelated と問題文の linked が反意語であるのが大きなヒントです。

40 段落Fの第5文ではリラックス状態を誘発できることをいくつか挙げており、そのうちの the repetition of simple, affirmative phrases という部分が問題文の内容と一致しますので、YES が正解となります。affirmative phrases → positive words と言い換えられています。4問中に1問も YES がないということは考えにくいので、37 から 39 までの答えに自信があれば、40 は YES のはずと推測することもできます。

WRITING

TASK 1

本冊：p.101

> 解答例

The two maps show the layout of an existing park, and the changes that are planned for completion in 2020. In summary, the redesigned park will have a wider range of facilities and will allow for easier access for users.

The park's main current feature, a football pitch in the north-west corner, will be changed to a more general purpose sports field, and the existing club house in the south-east corner will be redeveloped as a cafe and restaurant. The existing duck pond to the east of the football pitch will be drained and removed, to be replaced by a new, smaller club house.

In terms of user access, the existing ring road will be slightly altered to accommodate a new dog park, circled by trees, and other existing trees will be removed to make space for a new car park in the north-east corner.

Restrooms will be added to the south of this car park, and Wi-Fi access will be available throughout the new park. Two existing features, the sheltered area and the water fountain, will remain unchanged.   (179 words)

> 語注

- redesign：〜を再設計する
- a wide range of ...：幅広い〜
- redevelop：〜を再開発する
- drain：〜から水を引かせる
- in terms of ...：〜の点では
- dog park：ドッグラン、犬用の公園
- restroom：手洗所、トイレ

● 問題文の訳

このタスクは約20分で終えなさい。

> 下の2つの地図は、現状の公園と、2020年に完了予定の変更を表しています。
> 主な特徴を選んで説明することで情報を要約し、関連がある箇所を比較しなさい。

150語以上で書きなさい。

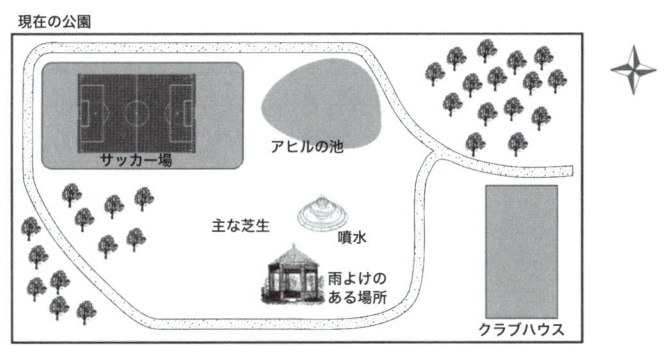

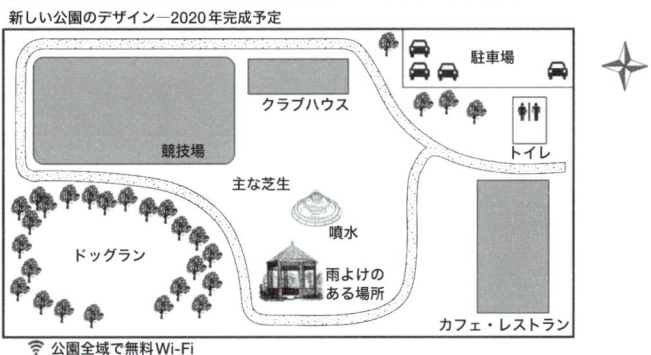

解答例の訳

2つの地図は、既存の公園のレイアウトと、2020年に完了が予定されている変更を表しています。要約すると、再設計された公園にはより幅広い施設があり、利用者がより容易にアクセスすることを可能にします。

公園の現在の主な特徴である北西の角のサッカー場はより多目的の競技場に変更され、南東の角にある既存のクラブハウスはカフェ・レストランとして再開発されます。サッカー場の東にある既存のアヒルの池は水を抜いて撤去され、代わりにもっと小さな新しいクラブハウスができます。

利用者のアクセスという点では、既存の環状道路は、周囲を木で囲まれた新しいドッグランの場所を設けるために少し変更され、他の既存の木は、北東の角に新しい駐車場用のスペースを作るために撤去されます。

この駐車場の南にトイレが追加され、新しい公園全域でWi-Fiアクセスが利用可能になります。2つの既存の特徴である雨よけのある場所と噴水は変わらず残ります。

解説

現在の公園の地図と予定されている変更後の地図を比べて、変更点を説明する問題です。地図の問題を苦手としている受験者が多いのですが、表やグラフの問題のような分析を必要としないので、本来難しいものではありません。最も重要なポイントは、基本的に地図上に描かれているものすべてに言及しなければいけない、ということです。この解答例では施設と言えるものでもなく特に変化もない main lawn には言及していませんが、試験ではできるだけすべてに触れるようにしましょう。グループ分けの方法に決まりはありませんが、読んでわかりやすい形に分類して、段落ごとに説明します。英語に関しては、東西南北・上下左右の位置関係を示す表現が鍵を握ります。

タスクの達成

地図上の情報すべてを正確に読み取り、的確にまとめ、説明できており、タスクの要求を完全に満たしています。すべての特徴を説明する上で、単に羅列しているわけではなく、「施設」と「アクセス」という2点でうまくグループ化して段落に振り分けていることに注目してください。まさに地図の描写のお手本になっています。

論理的一貫性とまとまり

第1段落の最後に、地図上の情報を大きく2種類 (facilities と access) に分類して述べることを宣言する「見出し」の役割を果たす文を配置しています。その上で、第2段落では主な facilities、第3段落では access、第4段落では other features (具体的には amenities「アメニティー」というくくりになるようなもの) を述べることによって、論理的一貫性とまとまりのある文章を構成しています。

▶ 第1段落
第1文：地図の概要 (問題文の言い換え：as it is → existing、planned changes → changes that are planned、その他問題文中にはない単語として layout を使用)／第2文：主題文 (主要変更点の分類①a wider range of facilities、②easier access for users)
▶ 第2段落
第1文：最大の変更2施設 (football pitch → sports field、club house → cafe and restaurant)／第2文：付随する変更1施設 (duck pond → club house)
▶ 第3段落
第1文前半：道の変更 (およびその理由である新設の dog park)／第1文後半：駐車場の新設 (およびそれに伴う木の伐採)
▶ 第4段落
第1文：新設2項目 (restrooms、Wi-Fi)／第2文：変更されない2施設 (sheltered area、water fountain)

語彙の豊富さと適切さ

この解答例では多様な語彙・表現が使用されており、語彙の豊富さと適切さを示しています。語注にあるものと以下に挙げるものは早速練習で使って試し、次回の受験に生かせるようにしましょう。

まず、地図の問題では方角を表すことが非常に重要ですので、in the north-west corner や to the east of ... など、正確に表せるようにしておきましょう。また、何が何に変わるのかを表す際にも、be changed to だけでなく、be replaced by ...「～に取って代わられる」、alter「～を (部分的に) 変更する」、remain unchanged「変更されずに残る」といった表現を適切に使用できるとよいでしょう。accommodate「～を収容する、～の場所を確保する」などは、意味を知らない人は少なくないかもしれませんが、自分で書く際に使えるかどうか、確認しておきましょう。

文法の幅広さと正確さ

計画されている変更を表現するために、全体を通して未来形 will が適切に使われています。それだけでなく、will に続く動詞や構文に多様性を持たせています。自動詞＋前置詞や他動詞の後に目的語を取る単純な形のほかに、自動詞＋補語 (remain unchanged)、受動態 (be＋過去分詞) の後に前置詞＋名詞 (be redeveloped as a cafe and restaurant、be added to the south of this car park)、to 不定詞 (be slightly altered to accommodate、be removed to make space) など、実に多様な表現を用いています。動詞の使い方は単純になりがちで、特に未来形のように時制が特定されると単調になりやすいのですが、この解答例を手本に、さまざまな表現ができるようにしておきましょう。

TASK 2

> 解答例

In addition to academic subjects such as maths and chemistry, some high school curricula include basic life skills; for example, cooking, budgeting or woodwork. While this is commonplace in some countries, in others it is becoming rarer, as students and parents put pressure on schools to teach only academic skills.

There are several reasons why non-academic classes may benefit students. Most obviously, these classes provide skills that students may need in the real world. The basics of cooking, for example, will be used throughout life, and busy parents may not have time to teach these skills to their children as they once did. These classes also offer young people the chance to socialise and help each other in a way that is quite different from the intense competition found in academic classes. Finally, classes such as drawing may provide students with a chance to relax and relieve some of the stress that has built up in their more high-stakes courses.

Yet the trend seems to be to cut these types of classes from the curriculum. This is probably largely due to the increased demand placed on young people to achieve high results in academic classes in order to pass exams needed to further their education. While cooking may benefit a person in the future, it will not help in gaining entrance into university or finding a good entry-level position in a company. It appears that the purpose of secondary schools is no longer to prepare students to be well-rounded individuals ready for adult life; instead, it is seen as a place to prepare students for competitive exams.

Because a high percentage of secondary school graduates now go on to university, perhaps an increased focus on academics is justified. However, losing all non-academic classes may have negative effects on students, who still need a well-rounded general education.

(306 words)

> 語注

- secondary school：中等学校《小学校と大学との間の学校。high school も似た意味だが、英米で内容が異なる》
- maths(英) = math：数学
- curricula：curriculum の複数形
- budgeting：予算管理、やりくり
- put pressure on ... to do：～に…するよう圧力をかける
- socialise(英) = socialize：交際する
- build up：強まる、増大する
- high-stakes：重大なことがかかっている、いちかばちかの
- place demand on ...：～に要求する
- further：～を促進する、助成する
- entry-level：初心者向けの
- well-rounded：バランスの取れた、幅の広い

● 問題文の訳

このタスクは約40分で終えなさい。次のトピックについて書きなさい。

> 一部の国の中等学校では、料理、基本的修理作業、図画、木工などのスキルを学ぶ機会を生徒に提供しています。
> このような非学術的な授業を学校で教えることのメリットとデメリットは何ですか。

解答では理由を述べ、自分の知識や経験から関連する例があればどのようなものでも含めなさい。
250語以上で書きなさい。

> 解答例の訳

数学や化学などの学術的な科目に加え、一部の中等学校のカリキュラムには基本的な生活スキルが含まれています。例えば料理、予算管理、木工などです。これが当たり前の国もありますが、学術的なスキルだけを教えるよう生徒と親が学校に圧力をかけるため、あまり見られなくなりつつある国もあります。

非学術的な授業が生徒のためになるかもしれない理由はいくつかあります。最も明白なのは、生徒が実世界で必要とするかもしれないスキルをこうした授業が提供するということです。例えば、料理の基礎は一生使うものであり、忙しい親は、昔の親のようにこうしたスキルを子どもに教える時間がないかもしれません。またこれらの授業は、学術的な授業で見られる激しい競争とはまったく違う方法で人と交流し、助け合う機会を若者に与えます。最後に、図画などの授業は、リラックスし、進路をより大きく左右するような授業で積み重なったストレスの一部を軽減する機会を生徒に提供するかもしれません。

しかし、こうしたタイプの授業をカリキュラムから切り捨てるのが趨勢（すうせい）であるように思えます。おそらくこれは主に、さらに教育を積むのに必要な試験に合格するためには学術的な授業で好成績を収めなければならないという、若者に課される負担が大きくなっているためです。料理は将来役に立つかもしれませんが、大学に入学したり、未経験者向けのよい仕事を企業で見つけたりする助けにはなりません。もはや中等学校の目的は、大人の生活への用意ができた多方面に対応できる個人になる準備を生徒にさせることではないようです。そうではなく、中等学校は、生徒に競争試験への準備をさせる場所と見なされています。

中等学校の卒業生は今では高い割合で大学に進学しますから、学術科目にますます重点が置かれることは正当化されるかもしれません。しかし、すべての非学術的な授業を失うことは、生徒にマイナスの影響を与えるかもしれません。生徒には広範囲な総合的教育がまだ必要なのです。

解説

技術・家庭や美術のような実技系の科目を中等学校で教えることの利点と欠点を述べることが求められています。secondary schools は日本の学校制度では中学校と高校の両方を含みます。この問題のように、タスクが What are the advantages and disadvantages of ...? または Discuss the advantages and disadvantages of ... という表現の場合は、2つ以上の利点と2つ以上の欠点についておおよそ均等に述べなければなりません。どちらがより重要かまで述べることは求められていませんので、気を付けましょう。

タスクへの応答

この解答例の構成は、第1段落：イントロダクション、第2段落：利点、第3段落：欠点、第4段落：結論、となっています。利点と欠点の順番は逆でも構いません。1つの段落の中で利点と欠点を対比する形式は書きづらく、読み手にとってもわかりづらくなりがちなので、避けるべきです。この解答例は利点と欠点を明確に論理的に論じており、タスクの内容に完璧に取り組んでいます。

論理的一貫性とまとまり

この項目では、①エッセイ全体、②各段落、③文と文(のつながり)、という3つのレベルでの論理的一貫性とまとまりが評価されます。この解答例では、①エッセイ全体を通してトピックからそれることなく一貫して、実技系科目の利点と欠点について述べられています。②段落単位では、4つの段落をイントロダクション、利点、欠点、結論に充てる明快な構成になっています。③文と文という単位では、以下のようなつながりを示す語句が効果的に使われています。例：for example（第1段落第1文）、前文の内容を受ける代名詞の this（第1段落第2文、第3段落第2文）、Most obviously（第2段落第2文）、also（第2段落第4文）、Finally（第2段落第5文）、Yet（第3段落第1文）、instead（第3段落第4文）、However（第4段落第2文）など。

▶第1段落：問題文の言い換え
第1文：問題文1文目の言い換え (secondary → high、skills → basic life skills)／第2文：問題文2文目の言い換え（前半が利点、後半が欠点を示唆）
▶第2段落：利点
第1文：段落のトピックセンテンス（いくつかの利点がある）／第2文：最も明白な利点（実社会で必要）／第3文：最も明白な利点の例（料理）／第4文：2つ目の利点（社会生活に適応）／第5文：3つ目の利点（リラックス）
▶第3段落：欠点
第1文：段落のトピックセンテンス（軽視される風潮があること）／第2文：実技系科目減少の理由①（試験）／第3文：実技系科目減少の理由②（入試や就職）／第4文：段落のまとめ（競争社会）

▶第4段落：結論
第1文：学業重視(＝実技系科目の欠点)にも一理ある／第2文：実技系科目の利点の総括（バランスの取れた教育が必要）

語彙の豊富さと適切さ

この解答例では多様な語彙・表現が使用されており、語彙の豊富さと適切さを示しています。語注にあるものと以下に挙げるものは早速練習で使って試し、次回の受験に生かせるようにしましょう。

まず「進学する」という言い方だけを取っても、further one's education、gain entrance into university、go on to university と多様な言い方をしています。また、このような教育と社会をめぐるテーマでは、in the real world、socialise、intense competition、ready for adult life、competitive exams といった表現は重要で、読んで意味がわからない人は少ないでしょうが、使いこなせないと意味がありません。provide ... with a chance to do、This is probably largely due to ...、a high percentage of ...、have negative effects on ... といった表現もタスク2では使う機会が多いはずですので、覚えておきましょう。

文法の幅広さと正確さ

この解答例では助動詞、推量を表現する動詞、副詞、数量的表現の適切な使用によって、学習者に見られがちな断定的な論調になることを避け、限定的な表現にしている部分が非常に多くなっています。これらはいずれも文法的に高度なものではありません。「文法の幅広さと正確さ」という項目で評価されるのは、文脈上適切な形でさまざまな文法が用いられているかどうか、という点なのです。また、これは教養ある書き手の書く英語の1つの特徴と言えるもので、留学先の大学でもビジネス文書でも役に立つスキルですから、ぜひ身に付けましょう。
▶助動詞
may
▶推量を表現する動詞
seem to do / It appears that SV
▶副詞
probably / largely / perhaps
▶数量的表現
some of the ...

SPEAKING

PART 1

本冊：p.103　　18

| 回答例 | 回答例の訳 |

E=Examiner（試験官）　　C=Candidate（受験者）

E: Good morning. Could you tell me your full name, please?
C: My name is Manabu Otsuka.
E: Can I see your identification, please, Manabu?
C: Here you are.
E: Thank you. That's fine, thank you. Now in this first part I'd like to ask you some questions about yourself. Let's talk about where you live. Do you live in a small town or city area?
C: I live in a large city, Tokyo.
E: Is there anything you don't like about living there?
C: Yes, I don't like commuting on a crowded train every morning. Sometimes it is so bad that station attendants have to push passengers onto the trains and so we are packed like sardines. It's so stressful.
E: Do you think you will continue to live in this city in the future?
C: No, I plan to move to Canada as soon as possible. That's why I'm taking the IELTS test. I hope to make a new life for myself.
E: I'd like to talk about sports centres now. Are there a lot of sports centres where you live?
C: Near where I live? No, not really. There is one sports club, a small one, near my house, where people can go and do aerobics or lift weights, I think. It's about 5 minutes' walk from my house. For other sports facilities, I have to go to the next town.
E: Is it important to have sports centres near where people live?
C: Yes, I think so. It is important for people to be able to access sporting facilities — it provides opportunities for people to play sports and keep fit. Without such facilities, it could have a negative impact on the health of citizens. The more sporting facilities, the better, I think.
E: Do you think people spend enough time doing sport in your country?
C: Um ... In general, I don't think they do. Most people are just too busy or lazy to do any kind of sporting activities. There are exceptions, of course. For example, I hear that it's popular to jog around the Imperial Palace right in the centre of Tokyo. So, I think that the gap is widening between those who spend a lot of time doing sport and those who don't.

E: おはようございます。フルネームを教えてもらえますか。

C: オーツカ　マナブです。

E: 身分証明書を見せてもらえますか、マナブ。

C: はい、どうぞ。

E: ありがとうございます。はい、結構です。さて、この最初のパートでは、あなたのことについていくつか質問させてもらいます。あなたが住んでいる所の話をしましょう。あなたが住んでいるのは小さな町ですか、都会ですか。

C: 私は大都市に住んでいます。東京です。

E: そこに住んでいて何か嫌いなことはありますか。

C: はい、毎朝混雑した電車で通勤するのが嫌いです。混雑があまりにひどくて駅員が乗客を電車に押し込まなければならないこともあり、そうするとすし詰めになります。とてもストレスがたまります。

E: 今後もこの都市に住み続けると思いますか。

C: いいえ、できるだけ早くカナダに移住する予定です。IELTSを受験しているのはそのためです。自分のための新しい生活を始められたらと思っています。

E: では、スポーツセンターについて話しましょう。あなたが住んでいる所にはスポーツセンターはたくさんありますか。

C: 私が住んでいる所の近くですか？　いいえ、あまりありません。私の家の近所にスポーツクラブが1つあって、小さいクラブですが、エアロビクスをしたりバーベルを上げたりしに行く人がいるんだと思います。私の家からは歩いて5分くらいです。他のスポーツ施設となると、隣町に行かなければなりません。

E: 人々が住んでいる所の近くにスポーツセンターがあることは重要でしょうか。

C: はい、そう思います。人々がスポーツ施設を利用できることは重要です。スポーツをして健康を保つ機会を得られますから。そうした施設がないと、市民の健康に悪影響があるかもしれません。スポーツ施設は多ければ多いほどいいと思います。

E: あなたの国では、人々はスポーツをすることに十分な時間を費やしていると思いますか。

C: んー……、一般的にはそうではないと思います。ほとんどの人は忙し過ぎるか怠惰過ぎるかで、どんな種類のスポーツ活動もしていません。もちろん例外もあります。例えば、東京のど真ん中にある皇居の周りをジョギングするのがはやっているらしいです。ですから、スポーツをすることに時間をたくさん費やす人とそうでない人の格差が広がっているのだと思います。

E: Are people in your country today more interested in sport than in the past?
C: Um ... it's hard to say really because I think ... it depends on the type of sport. People are more interested in some sports than they were in the past, especially football, or soccer, as it's called in Japan. I think the main reason is that in some sports Japanese players are more internationally competitive than they used to be.

E: Now, let's move on to talk about hotels. Do you often stay in hotels?
C: I wish I could, but unfortunately I rarely have a chance to stay in a hotel simply because I don't have to. I work at my desk most of the day, and so ... I don't make a business trip either in Japan or abroad. So the only occasions I can stay in a hotel are when I travel for sightseeing about once a year, which makes me very happy.

E: Does your country have a lot of big hotels?
C: Well, there are a lot of big hotels, yes. We have most of the major international hotel chains like ... um ... Hilton and ... Hyatt, and also some large Japanese hotels like the New Otani Hotel, for example. One of the main reasons should be ... that Japan is a popular destination for tourists. The number of foreign visitors has been increasing dramatically in recent years.

E: What sort of hotels are the most popular for business people?
C: As you may know, Japan is quite well known for its capsule business hotels, which are usually in big cities like Tokyo where business people can, um, or anybody really can, stay overnight in a very small capsule which has enough room for sleeping only. And these are popular with business people simply because they're very inexpensive.

E: Which do you prefer, small local hotels or big international hotels?
C: Well, it depends, really. If I'm on business and in a large city, I prefer to go to the familiar large hotels. I guess I prefer them because I understand their systems, and the way these hotels are run. But when I'm on holiday, whether in Japan or overseas, I often like to go to the smaller, ah, cosier and friendlier hotels.

E: Thank you.

E: 現在のあなたの国の人々は、昔よりスポーツに関心がありますか。
C: んー……、何とも言い難いですね。私が思うに……スポーツのタイプによるからです。いくつかのスポーツには、人々は昔より関心を持っています。特にフットボールですね、日本ではサッカーと言いますが。いくつかのスポーツでは、日本人選手が以前よりも国際的に戦える力をつけていることが主な理由だと思います。

E: では、話題をホテルに移しましょう。あなたはよくホテルに宿泊しますか。
C: そうできればいいのですが、残念ながらホテルに泊まる機会はほとんどありません。単にそうする必要がないからです。1日のほとんどはデスクワークをしていますので……日本でも外国でも、出張をすることがありません。ですから私がホテルに泊まることができる唯一の機会は、年に1回くらい観光旅行をするときで、とても幸せになります。

E: あなたの国に大きなホテルはたくさんありますか。
C: えー、はい、大きなホテルはたくさんあります。大手の国際ホテルチェーンのほとんどはあります……んー……ヒルトンとか……ハイアットとか、それに例えばホテルニューオータニのような日本の大型ホテルもいくつかあります。主な理由の1つは……日本が人気のある観光地だということでしょう。近年、外国人訪問者の数は飛躍的に増えています。

E: ビジネスで利用する人に最も人気があるのはどんなホテルでしょう。
C: ご存じかもしれませんが、日本はビジネス用のカプセルホテルでかなり有名です。カプセルホテルはたいてい東京のような大都市にあり、ビジネス客が、んー、実際は誰でも、何とか眠れるだけのスペースしかないとても小さなカプセルで1泊することができます。こうしたホテルは、とても安いという理由だけでビジネス客に人気があります。

E: 地方の小さなホテルと大きな国際ホテルではどちらの方が好きですか。
C: えー、状況次第です、実際。出張で大きな都市にいるとしたら、なじみのある大型ホテルに行く方がいいです。大型ホテルの方がいいのは、そうしたホテルのシステムと、どうやって運営されているかがわかっているからだと思います。ですが休暇のときは、日本であれ海外であれ、もっと小さな、あー、もっと居心地がよくて親しみやすいホテルによく行きます。

E: ありがとうございました。

語注

- packed like sardines：すし詰めになって
- cosy (英) = cozy：居心地のよい

PART 2

本冊：p.103　　19

回答例

E=Examiner（試験官）　C=Candidate（受験者）

E: **Now I'm going to give you a topic. I would like you to talk about it for one to two minutes. You'll have one minute to think about what you're going to say before you begin talking. Before you talk you can make some notes if you wish. Here is a pencil and some paper. Do you understand?**

C: Yes.

[1 minute]

E: **I'd like you to talk about someone you know who takes good photos. Remember, you have one to two minutes for this. Don't worry if I stop you. I'll tell you when the time is up. Can you start speaking now, please?**

C: I'm going to talk about someone I know who is really good at photography, and that is my brother. My brother has a DSLR semi-professional camera. I can't remember the brand but I'm pretty sure it's a Japanese one, Canon, maybe. He often uses it when he travels or when he meets friends and family. Whenever he goes to different places, he likes to take pictures of the people there. He also takes pictures of beautiful scenery, interesting buildings or anything that he finds interesting when he's out and about. Um, when he's finished taking his pictures, he usually saves them onto his computer and he likes to use software like Photoshop to, um, you know, rearrange and adjust his photos and organise them. Oh, and one thing he's been doing quite recently, actually, is printing out the photos and putting them into attractive little frames and giving them to people as gifts for birthdays or for visits — it's such a nice thing to do, I think. The software he uses to improve his pictures seems really complicated, but he knows how to use it really well. I think that he's a really good photographer because he has a good eye for detail, and he has a good sense of shape and balance, so his pictures often look quite professional. I think he really enjoys photography and works really hard to try and make his photographs look good after he has taken the picture.

E: **Thank you. Have you told anyone else about your brother's photography?**

C: Um, no, not really. I think I mentioned to my wife that he is good with his cameras and that's about it.

E: **Do you like to take photographs?**

C: Yes, I do. Especially when I travel. I often take pictures of my family and print them out and put them on the

回答例の訳

E: これからトピックを渡します。それについて、1分から2分話をしてほしいと思います。話を始める前に、何について話すかを考える時間が1分あります。話す前に、ご希望ならメモを取っても構いません。ここに鉛筆と紙があります。わかりましたか。

C: はい。

[1分]

E: あなたの知り合いでいい写真を撮る人について話してほしいと思います。繰り返しますが、話す時間は1分から2分です。私が途中で止めても、心配しないでください。制限時間が来たらお知らせします。それでは、スピーチを始めてもらえますか。

C: 私の知り合いで、写真を撮るのが本当にうまい人について話します。それは私の弟です。弟はセミプロ用のデジタル一眼レフカメラを持っています。ブランドは思い出せませんが、間違いなく日本のブランドです。キヤノンかもしれません。弟は、旅行したり友人や家族と会ったりするときによくそのカメラを使います。いろいろな場所に行くたび、弟はそこの人たちの写真を撮るのが好きです。それに、美しい風景や興味深い建物、歩き回りながら興味深いと感じたものなら何でも写真を撮るのが好きです。んー、弟は写真を撮り終わると、たいていパソコンに保存し、フォトショップのようなソフトを使って、んー、あのー、自分が撮った写真を並べ替えて調整し、写真を整理するのが好きです。あー、ごく最近弟がしていることが1つありまして、何かと言うと、写真を印刷して小さい魅力的なフレームに入れ、誕生日や訪問時のプレゼントとして人にあげることです。とても素敵なことだと思います。撮った写真を手直しするために弟が使っているソフトはとても複雑に思えますが、弟は使い方をとてもよく知っています。弟はとてもいい写真家だと思います。細部までよく見る目を持っていますし、形とバランスの感覚が優れているので、弟が撮った写真はしばしば玄人はだしに見えるからです。弟は写真の撮影を本当に楽しんでいて、写真を撮った後も、写真がよく見えるようにするため真剣に努力していると思います。

E: ありがとうございました。弟さんの写真撮影のことを他の誰かに話したことはありますか。

C: んー、いえ、あまり。弟はカメラの扱いがうまいと妻に話したと思いますが、それくらいです。

E: あなたは写真を撮るのが好きですか。

C: はい、好きです。特に旅行中は。よく家族の写真を撮って印刷し、壁に張っています。

wall.

E: **Thank you. Can I have the pencil and paper back, please?**

E: ありがとうございました。鉛筆と紙を戻していただけますか。

語注

- □ DSLR (= digital single lens reflex)：一眼レフ
- □ out and about：動き回って
- □ rearrange：〜を並べ替える
- □ that's about it：(話すことは)それで全部だ

PART 3

本冊：p.104　🎧 20

回答例

E=Examiner（試験官）　　C=Candidate（受験者）

E: We've been talking about someone you know who takes good photos. We are now going to discuss some more general questions related to this topic. First, let's consider photos in general. Do you think people today take more photos than they used to?

C: Um, I think probably they do, yes, since these days most people in the world have smartphones which have very high-quality cameras. They can replace stand-alone cameras. This means that people take more and more photos because they're always carrying the phone, and therefore, they're always carrying a camera around. Another reason why people are taking more photographs now is that there are lots of ways that people can share their photographs online with programs, I mean um, applications, like Instagram and Facebook and Twitter where people can upload pictures as soon as they've taken them and share them with friends and family.

E: What kinds of photos do most people like to keep or send to other people?

C: People like to send photos of themselves, called 'selfies', and their friends and things that they like around them. I think people usually send photos of themselves together with friends a lot these days. They might keep these pictures on their phones or computers and never send them to anyone, though; that's what I tend to do anyway; I really should do something with my pictures.

E: Do you think people should take lessons to learn how to take professional photos?

C: I think there is so much information online these days that they probably don't really need to. I mean, there are instruction videos on YouTube and there are websites designed specifically for the purpose of teaching people how to do good photography. What is more, a lot of the smartphones these days have instructions and guides within photo apps that give you guidance on, um, white balance and whether we should use a flash or not, for instance. Certainly, though, taking lessons in anything can improve the way you do it.

E: Let's move on now to talk about media and photography. What are some of the differences between written news stories and news stories with photos?

回答例の訳

E: あなたの知り合いでいい写真を撮る人について話してきました。これから、このトピックに関連するいくつかのもっと一般的な質問について議論をします。まず、写真一般について検討しましょう。今の人たちは以前よりたくさん写真を撮ると思いますか。

C: んー、はい、たぶんそうだと思います。近ごろは世界のほとんどの人が、非常に高品質のカメラが付いたスマートフォンを持っているわけですから。それらは単体のカメラに取って代わることができます。これは、人々が撮る写真がどんどん増えていることを意味しています。人々は常にスマホを持ち歩いていて、従って常にカメラを持ち歩いているからです。今、人々がより多くの写真を撮るようになっているもう1つの理由は、自分が撮った写真をオンラインで共有できる方法がたくさんあることです。インスタグラムやフェイスブックやツイッターのようなプログラム、つまり、んー、アプリを使えば、写真を撮ったらすぐにそれをアップロードして、友人や家族と共有できます。

E: ほとんどの人は、どんな種類の写真を保存したり他の人に送ったりするのを好むでしょうか。

C: 人々が送るのを好むのは、自分の写真、「自撮り」と呼ばれるものですが、それから友人や、身の回りで好きな物の写真です。近ごろはたいてい、自分が友人と一緒に写った写真を多く送ると思います。こうした写真をスマホやパソコンに保存しておいて、誰にも送らないのかもしれませんが。それは結局私がやりがちなことです。自分が撮った写真をとにかくどうにかしなければなりません。

E: 人々はプロのような写真の撮り方を学ぶためにレッスンを受けるべきだと思いますか。

C: 近ごろはネットにとてもたくさん情報があるので、そうする必要はたぶんあまりないと思います。つまり、ユーチューブに解説動画がありますし、いい写真の撮り方を教える目的で特別に作られたサイトがあります。さらに、近ごろのスマートフォンの多くには、写真アプリの中に解説と手引きがあり、んー、例えばホワイトバランスや、フラッシュを使うべきかどうかについて指示してくれます。どんなことでもレッスンを受ければ上手にできるようになるのは間違いないですが。

E: では、メディアと写真に話を移しましょう。文字だけのニュース記事と写真付きのニュース記事の違いにはどんなものがあるでしょうか。

C: Well, I think having photographs in a news item can help the reader to kind of develop an image of the situation — the context in which the news event happened. Most people will prefer to read a news article with a photograph to get a description of the place, the atmosphere and the kind of people involved, like the expressions on people's faces.

E: **Do you think it is okay for news organisations to ask people to send in their own photos of news events as they are happening?**

C: Yes absolutely, why not? I think that a lot of news agents do this already, because everybody carries around a camera with them these days just by having their smartphones, so news organisations can take advantage of this, by potentially having them as photographers anywhere something is happening in the world. They can get photos and videos of a particular news event and get them instantly. So, yes, I think it's invaluable for news organisations to get people to send them photos.

E: **Photos can now be sent immediately from one side of the world to the other within minutes. How has this changed journalism?**

C: I think in some ways it has really changed, um, journalism. The speed at which events can be reported and photos of those events can be presented to the public has, kind of, revolutionised journalism. Now, a news organisation can have updates with photos as news events unfold. For example, the BBC and other large news organisations have live updates with pictures on their websites or via Twitter when very significant events are happening — it's very impressive, I think, and of course, it's important as a service for the public.

E: Thank you, our time is up now. That's the end of the speaking test.

C: えー、ニュースに写真があると、読み手が状況のイメージをいくらか膨らませるのに役立ち得ると思います。つまり、そのニュースの事件が起きた文脈ですね。ほとんどの人は、場所や雰囲気や関与した人のタイプ、人々の顔の表情とかですが、そうしたことを説明してもらうのに、写真付きのニュース記事を読む方を好むでしょう。

E: 事件が発生しているときに自分たちの写真を提供してほしいと報道機関が人々に頼んでも構わないと思いますか。

C: はい、まったく構いません。問題ないですよね？ 多くの通信社は既にそうしていると思います。近ごろは誰でもスマートフォンを持っているだけでカメラを持ち歩いているわけですから。ですから報道機関は、世界で何かが起きているどこででも、潜在的に彼らをカメラマンとして持っていることで、この状況を利用できるわけです。報道機関は特定のニュースの事件の写真と動画を、即座に手に入れることができます。ですから、はい、人々に写真を送ってもらうことは、報道機関にとって計り知れない価値があると思います。

E: 写真は今では、数分のうちに世界の一方から他方へ直接送ることができます。このことはジャーナリズムをどのように変えたでしょうか。

C: いくつかの点においてこのことは、んー、ジャーナリズムを大きく変えたと思います。事件が報道され、そうした事件の写真が大衆に届けられることが可能なスピードは、ある意味ジャーナリズムに革命をもたらしました。今では、報道機関はニュースの事件の進展とともに写真をアップデートできます。例えばBBCをはじめとする大手報道機関は、非常に重大な事件が起きているとき、自社のウェブサイトで、あるいはツイッター経由で、写真をライブアップデートします。これはとてもすごいことだと思いますし、もちろん、大衆向けサービスとして重要です。

E: ありがとうございます、制限時間が来ました。これでスピーキングテストを終わります。

語注

- stand-alone：独立した
- selfie：自撮り写真
- specifically：特に、とりわけ
- app：アプリ

解説

話の流暢さと論理的一貫性

　パート1、パート3においては、どの質問に対しても、まずショートアンサーで答えた後で、それを説明する形を取っています。また、途中でoff-topic（脱線）になることなく、論理的一貫性を持って回答しています。パート2では、言及すべきポイントが必ず4つ挙げられます。スピーチの構成の基本は、その4つのポイントそれぞれにつき最低1～2センテンスを充て、さらに1つか2つのポイントについてはより詳しく述べることができるのが目標です。この回答例では、whoについてはmy brother以上に詳しく説明することが難しいため、彼が持っているカメラを説明することでwhoの部分の補足情報としています。最も詳しく説明しているのがwhat he does with his photosのポイントで、3センテンスを充てています。

語彙の豊富さと適切さ

※回答例内で(波線)で表示

　以下のような単語や表現を練習で使い、本試験において使えるようにしておきましょう。

▶ **確実に使えるようにしたい基本語句**

about 5 minutes' walk from ... / keep fit / the more ... the better / spend ... doing / in general / as it's called in Japan / internationally competitive / simply because SV / the way SV / whether in Japan or overseas / whenever SV / find ... interesting / for the purpose of doing / what is more / the context in which SV / take advantage of ... / the speed at which SV

▶ **表現の幅を広げられる文**

It provides opportunities for people to do / There are exceptions. / The gap is widening between A and B / It's hard to say really because ... / It depends on the type of ... / I wish I could, but unfortunately ... / I rarely have a chance to do / It's such a nice thing to do / Another reason why SV is that SV ...

▶ **写真の撮影、加工、共有などに関する表現**

take good photos / adjust [organise] one's photo / a good eye for detail / a good sense of shape and balance / good with one's camera / share one's photographs online / be sent from one side of the world to the other within minutes / live updates with pictures on their websites or via Twitter

文法の幅広さと正確さ

※回答例内で(下線)で表示

　スピーキングでは特にパート3において、質問の中に試される文法が隠されています。

▶ Do you think people today take more photos than they used to?

比較級

▶ What kinds of photos do most people like to keep or send to other people?

修飾表現（この場合、前置詞や関係代名詞などphotosを修飾するための文法が必要）

▶ Do you think people should take lessons to learn how to take professional photos?

アドバイスの表現（この回答例では、don't really need to、whether we should use、S can improve ... など）

▶ What are some of the differences between A and B?

相違点を述べるための文法（この回答例ではprefer to doを使って表現）

▶ Do you think it is okay for news organisations to ask people to do?

賛成・反対およびその理由を表現するための文法

▶ How has this changed journalism?

現在完了形（この回答例ではまず現在完了形で答えた後、現在のことを述べることで変化を表現）

発音

※回答例内で(点線)で表示

　この回答例の中では、特に以下の単語が語の発音が間違いやすいものです。音声を聞いて正しく発音できるようにしておきましょう。

▶ **発音に気を付けるべき語**

soccer（サッカーの「ッ」の部分を省いて発音するイメージ）、business（「ジ」「ズィ」ではなく「ズ」）、travel（「ベル」ではない）、scenery（「シ」ではない）

▶ **アクセントに気を付けるべき語**

spórts club、fóotball、photógraphy、cómplicated、photógrapher、Ínstagram、YóuTube、bálance、úpdate（動詞はupdáte）

▶ **発音・アクセント両方に気を付けるべき語**

hotél（「ホ」でなく「ホウ」）、phótograph（「フォ」でなく「フォウ」）、smártphone（「ホン」「フォーン」でなく「フォウン」）、Fácebook（「フェー」でなく「フェイ」）、Twítter（「ツ」ではなく「トゥ」）、ímage（「イメージ」でなく「イミジ」）

TEST 3
解答・解説

LISTENING 解答・解説 …………… 90
READING 解答・解説 …………… 107
WRITING 解答・解説 …………… 118
SPEAKING 解答・解説 …………… 122

Test 3 解答一覧

※バンドスコアについてはp.129をご覧ください。

Listening

#	Answer	#	Answer
1	Country / country	21	regulations
2	(Your / your) Personal / personal	22	efficient
3	business	23	status
4	school fees	24	government
5	48 / forty-eight	25	(external) relationships
6	Reference Number / reference number	26	financial results
7	three days / 3 days	27	satisfaction
8	$30 / 30 dollars / thirty dollars	28	loyalty
9	$10,000 / 10,000 dollars	29	innovation
10	special code	30	growth opportunities
11	G	31	wind
12	H	32	food source(s)
13	E	33	healthy soil
14	C	34	new varieties
15	A	35	time-consuming / time consuming
16	F	36	Biological control / biological control
17	B	37	unpredictable
18	public transport / transportation	38	repel / fend off / drive away
19	sites	39	migrate
20	traffic lights	40	profits

Reading

1	B		21	E
2	D		22	A
3	C		23	G
4	A		24	C
5	B		25	B
6	falling		26	F
7	light sleep		27	D
8	(the) immune system		28	ix
9	(the) heart rate		29	vi
10	(are) immobilised		30	viii
11	learning and memory		31	iii
12	(migraine) headaches		32	i
13	A		33	x
14	B		34	v
15	I		35	B
16	N		36	C (順不同)
17	H		37	E
18	C		38	B (順不同)
19	L		39	D
20	F		40	C

LISTENING

SECTION 1　　Questions 1-10

本冊：p.106-107　🎧 21

スクリプト	スクリプトの訳

You will hear a number of different recordings and you will have to answer questions on what you hear. There will be time for you to read the instructions and questions and you will have a chance to check your work. All the recordings will be played once only.
The test is in 4 sections. At the end of the test you will be given 10 minutes to transfer your answers to an answer sheet.
Now turn to Section 1.

SECTION 1

You will hear a telephone conversation between a bank representative and a client who wants to make an international money transfer. First, you have some time to look at Questions 1 to 6.

[20 seconds]

You will see that there is an example that has been done for you. On this occasion only the conversation relating to this example will be played first.

WOMAN: Wesley Bank, how can I help you?
MAN: Oh, hi. Um, I want to know how to send money to my family overseas.
WOMAN: No problem. If you have access to the Internet, I can guide you through the process of how to use our 例 **global payments** system.

The bank representative says she will tell the man how to use the global payments system, so **global payments** has been written in the space. Now we shall begin. You should answer the questions as you listen because you will not hear the recording a second time. Listen carefully and answer Questions 1 to 6.

WOMAN: Wesley Bank, how can I help you?
MAN: Oh, hi. Um, I want to know how to send money to my family overseas.
WOMAN: No problem. If you have access to the Internet, I can guide you through the process of how to use our **global payments** system.
MAN: That's great. I'm online now.
WOMAN: Good. First, you have to log on to Wesley Bank Internet Banking and select Transfer Money.

これからいろいろな録音をいくつか聞き、聞いたことに関する質問に答えてもらいます。指示文と質問を読む時間があり、解答を確認する機会があります。すべての録音は1度だけ再生されます。

テストは4つのセクションに分かれています。テストの最後に、答えを解答用紙に書き写すために10分間が与えられます。

ではセクション1に移りましょう。

セクション1

銀行の係員と、海外に送金したい顧客との電話での会話を聞きます。最初に、質問1-6を見る時間が少しあります。

[20秒]

答えが書かれている例があるのがわかります。この場合に限り、この例に関する会話が最初に再生されます。

女性：ウェズリー銀行でございます。どういったご用件でしょうか。
男性：あー、すみません。えー、海外の家族にお金を送る方法を知りたいのですが。
女性：かしこまりました。インターネットに接続されていれば、当行の国際決済システムの利用方法の手順をご案内できます。

銀行の係員は国際決済システムの使い方を男性に教えると言っているので、空所には global payments と書かれています。それでは始めます。録音を2回聞くことはないので、聞きながら質問に答えなければなりません。よく聞いて質問1-6に答えなさい。

女性：ウェズリー銀行でございます。どういったご用件でしょうか。
男性：あー、すみません。えー、海外の家族にお金を送る方法を知りたいのですが。
女性：かしこまりました。インターネットに接続されていれば、当行の国際決済システムの利用方法の手順をご案内できます。
男性：それはありがたいです。今ネットにつながっています。
女性：結構です。まずウェズリー銀行のインターネットバンキングにログオンして、「送金」を選んでいただかねばな

MAN:	Okay.
WOMAN:	Once you've done that, select International Money Transfer.
MAN:	Um ... I don't see ...
WOMAN:	It's the first option under the heading of International Services.
MAN:	Right, I've found it.
WOMAN:	Now, click on Payment Destination **1 Country** and scroll down to the location you wish to send money to. It's all in alphabetical order.
MAN:	Oh, yes, Zimbabwe — I've got it, right at the bottom.
WOMAN:	Good. Then Step Three is to fill in **2 your Personal** Details ... name, address and contact phone number.
MAN:	Uh huh. Done that. When I put in my phone number, my other details popped up automatically.
WOMAN:	Yes, that will happen, but take a moment just to check that everything is correct. Then we'll move on to Transaction Details.
MAN:	So this is where I select the account that the money comes out of?
WOMAN:	Yes, you have a transaction account, a savings account and a **3 business** account. Which one did you want to choose?
MAN:	It had better be my savings account.
WOMAN:	Okay, have you clicked on that?
MAN:	Yes, but ... next it says 'enter a payment reason' — why do I have to give a reason?
WOMAN:	Ah, well, I'm afraid that's a legal requirement — you can't send money overseas without a valid reason.
MAN:	My mother needs to pay for an urgent medical procedure and I have to pay for my sister's **4 school fees**, as well. Will that do?
WOMAN:	Yes. Both are valid reasons.
MAN:	Thanks. What now?
WOMAN:	The next step is to fill in the Recipient Account Details.
MAN:	Sorry?
WOMAN:	You need to enter the account name and number of the person who will receive the money.
MAN:	Oh, I see, of course. But I haven't got that information with me at the moment. I'm at the office and those details are at home.
WOMAN:	Don't worry — you can return to this page and fill it in later — you can save what you've done so far and defer completion. Don't leave it too long, though — the system will hold it for no more than two days. After **5 forty-eight** hours you'll have to start over again.
MAN:	That's fine; I can do it this evening. Is there much more?

WOMAN: After the Account Details, you'll need to fill in the Bank Details of the person you are transferring money to — the name, branch and address of the bank.

MAN: That should be easy enough. Anything else?

WOMAN: No. Once you've completed everything, a confirmation page will appear — just ensure all the information you have entered is correct and press Submit. Then print off the receipt page. If you haven't got a printer at home, just make a note of your Transaction **6 Reference Number**.

....

Before you hear the rest of the conversation, you have some time to look at Questions 7 to 10.

[20 seconds]

Now listen and answer Questions 7 to 10.

MAN: When can my family expect the money? Will they get it within the next five days?

WOMAN: It takes **7 three days** to process but, of course, we can't be responsible for any delays arising from the recipient bank.

MAN: I understand. And, is there a charge for Internet transfers? When I did this through a teller at the bank last year, I was charged forty dollars.

WOMAN: It does cost more to use a teller but the Wesley Bank will only deduct **8 thirty dollars** from your account per online international transaction. However, we have no control over any fees that may be charged by other financial institutions at the receiving end.

MAN: How much can I send in one transaction?

WOMAN: Well, that depends on your bank balance but, assuming you have enough funds, the upper limit is **9 ten thousand dollars**. By the way, you'll need to use a special security token to transfer more than five thousand dollars.

MAN: You mean my secret password?

WOMAN: You'll definitely need that but you'll also need a security token. That's a **10 special code** that the bank gives you. Just call into your local branch, with photo ID, and they will arrange it for you. Is there anything else I can help you with or do you have any more questions?

MAN: No, thank you. That's all I need to know for now.

That is the end of Section 1. You now have half a minute to check your answers.

....

女性：「口座情報」の後で、お金を送る相手の「銀行情報」を記入する必要があります。銀行の名前と支店名と住所です。

男性：それはまあ簡単でしょう。他にありますか。

女性：いえ。全部完了すると、確認ページが現れます。入力した情報がすべて正しいことを確認して、「送信」を押してください。それから領収書のページを印刷してください。ご自宅にプリンターをお持ちでなければ、「取引照会番号」をメモしてください。

....

会話の残りを聞く前に、質問7-10を見る時間が少しあります。

[20秒]

では聞いて質問7-10に答えなさい。

男性：家族はいつお金が届くと当てにしていいですか。5日以内に受け取れますか。

女性：処理に3日かかりますが、受取先の銀行側の理由で何か遅れが生じても、もちろん当行は責任を負いかねます。

男性：わかりました。それから、インターネットでの送金に手数料はかかりますか。去年銀行の窓口で送金したときは、手数料が40ドルかかりました。

女性：窓口を使った方が確かにお金はかかりますが、ウェズリー銀行は、オンラインの国際取引1件につき口座から30ドル差し引くだけです。ですが、受取側の他の金融機関から何か料金を請求されたとしても、それを当行がどうこうすることはできません。

男性：1回の取引でいくら送れるんですか。

女性：えー、それはお客さまの銀行残高次第ですが、十分に資金をお持ちだとすると、上限は1万ドルです。ところで、5千ドルより多く送金するには、特別なセキュリティートークンを使う必要があります。

男性：秘密のパスワードのことですか。

女性：それは絶対に必要ですが、セキュリティートークンも必要になります。これは銀行が発行する特別な暗号です。写真付きの身分証明書をお持ちになってお客さまの地元の支店にお立ち寄りいただければ、そちらで手配いたします。他に何かお手伝いできることはあるでしょうか、あるいは他にもっと質問はございますか。

男性：いえ、結構です。とりあえず知る必要があるのは以上です。

これでセクション1は終わりです。答えを確認する時間が今から30秒あります。

TEST 3　LISTENING

語注
- □ pop up：急に現れる
- □ transaction：取引
- □ valid：正当な根拠のある
- □ recipient：受取人
- □ defer：〜を延期する
- □ confirmation：確認
- □ teller：(銀行の)窓口係
- □ deduct：〜を差し引く
- □ balance：残高
- □ assuming：〜と仮定すると
- □ call into ...：〜に立ち寄る

Questions 1-6 [解答]

1 Country / country
2 (Your / your) Personal / personal
3 business　　　　4 school fees
5 48 / forty-eight
6 Reference Number / reference number

● 問題文の訳

次のフローチャートを完成させなさい。
それぞれ2語以内か数字1つ、あるいはその両方で答えを書きなさい。

海外に送金する

例
ステップ1：　国際決済　システムにアクセスする
　　　　　　—ウェズリー銀行のインターネットバンキングにログオンする
　　　　　　—「送金」を選ぶ
　　　　　　—「国際送金」を選ぶ(国際サービスの下)
　　　　　　　　　↓
ステップ2：「支払い先の 1　国　」をクリックする
　　　　　　—下にスクロールして場所を選択する
　　　　　　　　　↓
ステップ3：「2　個人　情報」を入力する
　　　　　　—名前、住所、電話番号
　　　　　　　　　↓
ステップ4：「取引詳細」
　　　　　　—取引、普通、または 3　ビジネス　口座を選ぶ
　　　　　　—理由を入力：医療、4　学費
　　　　　　　　　↓
ステップ5：「受取人口座情報」
　　　　　　—口座名と番号
　　　　　　(注：5　48　時間以内にページの記入を完了する)
　　　　　　　　　↓
ステップ6：「受取人銀行情報」
　　　　　　—名前、支店、住所
　　　　　　　　　↓
ステップ7：「確認ページ」
　　　　　　—「送信」を押す
　　　　　　—領収書を印刷するか取引 6　照会番号　を書き留める

解説

1 海外送金の手順を聞き取る問題で、最初のステップです。空欄の前と同じ click on Payment Destination という表現がそのまま聞こえてきますので、それに続く Country を書き取れ

ば正解です。なお、IELTS では大文字・小文字の違いは問われませんので、Country、country どちらでも構いません。

2 Then Step Three is to fill in your Personal Details と述べていますので、(Your / your) Personal / personal が正解となります。fill in (記入する) が空欄の前では Enter (入力する) と言い換えられています。

3 account (口座) の種類が 3 つ並列されていますので、savings の次に聞こえてくるものを書き取ればよい素直な問題です。a transaction account, a savings account and a business account と言っていますので、business が正解となります。なお、savings account はアメリカ英語では「普通預金口座」、イギリス英語では「定期預金口座」を意味します。この問題では前者ですが、知らなくても解くことはできます。

4 送金理由として medical care (医療費) の次に聞こえてくるものを書き取る問題です。... and I have to pay for my sister's school fees と言っていますので、school fees (学費) が正解となります。fee は可算名詞ですので、複数の -s がないと不正解となります。

5 何時間以内に記入を完了するかについては、the system will hold it for no more than two days. がヒントとなり、それに続く After forty-eight hours you'll have to start over again. という部分で 48 という答えが確定します。なお、数字に関しては (million のように桁数が多い場合を除いて) つづりではなく、数字を書くことでスペルミスを避け、時間を節約することができます。

6 If you haven't got a printer at home, just make a note of your Transaction Reference Number. という部分から、印刷するか照会番号を書き留める必要があるとわかるので、正解は Reference Number となります。空欄の前の write down は make a note of ... (〜を書き留める) の言い換えです。

Questions 7-10 [解答]

7 three days / 3 days
8 $30 / 30 dollars / thirty dollars
9 $10,000 / 10,000 dollars
10 special code

● 問題文の訳

下の質問に答えなさい。
それぞれ2語以内か数字1つ、あるいはその両方で答えを書きなさい。

7　ウェズリー銀行が送金を処理するのにどれくらいの期間がかかるか。
　　3日

8 ウェズリー銀行からのオンラインの国際取引1回ごとにいくらかかるか。
   30ドル
9 送金1回ごとの最高限度額はいくらか。
   1万ドル
10 セキュリティートークンとは何か。
   特別な暗号

解説

7 送金処理の日数についてです。男性が Will they get it within the next five days? と尋ねたのに対して、女性が It takes three days to process と答えていますので、three days / 3 days が正解となります。

8 オンラインでの送金にかかる費用です。the Wesley Bank will only deduct thirty dollars from your account per online international transaction という部分から、$30 が正解となります。この問題のように通貨記号が書かれていない場合には、記号 ($, £, €) またはつづり (dollars, pounds, euros) を書かないと不正解となってしまいます。

9 限度額については、the upper limit is ten thousand dollars と述べていますので、$10,000 / 10,000 dollars が正解となります。the upper limit が問題文では the maximum amount (最大の額) と言い換えられています。

10 セキュリティートークンについては、you'll also need a security token と述べた後で、That's a special code that the bank gives you. と説明されていますので、special code が正解となります。なお、code は「コウド」、cord は「コード」で発音が異なります。

SECTION 2 　Questions 11-20　　本冊：p.108-109　🎧 22

TEST 3 ■ LISTENING

スクリプト

Now turn to Section 2.

SECTION 2

You will hear a town chancellor talking about a plan for the re-development of the Bayfield town centre. First, you have some time to look at Questions 11 to 17.

[20 seconds]

Now listen carefully and answer Questions 11 to 17.

Good evening. I've been asked to speak to you about the proposed plan for the improvement of our town centre. As you know, there was extensive community consultation before the designers were engaged. I'm sure you'll agree that a great many of your concerns have been acknowledged and incorporated into the draft plan that you see before you.

Firstly, you'll notice that the existing **11** supermarket has been enlarged — it's the biggest building you see on the plan, on the south side of the Main Street Mall. You can see that the part of Main Street in the town centre has been turned into a pedestrian mall. We're planning extensive plantings of shrubs and small trees to provide shade. There'll be plenty of parking for supermarket shoppers on the west side of the building and a few spaces to the south facing the **12** park. The park will not be touched except for the addition of a small artificial lake, which we hope will attract ducks and other bird-life.

We've taken into account your petition not to expand the tavern. I know some of you wanted it removed from the town centre altogether, so it will be discreetly screened from public view by more trees. The existing car park at the rear of the tavern will remain. Opposite the tavern, on the other side of Main Street, there will be a covered **13** market. The Saturday farmers' market is hugely popular but stall holders have suffered from a lot of bad weather recently. We think everyone will be happy with this part of the re-development.

These two rectangular buildings here, in the middle of the plan, are new. We plan to demolish the existing shops, some of which are unsound anyway, and put up these two modern buildings instead. The one across Bay Road from the market will house boutiques, delicatessens and other speciality shops all under one roof. The other one to the west will contain **14** offices

スクリプトの訳

ではセクション 2 に移りましょう。

セクション 2

町長がベイフィールド繁華街の再開発計画について話すのを聞きます。最初に、質問 11-17 を見る時間が少しあります。

[20 秒]

ではよく聞いて質問 11-17 に答えなさい。

こんばんは。提案されている町の繁華街の改良計画について皆さんにお話しするよう、依頼を受けました。ご存じのように、設計者を雇う前に、地域で広範な協議が持たれました。皆さんの関心事の大多数が認められ、今ご覧になっている計画案に取り入れられていることにご賛同いただけると確信しております。

第 1 に、既存のスーパーマーケットが拡張されていることが目に留まるでしょう。スーパーは図面に見える最も大きな建物で、大通りショッピング街の南側にあります。大通りの繁華街の部分が歩行者天国に変わっていることがおわかりでしょう。低木と小さな木を大規模に植えて、日陰ができるようにする計画です。スーパーの買い物客用に、建物の西側に広い駐車場と、公園に面した南側にも若干のスペースを設けます。公園は、小さな人造湖を新設する以外は手を付けません。人造湖はカモなどの鳥を呼び寄せてくれると期待しています。

酒場を拡張しないようにという皆さんの請願を考慮いたしました。繁華街から酒場を全面的に撤去してほしいとお考えの方もいらっしゃいましたので、人目に付かないよう、もっと木を植えて慎重に遮ります。酒場の裏にある既存の駐車場はそのまま残ります。酒場の向かい、大通りの反対側は、屋根付きの市場です。土曜日の農家市場は大人気ですが、露店主は最近の悪天候続きで被害を受けています。再開発のこの部分に関しては、誰もが満足すると思います。

ここ、図面の中央ですが、この 2 つの長方形のビルは新しいものです。既存の店舗は取り壊す計画です。これらの店舗の一部はどっちみち状態が悪いですから、代わりにこの近代的なビル 2 棟を建てます。市場からベイ通りを挟んだビルには、ブティックやデリカテッセンなどの専門店がすべて 1 棟の中に入ります。西側のもう一方のビルにはオフィスが入り、1 つのビルの中で町のすべての専門家を気軽に利用できるようになり

95

so you'll have convenient access to all the professionals in town inside one building.

The swimming pool will remain where it is, of course. The school is a major user of the pool so, to make it safer for students to cross Swan Road, a pedestrian crossing will be installed in front of the school **15** gymnasium. You can see we've planned a gap in the trees here, on the Main Street Mall, so that students will be able to walk across the Main Street Mall straight to the pool. Another pedestrian crossing to the west of the pool will give students and other users safer access to the new **16** library, here. Library users will be able to share the supermarket parking.

We expect that Swan Road may become a busier thoroughfare once the Main Street has been converted to pedestrians only; but we'll address that issue in the second stage of the development. In the meantime, the east end of Swan Road will be converted into a public car park — here, between the **17** council building and the market.

Before you hear the rest of the announcement, you have some time to look at Questions 18 to 20.

[20 seconds]

Now listen and answer Questions 18 to 20.

I'll deal with any questions you may have at the end of this talk. In the meantime, I'll give you some idea of what the second stage of development will involve. In line with the overwhelming concern of Bayfield inhabitants, improved **18** public transport is definitely at the forefront of the next stage. We're planning to develop a modern transportation hub on the outskirts of town. Another issue we want to address is the lack of playgrounds and sporting facilities. These could be part of Stage Two depending on the council's ability to purchase appropriate **19** sites. As I mentioned earlier, traffic may become a problem in Swan Road. Once Main Street has been blocked off, the council will study the speed, flow and density of vehicles on Swan Road and decide on appropriate measures. I know the council's preference would be to install **20** traffic lights on either side of the pedestrian crossing, but they'll consider other options to alleviate traffic problems, like diverting non-essential vehicles to a back road.

Are there any questions?

That is the end of Section 2. You now have half a minute to check your answers.

ます。

プールはもちろん今の場所と変わりません。プールを主に利用するのは学校ですので、生徒がスワン通りをより安全に渡れるよう、学校の体育館の前に横断歩道を設置します。大通りショッピング街のここの街路樹に切れ目を計画したのがおわかりいただけると思います。これは、生徒たちが大通りショッピング街を渡ってプールまで真っすぐ歩いて行けるようにするためです。プールの西側のもう1つの横断歩道は、生徒や他の利用者がより安全にここ、新しい図書館に行けるようにするものです。図書館の利用者はスーパーの駐車場を共同で使用することができます。

大通りが歩行者専用に変わると、スワン通りがもっと交通量の多い通りになるかもしれないと予想されますが、その問題には開発の第2段階で取り組みます。それまでの間、スワン通りの東の端を公共駐車場に変えます。ここですね、議会場と市場の間です。

発表の残りを聞く前に、質問18-20を見る時間が少しあります。

[20秒]

では聞いて質問18-20に答えなさい。

質問がおありかもしれませんが、話の最後にどんな質問にでもお答えします。それまで、開発の第2段階がどんな内容なのかを少しご説明します。ベイフィールド住民の圧倒的な関心に従って、公共交通機関の改善が間違いなく次の段階の最重要課題です。町の郊外に、近代的な交通機関の中心地を開発する計画です。取り組みたいと考えているもう1つの課題が、運動場とスポーツ施設の不足です。これは、議会が適切な敷地を購入できるかによって、第2段階の一部になるかもしれません。先ほども触れましたが、スワン通りでは交通量が問題になるかもしれません。大通りが封鎖されたら、直ちに議会がスワン通りの車両のスピードと流れと込み具合を調査し、適切な対策を決定します。議会は横断歩道の両側に信号を設置するのがよいと考えるでしょうが、どうしても必要ではない車両は裏通りに迂回させるなど、交通問題を緩和する他の選択肢を検討することになります。

何か質問はございますか。

これでセクション2は終わりです。答えを確認する時間が今から30秒あります。

TEST 3 ■ LISTENING

語注

- consultation：相談、協議
- incorporate A into B：
  A を B に取り入れる
- pedestrian mall：歩行者天国
- planting：植え付け
- shrub：低木
- petition：嘆願、請願
- tavern：酒場、バー
- discreetly：慎重に、控えめに
- stall：露店、屋台
- rectangular：長方形の
- demolish：〜を取り壊す
- unsound：（建物が）状態が悪い
- house：〜を収容する
- under one roof：同じ建物の中に
- pedestrian crossing：横断歩道
- thoroughfare：道路、通り
- in line with ...：〜に従って
- inhabitant：居住者、住民
- forefront：最先端、最重要部
- hub：中心、中枢
- outskirts：郊外
- alleviate：〜を和らげる、軽減する
- divert：〜のコースを変えさせる
- non-essential：重要でない

Questions 11-17 [解答]

11 G　12 H　13 E　14 C　15 A　16 F　17 B

●問題文の訳

次の図面でどれがどれに当たるか答えなさい。
質問 11-17 の解答欄に A-I のうち正しい文字を書きなさい。

ベイフィールド繁華街改良の図面

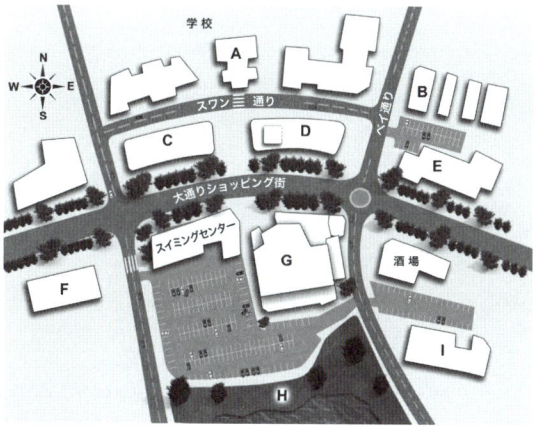

11　スーパーマーケット
12　公園
13　市場
14　オフィス棟
15　体育館
16　図書館
17　議会

解説

11 各建物が図面の中のどこにあるかが問われています。スーパーマーケットは、the existing supermarket has been enlarged の後で、it's the biggest building you see on the plan, on the south side of the Main Street Mall と言っていますので、Main Street Mall の南の大きな建物である G が正解となります。

12 公園についてです。There'll be plenty of parking for supermarket shoppers on the west side of the building and a few spaces to the south facing the park. と述べていますので、公園はスーパーの南側にある駐車場に面しているとわかり、H が正解となります。

13 市場についてです。Opposite the tavern, on the other side of Main Street, there will be a covered market. と言っています。tavern は図面の右下にあり、その大通りを挟んだ反対側にある E が正解となります。なお、D の位置は diagonally opposite the tavern（酒場の斜め向かい）と表現されます。

14 オフィス棟についてです。These two rectangular buildings here, in the middle of the plan が C と D のことです。そのうち The one across Bay Road from the market（ベイ通りを挟んで市場の向かいの建物）が D で、The other one to the west（西側にあるもう 1 棟）が C です。後者が will contain offices と述べていますので、C が正解となります。

15 体育館についてです。school が聞こえてきたところで視線を上にずらして school を見ます。その後 a pedestrian crossing will be installed in front of the school gymnasium と言っていますので、学校の敷地内で横断歩道の上に位置する A が正解となります。

16 図書館についてです。Another pedestrian crossing to the west of the pool will give students and other users safer access to the new library と言っていますので、プールの西にあり横断歩道を歩いて行く F が正解となります。

17 議会についてです。the east end of Swan Road will be converted into a public car park と言っているのが B と E の間の部分です。その直後に between the council building and the market と言っています。E が市場ですので、B が正解ということになります。

Questions 18-20 [解答]

18 public transport / transportation
19 sites　　20 traffic lights

●問題文の訳

次の文を完成させなさい。
それぞれ 2 語以内で答えを書きなさい。

18　住民にとって重要な問題はよりよい　公共交通機関／交通機関　である。
19　議会は運動場に適した　敷地　を買う必要がある。
20　スワン通りの車両の動きを規制するための議会の第 1 の選択肢

は 信号 を追加することである。

> **解説**
>
> **18** ここからは今後計画されている開発の第2段階についてです。In line with the overwhelming concern of Bayfield inhabitants, improved public transport is definitely at the forefront of the next stage. という1文から、公共交通機関が最大の関心事だとわかるので、正解は public transport となります。次の文に出てくる transportation も同じ意味なので正解です。問題文では overwhelming concern → key issue、inhabitants → residents、improved → better とそれぞれ言い換えられています。
>
> **19** Another issue we want to address is the lack of playgrounds という部分で運動場の問題が触れられています。その後で、depending on the council's ability to purchase appropriate sites と言っており、用地が問題だとわかるので、sites が正解となります。問題文では purchase が buy に、appropriate が suitable に言い換えられています。
>
> **20** 最後に、スワン通りの交通量の問題が触れられています。flow and density of vehicles on Swan Road という表現の後で、the council's preference would be to install traffic lights と述べていますので、traffic lights が正解となります。問題文では flow and density → movement、preference → first choice、install → add とそれぞれ言い換えられています。

SECTION 3　Questions 21-30

スクリプト

Now turn to Section 3.

SECTION 3

You will hear a conversation between a lecturer in business studies and a student Blair, who is preparing for a seminar on corporate cultures. First, you have some time to look at Questions 21 to 26.

[20 seconds]

Now listen carefully and answer Questions 21 to 26.

LECTURER: Hello, Blair. Come in and take a seat. Now, are you ready for the seminar on Friday?
BLAIR: I think so.
LECTURER: Good. What aspect of business have you decided on for your presentation?
BLAIR: I thought I'd talk about corporate culture.
LECTURER: There are many facets of corporate culture — you're not going to try to cover them all, are you?
BLAIR: No — I've been reading research by Robert Quinn and Kim Cameron and they put forward a model of just four distinctive corporate cultures — it's called the Competing Values Framework.
LECTURER: Good. Where do you want to start?
BLAIR: I'll start by talking about the Hierarchy Culture. This is found in a business that observes formal rules, **21 regulations** and bureaucracy.
LECTURER: How do the leaders achieve this?
BLAIR: Well, in such a structured and controlled environment, leaders usually take pride in running stable, organised and **22 efficient operations**. In fact, this may even be part of their mission statement. They rely on their power, **23 status** and the importance of their position to manage their workers.
LECTURER: What sort of company is most likely to have a hierarchy culture?
BLAIR: Well, a few smaller firms might have some of the elements of the hierarchy culture in their day-to-day operations, but on the whole I think this culture is typical of **24 government** bodies and big corporations.
LECTURER: Very good. What's next?
BLAIR: I'd then move on to discuss Market Culture.
LECTURER: Very popular in the 1960s, I believe, and

スクリプトの訳

ではセクション3に移りましょう。

セクション3

ビジネス研究の講師と、企業文化のゼミの準備をしている学生ブレアの会話を聞きます。最初に、質問21-26を見る時間が少しあります。

[20秒]

ではよく聞いて質問21-26に答えなさい。

講師：こんにちは、ブレア。入って座りなさい。さて、金曜日のゼミの準備はできた？
ブレア：できたと思います。
講師：よろしい。発表ではビジネスのどんな側面を扱うことにしたの？
ブレア：企業文化について話そうと思いました。
講師：企業文化には多くの面があるけれど、それを全部扱おうというわけではないわよね。
ブレア：そうではありません。ロバート・クインとキム・キャメロンの研究をずっと読んでいるんですが、彼らは4つの特徴的な企業文化から成るモデルを提起しています。競合価値観フレームワークと呼ばれるものです。
講師：いいわね。どこから始めようと思っているの？
ブレア：最初は階層文化について話します。これは、公式のルールと規則と官僚制を守る企業に見られます。
講師：リーダーはどのようにしてそれを達成するの？
ブレア：えー、そのような系統化され管理された環境では、普通リーダーは、安定していて組織化された効率的な業務を運営することを誇りにします。実際、これは彼らの経営理念の一部ですらあるかもしれません。リーダーは労働者を使いこなすために、権力と身分と地位の重要さに依拠します。
講師：階層文化を一番持っていそうなのはどういった会社かしら。
ブレア：えー、中小企業でも日々の業務の中に階層文化の要素をいくらか持っているところはあるかもしれませんが、全体的に見て、この文化は政府の組織と大企業に特有のものだと思います。
講師：大変よろしい。次は何？
ブレア：それから続けてマーケット文化について論じるつもりです。
講師：確か1960年代にとても人気があって、安定と管理を

	quite similar to the hierarchy culture in that it also emphasises stability and control.
BLAIR:	Yes, but the main point of difference is that market culture attaches a great deal of importance to **25** external relationships with stakeholders such as customers, suppliers and creditors.
LECTURER:	Why are these particular associations important to a market culture?
BLAIR:	I suppose because successful interactions with these people would increase the company's productivity.
LECTURER:	Do you know whether this practice does have the desired effect?
BLAIR:	Well, according to studies carried out by Angelo Kinicki and his colleagues in the School of Business at ...
LECTURER:	Arizona State University ...
BLAIR:	Yes, um ... where was I? Oh, oh, right, um, Kinicki and the others revealed that this culture type tended to generate the greatest **26** financial results, probably as a result of their focus on competition and achievement.

··

Before you hear the rest of the conversation, you have some time to look at Questions 27 to 30.

[20 seconds]

Now listen and answer Questions 27 to 30.

LECTURER:	All right, now, what's next?
BLAIR:	Clan Culture ... you know, I think I'd like to work in a clan culture.
LECTURER:	Oh, yes? Why's that?
BLAIR:	Well, a clan culture is more like a family than a rigid, structured organisation.
LECTURER:	What do you mean by 'like a family'?
BLAIR:	Well, it's more focussed on teamwork and morale. It's probably not surprising that this type of culture results in the greatest level of **27** satisfaction among employees.
LECTURER:	What about the internal structure of a clan-type business?
BLAIR:	It's quite flat, really, nothing like the hierarchy type we talked about before. There is usually just a single leader or owner whose role is quite paternalistic, and he, although I suppose it could be a she, would act as a mentor, guiding, nurturing and encouraging employees.
LECTURER:	I can see that ongoing employee training would be characteristic of this kind of business.

BLAIR:	Definitely. And, in a company like this, **28** loyalty would be very important. Also, management would want to know that everyone within the company had the same ideas and objectives. You know … my brother works for a company like this and he absolutely loves his job and puts everything into it. He's extremely loyal and devoted and thinks he's very lucky.	
LECTURER:	He probably is lucky to have a job he enjoys.	
BLAIR:	Yes, well, he's better off there than in an Adhocracy Culture.	
LECTURER:	But adhocracy does appeal to a certain type of person …	
BLAIR:	Yes, if you're adaptable and don't mind lots of changes all the time.	
LECTURER:	What's most important in an adhocracy culture?	
BLAIR:	It would have to be flexibility and **29** innovation and the ability to react swiftly to a changing market, competition or other factors in the external environment.	
LECTURER:	What kind of leadership would you expect in this culture?	
BLAIR:	They would be entrepreneurs who welcome change, are not afraid of taking risks, and are always seeking **30** growth opportunities. Workers would be urged to try out new ideas and not sit back taking things for granted. To an outsider, especially someone from a hierarchy culture, this kind of culture might look a bit chaotic and disordered but it is innovative, forward-looking and adjusts rapidly to change.	
LECTURER:	Okay, Blair, I think you've got the basics of a good presentation and you've responded well to my questions. Just one further question, and then I'll let you go … *[fade]*	

That is the end of Section 3. You now have half a minute to check your answers.

【語注】
- facet：一面、局面
- hierarchy：階層制、ヒエラルキー
- bureaucracy：官僚制
- structure：〜を組織立てる
- mission statement：ミッションステートメント、経営理念《企業の理念や使命などを文書化したもの》
- day-to-day：毎日の、日々の
- stakeholder：利害関係者
- supplier：供給会社
- creditor：債権者
- interaction：相互作用
- clan：一族
- morale：士気
- paternalistic：温情主義的な
- mentor：よき指導者
- nurture：〜を教育する
- ongoing：継続している、進行中の
- adhocracy：アドホクラシー《柔軟で弾力的な組織形態》
- adaptable：適応できる
- entrepreneur：起業家、事業家
- chaotic：混沌とした
- disordered：無秩序な
- forward-looking：先を見越した、進歩的な

Questions 21-30 [解答]

21 regulations
22 efficient
23 status
24 government
25 (external) relationships
26 financial results
27 satisfaction
28 loyalty
29 innovation
30 growth opportunities

● 問題文の訳
次のメモを完成させなさい。
それぞれ3語以内で答えを書きなさい。

企業文化
クインとキャメロンの研究が提起すること：
「競合価値観フレームワーク」

・階層文化
―ルールと 21 **規則** と官僚制に従う
―堅実でよく組織され 22 **効率的な** 業務
―リーダーは従業員を扱うため権力と 23 **身分** と地位を利用する
―24 **政府** 組織と大企業によく見られる

・マーケット文化
―主な違いは顧客または供給会社との 25 **（外部）関係** の重要性
―この文化は最高の 26 **金銭的結果** を生む（競争力と成功を重視するため）

・クラン文化
―家族のようなもの
―物事を一緒にすることに重点を置くので、士気が向上し労働者の 27 **満足** 度が高い
―温情主義的で、導き教える形式のリーダーシップ
―従業員訓練
―会社は、同じような考えと共通の目標を持つ従業員の 28 **忠誠心** を期待する

・アドホクラシー文化
―労働者は順応性があり変化を受け入れなければならない
―外部の要因に素早く反応する柔軟性と 29 **革新** に重点
―30 **成長の機会** を探す精力的で起業家精神のあるリーダー
―従業員は新しい考えを試みるよう奨励される
―秩序を欠くように思えるかもしれないが創意があり進歩的

解説

21 さまざまな企業文化についてまとめています。空欄の上の見出しである Hierarchy Culture（階層文化）が聞こえてきた後で、This is found in a business that observes formal rules, regulations and bureaucracy. と言っていますので、regulations が正解となります。regulations は通常 -s の付いた複数形で用います。

22 階層文化について、... in such a structured and controlled environment, leaders usually take pride in running stable, organised and efficient operations. と言っている箇所がこの問題に該当します。stable が solid に、organised が well-organised に言い換えられており、efficient が正解です。

23 階層文化でリーダーが従業員を扱うために何を利用するかが問われています。They (= leaders) rely on their power, status and the importance of their position to manage their workers. と言っていますので、status が正解となります。問題文では manage → deal with、workers → employees とそれぞれ言い換えられています。

24 階層文化がよく見られるところについては、this culture is typical of government bodies and big corporations と言っていますので、government が正解となります。問題文では typical of → common among、bodies → organisations、big corporations → large companies とそれぞれ言い換えられています。

25 マーケット文化についてです。主な違いは、the main point of difference is that market culture attaches a great deal of importance to external relationships と言っていますので、(external) relationships が正解となります。relationship は「人間関係」の意味では可算名詞ですので、複数形の -s が必要です。

26 マーケット文化が生み出すものについては、this culture type tended to generate the greatest financial results と言っていますので、financial results が正解となります。問題文では generate → produces、greatest → best とそれぞれ言い換えられています。

27 クラン文化についてです。クラン文化において高いものが問われていますが、空欄には worker に修飾される名詞を書きます。this type of culture results in the greatest level of satisfaction among employees と言っていますので、satisfaction が正解となります。問題文では greatest level of が high degree of に言い換えられています。

28 空欄の上の employee training が聞こえてきた後で、And, in a company like this という表現で次の項目に移っていることがわかります。その直後に loyalty would be very important と言っていますので、loyalty が正解となります。カタカナで覚えると royalty（王族）と区別できなくなってしまうので、正しい発音で覚えましょう。

29 アドホクラシー文化についてです。What's most important in an adhocracy culture? という質問に対して、It would have to be flexibility and innovation と答えていますので、innovation が正解となります。問題文では most important が focus on に言い換えられています。innovation は n を 1 つにしてしまう人が多いので、スペルミスに気を付けてください。

30 アドホクラシー文化が期待するリーダー像については、They would be entrepreneurs who ... are always seeking growth opportunities. と言っていますので、growth opportunities が正解となります。問題文では seeking が looking for に言い換えられています。entrepreneur の発音は難しいですが、正しく覚えましょう。

SECTION 4　　Questions 31-40

　　　　　　　　本冊：p.111　🎧 24

スクリプト

Now turn to Section 4.

SECTION 4

You will hear a lecture on the environmental effects of pesticides and some alternatives to their use. First, you have some time to look at Questions 31 to 40.

[40 seconds]

Now listen carefully and answer Questions 31 to 40.

Good evening. I'm here today to present the findings from our research into pesticides and alternatives to using them.

I'd like to begin by talking about some of the environmental effects of pesticide use. As most of you will be aware, pesticides have proven to be very harmful to our environment. The principal reason for this is because nearly all pesticides travel beyond their target areas. This often happens when rain carries pesticides along water channels such as rivers, where they are then transported downstream. In other situations, particularly when they are dropped by plane, the **31 wind** blows pesticides into wild areas where they are not wanted. These areas can be up to several kilometres away.

We also need to think about the effects of pesticides on animals. Pesticides can cause illness and even death in many animals, including birds and aquatic life. Animals can also be affected when pesticide use eliminates their **32 food source** and causes them to starve or migrate to other areas.

When pesticides don't travel into neighbouring environments, they tend to seep into the soil. There they degrade the quality of the soil and in addition, they can weaken biodiversity — studies of pesticide-contaminated soil show a much lower count of organisms compared to **33 healthy soil**.

There's a final consideration to take into account, and that's the environmental effects of pesticides in terms of pest numbers. In the short term, pesticides significantly reduce the number of pests in an area, as might be expected. After long-term, regular use, however, insects tend to become immune to certain kinds of pesticide and are no longer negatively affected by them. As the number of insecticide resistant pests grows, this

スクリプトの訳

ではセクション4に移りましょう。

セクション4

殺虫剤が環境に及ぼす影響と、殺虫剤使用の代替策についての講演を聞きます。最初に、質問31-40を見る時間が少しあります。

[40秒]

ではよく聞いて質問31-40に答えなさい。

こんばんは。今日こちらで発表するのは、殺虫剤とその使用の代替策に関する私たちの研究成果です。

まず初めに、殺虫剤の使用が環境に及ぼす影響のいくつかについてお話ししたいと思います。皆さんのほとんどがお気付きでしょうが、殺虫剤は私たちの環境に非常に有害だと証明されています。この主な理由は、ほとんどすべての殺虫剤が、対象とする範囲を越えて移動することです。これがしばしば見られるのは、雨が川などの水路に沿って殺虫剤を運ぶ場合です。川では、殺虫剤はその後下流に運ばれます。他の状況では、特に飛行機によって投下された場合、殺虫剤は風に吹かれて、殺虫剤が不要な原野地域にまで届きます。この地域は最大で数キロメートル先のこともあります。

殺虫剤が動物に与える影響も考える必要があります。殺虫剤は、鳥や水中にすむ生き物を含む多くの動物の病気の原因となり、死をもたらすことすらあります。他にも、動物が受けるかもしれない影響があり、それは殺虫剤の使用が動物の食料源をなくし、そのため動物が餓死したり別の地域に移動したりすることです。

隣接する環境に移動しなくても、殺虫剤は土壌に染み込む傾向があります。そこで殺虫剤は土壌の質を劣化させ、さらに、生物多様性を損なうかもしれません。殺虫剤によって汚染された土壌の研究は、健康な土壌と比べて有機体の数がずっと少ないことを示しています。

最後に考慮するべき事柄があります。それは、害虫の数という点から見た、殺虫剤が環境に及ぼす影響です。短期的には、殺虫剤はある地域の害虫の数を期待通り大幅に減らします。しかし長期間、定期的に使用すると、虫はある種の殺虫剤に対して免疫を持つようになる傾向があり、もはやそうした殺虫剤からマイナスの影響を受けません。殺虫剤に耐性のある害虫の数が増えれば、新たな種類の殺虫剤の必要が生じ、殺虫剤問題をいっそう悪化させます。

creates the need for **34 new varieties** of pesticide, and further exacerbates the pesticide problem.

Let's move on now to look at some possible alternatives to pesticide use. As I'll explain, although these techniques can help reduce our dependence on pesticides, they do have their own drawbacks too.

The first technique will be familiar to any of you who have even a small vegetable garden at home. You see a slug on a piece of lettuce, and what do you do? Put on some gloves, walk right up to the plant and pick the slug off with your hands. This is called handpicking. Handpicking is remarkably effective and requires little in the way of money to implement. But while it may be sufficient for the home gardener, the **35 time-consuming** nature of handpicking makes it unsuitable for large-scale operations.

Owners of larger crops and orchards require a more systematic approach to pest management, and they have a few options here. You may be familiar with a technique known as **36 biological control**. This involves the strategic use of what we call 'good' insects — that is, insects which eat pests, rather than plants. When they eat the pests, they also protect the crop environment. Unfortunately, biological control is always risky because we can never know for sure how insects will behave in a particular environment, and the results are therefore **37 unpredictable**.

A safer option is companion planting, where certain plants are grown together. Garlic, for example, fends off spider mites and aphids, and basil drives away the tomato hornworm, making it a good companion for tomatoes. This is because some varieties of plant can **38 repel** specific breeds of insects, so planting them alongside and around more vulnerable vegetables will discourage the insects from coming near. Of course, all these extra plants begin fighting for space and competing with the protected plants for access to water and nutrients in the soil.

A final possibility is crop rotation. This involves alternating plants every harvest, which forces insects to **39 migrate** in an attempt to locate their food source. Crop rotation is unappealing for large-scale commercial operations, however, because the high cost of constantly changing crops cuts into their **40 profits**.

As you can see, there's still no easy answer to the question of how to keep plants free from the scourge of pests. I'm happy to take any questions ... *[fade]*

では次に、殺虫剤使用の考えられる代替策を見てみましょう。これからご説明するように、これらの技術は殺虫剤への依存を減らす上で有用ですが、それなりの欠点もあります。

最初の技術は、ご家庭に小さくても菜園をお持ちの方ならおなじみでしょう。レタスにナメクジが付いているのを見たらどうしますか。手袋をはめてレタスに真っすぐ歩み寄り、手でナメクジをつまみ上げます。これは手づかみと言います。手づかみは極めて有効で、お金もほとんど必要とせずに実行できます。しかし家庭菜園をしている人にはそれで十分かもしれませんが、手づかみは性質上、時間がかかるので、大規模な事業には不向きです。

もっと大規模な作物や果樹園の所有者は、より体系的な害虫管理の取り組みを必要としていて、いくつか選択肢があります。皆さんは生物的防除として知られる技術をよくご存じかもしれません。これは、私たちが「よい」虫と呼ぶ虫、つまり植物ではなく害虫を食べる虫を戦略的に用いるものです。よい虫は害虫を食べることで作物環境も守っているのです。残念ながら、生物的防除には常にリスクが伴います。虫が特定の環境でどう行動するか確かなことは知りようがなく、従って結果は予測不能だからです。

より安全な選択肢は、コンパニオンプランツを植えること、つまり特定の植物を一緒に育てることです。例えばニンニクはハダニとアブラムシを寄せ付けず、バジルは tomato hornworm（スズメガの一種）を追い払うので、トマトと植えるよい相手になります。これは、ある種の植物が特定の品種の虫を寄せ付けないので、そうした植物をもっと弱い野菜と並べて植えたり周りに植えたりすると、虫が近くに来たがらなくなるのです。もちろんこれらの余分な植物はすべて、場所を得ようと戦い始めますし、土の中の水と栄養分を手に入れようとして、保護された植物と争い始めます。

最後の可能性は、輪作です。これは収穫のたびに植物を入れ替えることで、こうすれば、虫は食料源の場所を突き止めようとして移動せざるを得ません。しかし輪作は大規模な営利事業には魅力がありません。絶えず作物を替えるコストが高く、利益を減らすからです。

おわかりのように、どうすれば害虫による災難から植物を解放しておくことができるのかという疑問に、まだ簡単な答えはありません。どんな質問でも喜んで受け付けます……［フェードアウト］

TEST 3 ■ LISTENING

That is the end of Section 4. You now have half a minute to check your answers.	これでセクション4は終わりです。答えを確認する時間が今から30秒あります。
[30 seconds]	[30 秒]
That is the end of the listening test. In the IELTS test you will now have 10 minutes to transfer your answers to the answer sheet.	これでリスニングテストは終わりです。IELTSテストでは、解答を解答用紙に書き写す時間が今から10分あります。

語注

- pesticide：殺虫剤
- downstream：下流に
- aquatic：水中にすむ
- migrate：移住する、移動する
- seep：染み込む
- degrade：〜の質を低下させる
- biodiversity：生物多様性
- immune：免疫のある
- resistant：抵抗力のある、耐性のある
- exacerbate：〜を悪化させる
- drawback：欠点
- slug：ナメクジ
- in the way of ...：〜の点で
- implement：〜を実行する
- time-consuming：時間のかかる
- unsuitable：不適当な
- orchard：果樹園
- risky：危険を伴う
- unpredictable：予測できない
- fend off ...：〜を寄せ付けない
- spider mite：ハダニ
- aphid：アブラムシ
- drive away ...：〜を追い払う
- repel：〜を寄せ付けない
- vulnerable：弱い
- nutrient：栄養分
- crop rotation：輪作
- alternate：〜を交互に行う
- unappealing：魅力のない
- cut into ...：（利益など）を減らす
- scourge：難儀、苦しみ

Questions 31-34 ［解答］

31 wind
32 food source(s)
33 healthy soil
34 new varieties

● 問題文の訳

次の要約を完成させなさい。
それぞれ2語以内で答えを書きなさい。

殺虫剤の使用が環境に及ぼす影響

ほとんどの殺虫剤は他の環境に運ばれる。殺虫剤は川や水流に沿って移動するか、31 <u>風</u> によって必要のない地域に運ばれる。殺虫剤は動物に害を及ぼすか、動物の 32 <u>食料源</u> を取り去って餓死を引き起こす。土壌にとどまるものは被害をもたらすかもしれず、また、33 <u>健康な土壌</u> とは対照的に有機体の質を低下させ数を減らす。さらに、虫は殺虫剤に対する免疫ができるかもしれず、従って 34 <u>新たな種類</u> が必要になり、それがさらに問題を引き起こす。

解説

31 殺虫剤についての説明を埋めていきます。the wind blows pesticides into wild areas where they are not wanted と言っていますので、wind が正解となります。問題文では the wind blows が are carried by the wind に、not wanted が unwanted にそれぞれ言い換えられています。

32 pesticide use eliminates their (= animals') food source と言っていますので、food source が正解となります。問題文では eliminate が remove に言い換えられています。なお、音声では food source と言っていますが、source は可算名詞ですので、この場合複数形の sources でも正解です。

33 汚染された土壌について、show a much lower count of organisms compared to healthy soil と言っていますので、healthy soil が正解となります。問題文では a much lower count が decrease the ... number of に、compared to が in contrast to に言い換えられています。

34 虫が免疫を獲得すると何が必要になるかについては、this creates the need for new varieties of pesticide と言っていますので、new varieties が正解となります。variety は「種類」という意味では可算名詞ですので、ここでは varieties という複数形でなければいけません。

Questions 35-40 ［解答］

35 time-consuming / time consuming
36 Biological control / biological control
37 unpredictable
38 repel / fend off / drive away
39 migrate
40 profits

● 問題文の訳

次の表を完成させなさい。
それぞれ2語以内で答えを書きなさい。

技術	手順	コメント
手づかみ	手袋で虫を取り除く	効果的で安価；しかし 35 <u>時間がかかる</u> ので大きな農場には役に立たない

36 生物的防除	害虫を攻撃するために「よい」虫を繁殖させる	結果が 37 予測不能な ためリスクを伴う
コンパニオンプランツを植えること	特定の虫を 38 寄せ付けない 能力のある植物を用いる	低リスクだが、追加された植物が場所と土壌の栄養分を得ようと争う
輪作	収穫が終わるたびに植物の種類を変える―虫は食料に接近するために 39 移動し なければならない	40 利益 が減るので大企業には魅力がない

解説

35 ここからは、殺虫剤を使わない方法のメリットとデメリットを述べています。手づかみについては、the time-consuming nature of handpicking makes it unsuitable for large-scale operations とデメリットを述べていますので、time-consuming が正解となります。問題文では unsuitable が not useful と言い換えられています。time-consuming はハイフンを入れて複合語として書くのが一般的です。

36 You may be familiar with a technique known as biological control. という文がまず聞こえ、これが空欄に入ると予想できます。念のため続きを聞くと、This involves the ... use of ... 'good' insects と言っていて、Procedure の欄とも一致しますので、biological control が正解となります。なお、control は不可算名詞です。

37 生物的防除のデメリットについて、biological control is always risky because ... the results are ... unpredictable と言っていますので、unpredictable が正解となります。問題文では results が outcomes に、because が due to に言い換えられています。なお、unpredictable はリスニング・リーディングだけでなくライティング・スピーキングでも使い勝手がよいので、使いこなせる語彙にしましょう。

38 コンパニオンプランツについては、some varieties of plant can repel specific breeds of insects と言っていますので、repel が正解となります。問題文では can が with ability to に、specific breeds of が certain に言い換えられています。その前の文にある fends off と drives away も repel と同義なので正解ですが、to の後なので動詞は原形にする必要があります。Section 4 では repel のようにレベルの高い語彙を聞き取る問題があり、語彙力も試されます。

39 輪作の手順についてです。which forces insects to migrate in an attempt to locate their food source と言っていますので、migrate が正解となります。問題文では force O to V (O に V することを強いる) が must V に、locate が access にそれぞれ言い換えられています。

40 輪作のデメリットについてです。Crop rotation is unappealing for large-scale commercial operations ... because the high cost ... cuts into their profits. と言っていますので、profits が正解となります。問題文では large-scale commercial operations が big businesses に、cuts into their profits が profits are reduced にそれぞれ言い換えられています。profit は不可算名詞にもなりますが、空欄の後ろが are で

すので、複数の -s がないと不正解となってしまいます。

READING

READING PASSAGE 1 | Questions 1-13

パッセージの訳

約 20 分で次のリーディング・パッセージ 1 に基づく質問 1-13 に答えなさい。

「眠りは戻ってくるときよりも最初の方が容易に訪れるものである」
―ヴィクトル・ユーゴー『レ・ミゼラブル』

A 西洋化した国の成人の 3 人に 1 人は夜中に定期的に目を覚まし、再び寝付くのに苦労していると推定されている。医師はしばしば「不眠症」と診断し睡眠薬を処方するが、睡眠薬には、飲食物や他の薬との負の相互作用などの副作用があるものが多く、ほとんどには習慣性がある。投薬中止はしばしば不快な離脱症状の原因ともなる。離脱症状には、パニック発作や気分の変動、あまつさえ睡眠障害の悪化も含まれる。心身を衰弱させるそうした結果を伴わない不眠症の治療法はあるのだろうか。

B 歴史家 A・ロジャー・イーカーチは、夜間の覚醒について別のアプローチを取っている。夜間の覚醒は生物学上、本能的で生得のものであり、例外的なのは凝縮された 8 時間睡眠による現代的養生法という理想の方だと彼は主張する。いわゆる不眠症を抱える人は、先祖にとっては標準だった 2 相モードで眠っているだけなのかもしれない。つまり、1 時間以上持続する覚醒状態によって 2 つのまとまった部分に分割される 8 時間睡眠である。イーカーチによると、この眠れない段階の間に、ある人はベッドに入ったまま祈ったり、夢を思い起こしたり、パートナーとおしゃべりしたりしていたのかもしれない。またある人は起きて家事をしたり、隣人の家を訪ねたりしていたのかもしれない。

C 産業化以前の時代の古文書は、分割された睡眠を、「第 1 睡眠」または「深い睡眠」と「第 2 睡眠」または「朝の睡眠」と言っている。睡眠の決まったパターンが変化し始めたのは産業革命の間だが、この変化が生じたのは、主に白熱電球の発明によるものである。安価なため最貧困層の住宅でも入手できたこの発明品は、読書やゲームをするといった日中の活動時間を延ばし、睡眠時間を減少させた。その結果、現代の労働者や学生は、連続した 7 時間か 8 時間に睡眠を押し込めようとするのだが、これは自然の概日リズムに従うものではない。人類学者はイーカーチの仮説を認めている。人類学者の報告によると、電気照明の恩恵を受けていない世界の未開発地域の住民は、分割された睡眠パターンの自然のリズムに今でも従っている。

D イーカーチの仮説は、1990 年代に睡眠専門家トーマス・ウェアによって確証された。彼の研究では、ボランティアを毎晩 14 時間暗い場所に置いた（過ぎ去りし日々の冬期に光と闇にさらされていた時間のシミュレーション）。被験者は徐々に 2 相睡眠パターンに移行し、2 時間うとうとしてから、覚醒状態を間に挟んだ 4 時間ずつの 2 つの明瞭な区分で眠った。彼はこのことから、2 つに分かれた睡眠は完全に自然であるだけでなく、有益でもあると解釈した。なぜならこの種の睡眠は夢の想起を容易にし、夢は「潜在意識に至る道を人々に示す」からである。われわれの先祖は、夢の中の人生は人生の重要な構成要素だと実際に考えていた。

E 睡眠は不可欠であり、決して受動的状態ではない。睡眠科学者は、急速眼球運動（レム）睡眠と非急速眼球運動（ノンレム）睡眠に分類される 2 つの基本的な活動周期があることを明らかにしている。後者は 4 つの段階から成る。5 分から 10 分続く最初の段階は「眠りに落ちる」段階で、落下する感覚が実際にあることもときどきあり、しばしば突然の筋肉の収縮またはけいれんを引き起こす。この段階の間は簡単に目が覚めてしまう。それからやって来るのがひとときの軽い眠りで、心拍数が下がり体温が低下する。体が、ノンレム睡眠の第 3 段階と第 4 段階で生じる深い眠りの準備をしているのである。これは徐波睡眠あるいは「デルタ」睡眠で、この段階で目が覚めた人は、すっかり混乱したように感じることもある。この深い眠りの時間は、体が回復するために必要不可欠である。体はこの時間に神経と骨と筋肉の修復と再生を行うだけでなく、免疫系を強化し修復する。

F レム睡眠の間は、まぶたの下で眼球が急速に動くのが観察される。レム睡眠は約 1 時間半のノンレム睡眠周期の後に生じる。心拍数が上昇して不規則になり、呼吸が浅くなるのがこの状態の特徴で、脳の活動が活発になり、鮮明な夢を見させるようになる。逆説的なことに、主要な随意筋グループは動かなくなるのだが、それには十分な理由がある。寝ている間に激しく動くと、大けがをしかねないからである。夢を見ることの目的はまだ完全には理解されていないが、学習と記憶に必要不可欠だというのが仮説である（脳の学習と記憶の領域が刺激されるので）。事実、参加者がレム睡眠を与えられないと、直近に学習したことの記憶が損なわれることが研究で明らかになっている。レム睡眠の欠乏は不安感と片頭痛をも招く。

G 睡眠専門家の考えは次の点で一致している。すなわち、十分なレム睡眠とノンレム睡眠がなければ、人の思考プロセスはおそらく危険にさらされ、数ある負の結果の中でも、記憶障害、疲労、鬱、免疫反応の低下、痛みの感受性の増加を患うかもしれない。だが、この研究の結果にもかかわらず、また多くの精神科医と睡眠コンサルタントがこの研究を是認しているにもかかわらず、現代人は

慢性的に睡眠不足状態にある。なぜ一般大衆は、単相睡眠の日課を放棄して2相睡眠の恩恵を享受することを、そんなに嫌がるのだろうか。確かなのは、そうした行動面での根本的なパラダイムシフトが起こり、安らぎと回復を与えてくれる睡眠に個人がもっと多くの時間を割けるようになる前に、仕事上の責任と社会的責任に対する姿勢を変えなければならないだろう、ということである。

語注

- □ westernised（英）= westernized：西洋化した
- □ physician：内科医、医師
- □ insomnia：不眠症
- □ prescribe：～を処方する
- □ interaction：相互作用
- □ habit-forming：習慣性のある
- □ cessation：休止、停止
- □ medication：投薬
- □ withdrawal：離脱《薬をやめることに起因する副作用》
- □ debilitating：衰弱させる
- □ nocturnal：夜の
- □ awakening：目覚めること
- □ innate：生まれながらの、生得の
- □ condense：～を濃縮する、凝縮する
- □ regime：健康増進法、養生法
- □ biphasic：2相の
- □ norm：標準、基準
- □ chunk：塊、大きな部分
- □ wakefulness：目覚めていること
- □ chore：雑用、家事
- □ segment：～を分割する；区分、部分
- □ incandescent bulb：白熱電球
- □ circadian rhythm：概日リズム《24時間周期の体内時計のリズム》
- □ anthropologist：人類学者
- □ hypothesis：仮説
- □ corroborate：～を実証する、裏付ける
- □ bygone：過ぎ去った、昔の
- □ progressively：次第に、徐々に
- □ doze off：まどろむ、うとうとする
- □ construe：～と解釈する、見なす
- □ bifurcate：～を二股に分ける
- □ facilitate：～を容易にする、促進する
- □ pathway：道、経路
- □ subconscious：潜在意識
- □ predecessor：前任者、先祖
- □ contraction：収縮
- □ jerk：けいれん
- □ interlude：合間、ひととき
- □ slumber：眠り、まどろみ
- □ disorientated：方向感覚を失った
- □ regeneration：再生
- □ fortify：～を補強する、強化する
- □ immune system：免疫系
- □ eyelid：まぶた
- □ ensue：続いて起こる
- □ erratic：不規則な
- □ intensify：激しくなる
- □ give rise to ...：～を生じさせる
- □ paradoxically：逆説的に
- □ voluntary muscle：随意筋
- □ immobilise（英）= immobilize：～を動けなくする
- □ albeit：～とはいえ
- □ thrash about：激しく動き回る
- □ comprehend：～を理解する
- □ impair：～を害する、損なう
- □ deprivation：欠如、欠乏
- □ migraine：片頭痛
- □ compromise：～を危うくする
- □ fatigue：疲労
- □ susceptibility to ...：～の影響を受けやすいこと
- □ chronically：慢性的に
- □ notwithstanding：～にもかかわらず
- □ psychiatrist：精神科医
- □ populace：大衆、庶民
- □ loath to do：～するのに気が進まない
- □ relinquish：～を放棄する
- □ monophasic：単相の
- □ behavioural（英）= behavioral：行動の
- □ paradigm shift：パラダイムシフト
- □ allot A to B：AをBに割り当てる
- □ restful：くつろいだ、平穏な
- □ restorative：元気を回復させる

Questions 1-5 ［解答］

1 B　2 D　3 C　4 A　5 B

●問題文の訳

A, B, C, D から正しい文字を選んで書きなさい。
正しい文字を解答用紙の解答欄1-5に書きなさい。

1 不眠症の薬の服用をやめたら何が起こり得るか。
- A 睡眠の問題が改善する。
- B 不安定な感情を経験する。
- C 代わりに別の薬を服用し始める。
- D 行動に変化はない。

2 夜に目が覚めることについてA・ロジャー・イーカーチはどう思っているか。
- A われわれの現代的ライフスタイルの結果である。
- B 中断のない睡眠よりも不健康である。
- C 珍しくて問題のある状態である。
- D 完全に自然な睡眠パターンである。

3 2相睡眠から変化した主な理由は、
- A 労働時間の変化である。
- B 工場と産業の雇用である。
- C 新しい照明技術である。
- D 午前中に寝る時間が減ったことである。

4 トーマス・ウェアの研究のボランティアに何が起きたか。
- A 夜間に目が覚めるようになった。
- B それまでよりずっと長時間眠った。
- C 通常より冬が長かった。
- D より鮮明な夢を経験した。

5 なぜトーマス・ウェアは2つに分かれた睡眠がわれわれに有用だと感じたのか。
- A 睡眠の質が向上する。
- B われわれは隠された考えに触れることができる。
- C われわれはより多くの夢を見る傾向にある。
- D 眠りに落ちるのにより時間がかかる。

TEST 3 ■ READING

解説

質問1〜5が段落A〜D、質問6〜12が段落E〜F、質問13が段落Gという形で問題の順番とパッセージ中の順番が完全に一致していますので、情報検索は容易な方です。20分未満で解答して、浮いた時間をPassage 2以降に充てたいところです。質問6〜12のようにメモや表の中の空欄に単語を書き入れる場合には、冠詞やbe動詞を省略しても、（語数制限内で）省略しなくても、どちらでも構いません。

1 薬の服用をやめることについては段落Aの第3文にCessation of the medication frequently causes unpleasant withdrawal symptoms とあり、その中に mood-swings が挙げられていますので、Bが正解となります。cessation → stop、mood-swings → unstable emotions と言い換えられています。

2 段落Bの第1文にA. Roger Ekirchという人名と nocturnal awakeningというキーワードがあり、その次の文でHe maintains it is biologically instinctive and innate と書かれています。この instinctive and innate が natural に言い換えられているDが正解です。

3 睡眠のパターンが変わった理由については、段落Cの第2文で The change in sleep routines ... mainly came about through the invention of the incandescent bulb. と書かれていますので、Cが正解です。change → shift、came about → happened、through → because of、invention → new、incandescent bulb → lighting と多くの言い換えがあります。

4 トーマス・ウェアの研究について、段落Dの第2文の volunteers が第3文では subjects（被験者）と言い換えられています。その文は The subjects moved progressively towards a biphasic sleep pattern で始まり、with an interval of wakefulness in the middle で終わっていますので、覚醒状態を挟んだ2相睡眠をするようになったことを表すAが正解です。moved progressively towards → began to、with an interval of wakefulness → wake up during the night と言い換えられています。

5 トーマス・ウェアの考えについては、段落Dの第4文で this kind of sleeping (= bifurcated sleep) facilitates the recall of dreams, which 'afford people a pathway to their subconscious' と書かれており、夢を通して潜在意識に至ることをメリットと考えました。このことを表すBが正解です。afford people a pathway → can access、subconscious → hidden thoughts と言い換えられています。

Questions 6-12 ［解答］

6 falling **7** light sleep
8 (the) immune system **9** (the) heart rate
10 (are) immobilised
11 learning and memory
12 (migraine) headaches

● 問題文の訳
次のメモを完成させなさい。

それぞれ本文から3語以内を選びなさい。
解答用紙の解答欄6-12に答えを書きなさい。

急速眼球運動睡眠と非急速眼球運動睡眠
・ノンレム段階1＝睡眠への移行
　―**6** 落下する ような感覚を経験するかもしれない
　―簡単に目が覚める
・ノンレム段階2＝**7** 軽い睡眠
　―心拍数と体温の低下
・ノンレム段階3と4＝深い（徐波またはデルタ）睡眠
　―目覚めた瞬間の混乱
　―柔らかい組織・固い組織の回復と**8** 免疫系 の強化に必要
・レム＝夢の睡眠
　―90分のノンレムの後に生じる
　―**9** 心拍数 の変動、より軽い呼吸
　―眼球が動き脳は活発化するが腕と足は**10** 動かなくなる
　―夢の理由は不明だが**11** 学習と記憶 に重要
　―レム睡眠の欠如 → 気分の変調と**12** （片）頭痛

解説

6 レム睡眠とノンレム睡眠についてまとめた文章を埋める問題のうち、ノンレム睡眠の第1段階についてです。段落Eの第4文がThe first phase で始まっています。その文の後半に sometimes there is actually a sense of falling と書かれていますので、fallingが正解です。sometimes there is → may experience、sense → feeling と言い換えられています。

7 パッセージ中に Stage 2 という表現自体はありませんが、段落Eの第6文冒頭のThen comes（その次に〜が来る）以降がそれに相当します。その文で an interlude of light sleep と書かれていますので、light sleep が正解となります。

8 ノンレム睡眠の第3, 4段階についてです。段落Eの最後の文で but it also fortifies and repairs the immune system と書かれていますので、(the) immune system が正解となります。この問題のようにメモ（notes）の一部が空欄になっている場合には、冠詞の有無は問題になりません。パッセージ中の fortify が空欄の前の strengthen に言い換えられています。

9 以下はレム睡眠についてです。段落Fの第2文冒頭でA faster and more erratic heart rate と書かれていますので、(the) heart rate が正解となります。パッセージ中の erratic（不規則な）が空欄の前の Fluctuations（変動）に言い換えられています。語彙レベルがやや高めですが、このようにキーワードとして出題されていますので、必修です。

10 段落Fの第2文の後半で the major voluntary muscle groups are immobilised と書かれていますので、(are) immobilised が正解となります。このように項目を箇条書きする場合には be 動詞を省略することができます。パッセージ中の major voluntary muscle groups が空欄の前の arms and legs に言い換えられています。

11 段落Fの第3文で it (= dreaming) is vital for learning and memory と書かれていますので、learning and memory が正解となります。パッセージ中の vital が空欄の前の important に言い換えられています。vital は important よりも意味が強く、extremely important という意味です。スピーキング・ライティングで important の代わりに使えるようにしましょう。

12 段落 F の最後の文で Deprivation of REM sleep also leads to anxiety and migraine headaches. と書かれていますので、(migraine) headaches が正解です。Deprivation → Lack、anxiety → mood disorders と言い換えられています。

Question 13 ［解答］

13 A

● 問題文の訳
A, B, C, D から正しい文字を選んで書きなさい。
正しい文字を解答用紙の解答欄 13 に書きなさい。

筆者の結論は何か。
A　われわれの睡眠が変わり得る前にわれわれのライフスタイルが変わらなければならない。
B　睡眠不足はわれわれの仕事上の生活と社会生活にとって害となっている。
C　健康が改善すればわれわれはもっとよく眠れるようになる。
D　睡眠研究者は頻繁に見当違いをしている。

解説

13 結論が問われているので、最後の段落に注目します。最後の文で attitudes to employment responsibilities and social commitments would have to be altered before ... individuals could allot more time to ... sleep と書かれています。つまり、私たちが生き方を変えなければ睡眠不足は解消されないだろうということなので、A が正解です。attitudes to ... → lifestyles、have to be altered → must change と言い換えられています。

READING PASSAGE 2 | Questions 14-27

本冊：p.116-119

パッセージの訳

約20分で次のリーディング・パッセージ2に基づく質問14-27に答えなさい。

職場の事故原因についての諸理論

A 職場の安全哲学の先駆者ハーバート・ハインリッヒは当初、職場の事故は5つの寄与原因が連続した後に起きると示唆し、一組のドミノのイメージを用いて、自らの理論の中心となる因果関係の連鎖反応を説明した。並べた列からドミノを1つ取り去るように、寄与原因を1つ除去することが連鎖の崩壊を防ぐ、と彼は主張した。

B 彼の最初の理論は1931年に出版され、それ以来ずっと改訂と修正が行われている。最初の理論は後に拡大されたが、その最初の理論における最終的帰結、すなわち並べられたドミノの最後のドミノは、傷害または損害だった。この直接の原因は職場の事故だと彼は述べた。1930年代の世界観から予想されるように、ハインリッヒは事故の責任をあからさまに労働者に負わせる傾向があった。彼の理論では、職場の事故は不安全な行動に直接の原因があるとされた。これらの不安全行動は危険な状況において行われるのかもしれないと彼は認めはしたが、こうした状況は一般的に労働者が作り出すものであり、労働者の責任だと彼は述べた。彼はこの要因を「人の欠陥」と決め付けた。「人の欠陥」の根源は、労働者の家系、すなわち遺伝的要因にあり、それに労働者が住んだり働いたりしている社会的環境が組み合わさったものだ、とハインリッヒは示唆した。

C この理論は大変人気があり、後にこの分野の他の研究者数名の手で改訂された。改訂された理論は、国際損失制御協会あるいはILCIモデルとして知られるようになった。このモデルは2つの新しい概念を含んでいた。そのうちの1つは、職場の事故の最初の原因が、制御の欠如になったことである。この考えは、職場の事故に対する責任の一部を労働者から取り上げ、経営レベルまたは管理レベルで犯された根本的ミスに帰した。職場の事故のより全体論的な考え方と連動させて、出来事の連鎖の最終結果として生産の損失が追加された。しかしドミノ理論は一面的になる傾向があり、今日では、われわれは事故には種々の原因があると考える傾向がある。

D この考え方に基づいて、多要因原因論は、職場には影響を及ぼす要素が数多くあり、事故の原因となるのはこれらのさまざまな組み合わせだと仮定する。原因となる要因は、行動的か環境的のいずれかに分類される。ここでもまた行動上の影響は従業員に関係し、そうした影響の例には、不適当な考え方、関連する知識あるいはスキルの欠如、そして／または身体的状態あるいは精神的状態の不良が含まれていた。

E ひょっとすると最も単純な理論は、まったくの偶然理論かもしれない。つまり、誰もが等しく事故を起こす可能性があり、どうやらこれらにはこれといって特定できる原因がないという理論である。結果として、介入できる可能性はない。この理論は、事故は不可避であり、職場におけるこの事実を受け入れなければならないと暗に示しているように思える。主に研究結果が矛盾していたり決定的でなかったりするため、信ぴょう性に乏しい他の理論もある。事故傾性理論はその1つである。本質的にこの理論が述べるのは、職場であれ家庭であれ、ひょっとすると不注意あるいは不器用さゆえに、他の人より災難に遭いやすい人が常に少人数いる、ということである。

F しかし、人的要因理論には大きな信頼が寄せられている。この理論は、ドミノ理論同様、人的ミスにつながる一連の出来事のせいで事故が起きるとする。人的ミスに帰着する主要な検討事項は3つある。過負荷、不適切な反応、不適切な活動である。

G 過負荷は労働者の能力、あるいはむしろ能力の欠如から生じ得るが、それは労働者の熟達度、訓練、身体的または精神的状態、疲労などにかかっている。環境的要因も過負荷に関与している。例えば過度の騒音、暑いか寒いか、不十分な照明、周囲にある気を散らすものである。家族の問題や仕事と無関係の問題から来るストレスや不安のように、過負荷の一因となるかもしれない内的要因もある。最後に、状況に関する要因があり、職場に内在するリスク量や不正確な指示が含まれる。

H 不適切な反応は、起こり得る危険や安全手順を労働者が見逃すかもしれないことや、労働者が仕事机と合っていないかもしれないことを考慮に入れる。持ち上げている荷物と比べた労働者の体の大きさ、その荷物を持ち上げるのに必要な力、労働者がどこまで手を伸ばす必要があるかといった身体的要因は、すべて寄与要因である。必要な訓練を受けずに職場の課題をこなそうとすること、あるいはリスクの度合いの判断を誤ることは、不適切な活動になる。

I ダン・ピーターセンは、締め切りのプレッシャーや、薬やアルコールの摂取が労働者の過負荷の一因となるかもしれず、「自分には起こらない」という「スーパーマン症候群」はもう1つの不適切な活動と見なされるべきだ、と指摘することで、人的要因理論の立場から、不適切な活動の考えを増やした。自分は無敵だ、何があっても自分は大丈夫だと考えている労働者もおり、これが結果的に不注意を招き、安全上の注意事項に従う気をなくさせるのである。

J 言うまでもなく、産業環境における事故原因は非常に複雑な問題であり、いくつかの理論が提唱されてはいるものの、「正しい」理論と普遍的に認められるほど包括的と考えられる理論は、今のところまだ存在しない。

> **語注**

- □ causation：原因、因果関係
- □ modify：〜を修正する
- □ worldview：世界観
- □ be inclined to *do*：〜する傾向がある
- □ fairly and squarely：まともに、紛れもなく
- □ attributable to ...：〜に帰すことができる
- □ unsafe：安全でない、危険な
- □ hazardous：危険な、有害な
- □ label A as B：AにBというレッテルを貼る
- □ ancestry：家系、祖先
- □ genetic：遺伝の
- □ in keeping with ...：〜と一致して
- □ holistic：全体論の
- □ one-dimensional：深みのない
- □ manifold：多くの、種々の
- □ permutation：順列、並べ替え
- □ causative：原因となる
- □ unsuitable：不適当な
- □ mindset：考え方、意見
- □ identifiable：身元を確認できる
- □ consequently：結果的に
- □ credibility：信ぴょう性
- □ contradictory：矛盾する
- □ inconclusive：決定的でない
- □ proneness：傾向性、傾性
- □ in essence：本質的に、基本的に
- □ susceptible to ...：〜の影響を受けやすい
- □ mishap：不幸な出来事、災難
- □ inattention：不注意
- □ clumsiness：不器用さ
- □ credence：信用、信頼
- □ ascribe A to B：AをBに帰する
- □ overload：過負荷
- □ competence：能力
- □ thereof：それの
- □ proficiency：熟達、堪能
- □ distraction：気を散らすもの
- □ situational：状況による
- □ inherent in ...：〜に本来備わっている
- □ imprecise：不正確な
- □ mismatched：不釣り合いな
- □ workstation：仕事机
- □ miscalculate：〜を誤って判断する
- □ constitute：〜（ということ）になる
- □ ingestion：摂取
- □ invincible：無敵の、不屈の
- □ indestructible：破壊できない、不滅の
- □ unwillingness：気が進まないこと
- □ precaution：予防策
- □ setting：状況、環境
- □ put forward ...：〜を提出する、提案する
- □ as yet：これまでのところ
- □ deem：〜を…だと考える、判断する
- □ comprehensive：包括的な
- □ universally：普遍的に

Questions 14-19 ［解答］

| 14 B | 15 I | 16 N | 17 H | 18 C | 19 L |

● 問題文の訳

下のリストの語句A-Oを用いて要約を完成させなさい。
正しい文字を解答用紙の解答欄14-19に書きなさい。

改訂されたドミノモデル—ILCI

職場の安全のILCIモデルは、ハーバート・ハインリッヒの最初のドミノモデルを改訂したものである。ハインリッヒのモデルでは、最後の出来事は **14 傷害または損害** で、これは職場の事故の結果だった。事故の責任は主として労働者の **15 不安全行動** にあると彼は考え、この要因を **16 人の欠陥** と呼んだ。根底にある原因、すなわち一連のドミノの最初のドミノは、**17 遺伝的要因** と、それに加え労働者の家庭生活あるいは職場での生活の文化だと彼は述べた。

彼のモデルは後にILCIモデルに修正された。新しいモデルは、職場の事故についてより広い見方を取った。従って、第1の要因は管理レベルでのミスを反映して **18 制御の欠如** と呼ばれ、最後のドミノを職場にとっての **19 生産の損失** だった。

A	危険な状況	B	傷害または損害	C	制御の欠如
D	最終的帰結	E	労働者の肩	F	連鎖反応
G	経営ミス	H	遺伝的要因	I	不安全行動
J	新しい概念	K	根本的ミス	L	生産の損失
M	職場の事故	N	人の欠陥	O	責任

> **解 説**

質問14-19のような要約問題では、パッセージの一部だけから数問の答えが導き出せる場合、大変効率がよいので、確実に解いておきたい問題群です。このパッセージでは、ILCIについて説明している2つの段落（BとC）だけで要約問題の6問＋その他の1問となり、全体の半分以上を占める合計7問の解答が出せます。

14 ハインリッヒの説が説明されている段落Bの第2文でIn the original theory ... the end result, or final domino in the series, was injury or damage. と書かれていますので、Bが正解です。このように特定の事柄について要約する問題では解答に直結する部分が近接していることが多いので、次の質問15の答えのヒントを探しながらパッセージを読み進めます。

15 事故の原因については、段落Bの第5文でA workplace accident, in his theory, was immediately attributable to unsafe acts. と書かれていますので、Iが正解です。空欄部分から後ろの部分にかけてのS be to blame for ... は「Sに〜の責任がある」という意味です。

16 段落Bの第7文が He labelled this factor as 'fault of person'. となっていますので、Nが正解です。パッセージ中のlabelledが空欄の前のcalledに言い換えられています。label は label A (as) Bという用法ですが、call は as を使わずに call A Bという用法ですので、気を付けてください。

17 事故の根底にある原因について、段落Bの最後の文でHeinrich suggested that 'fault of person' had its roots in the workers' ancestry, or genetic factors と書かれていますので、Hが正解です。suggested → stated、roots → underlying cause と言い換えられています。

18 ハインリッヒの説を修正した ILCI モデルについては、段落 C がその説明になっています。第1の要因については第3文で the initial cause of workplace accidents became lack of control と書かれていますので、C が正解です。パッセージ中の initial cause が空欄の前の first factor に言い換えられています。

19 空欄の直前が the last domino was となっていますので、連鎖の最終段階を探します。段落 C の第5文で loss of production was added as the final outcome of the chain of events と書かれていますので、L が正解です。final outcome → last domino と言い換えられています。

Questions 20-27 ［解答］

20 F 21 E 22 A 23 G 24 C 25 B 26 F
27 D

● 問題文の訳

以下の記述（質問20-27）と下の理論リストを見なさい。

理論リスト	
A	ドミノ
B	ILCI
C	多要因原因
D	まったくの偶然
E	事故傾性
F	人的要因
G	ダン・ピーターセンの理論

それぞれの記述を正しい理論 A, B, C, D, E, F, G と組み合わせなさい。
正しい文字を解答用紙の解答欄 20-27 に書きなさい。

20 することが多過ぎる労働者や個人的問題を抱える労働者は事故を引き起こすかもしれない。
21 ある特定の人たちの方が事故を起こす可能性が高い。
22 職場の安全の問題はたった1つの要因を取り除くことで避けられる。
23 自分は事故を起こさないと考えている労働者もいる。
24 事故の考えられる原因はすべて2つの大きなカテゴリーに入れることができる。
25 事故は労働者だけでなく経営者側によっても引き起こされる。
26 任務を行うために労働者の背が低過ぎたり小さ過ぎたりすると事故の原因になり得る。
27 事故は生活の一部なので避けられない。

解説

20 段落 G は人的要因理論の3要素のうちの1つである overload（過負荷）の説明となっており、質問20の問題文はこれに当たります。overload が問題文では too much to do に、段落 G 第3文にある stress or anxiety from family or non work-related issues などの internal factors が問題文では personal problems と言い換えられていますので、選択肢 F が正解となります。

21 段落 E はまったくの偶然と事故傾性について述べています。最後の文で this theory states that there are always a few of us who are more susceptible to suffering mishaps と書かれており、これが問題文と一致しますので、選択肢 E が正解となります。susceptible to → likely to、mishaps → accidents と言い換えられています。

22 段落 A でハインリッヒのドミノ理論が紹介されています。その最後の文で eliminating one contributing cause ... would prevent the chain from collapsing と書かれており、これが問題文と一致しますので、選択肢 A が正解です。eliminating → removing、contributing cause → factor、prevent → avoid と言い換えられています。

23 ダン・ピーターセンの説が紹介されている段落 I の第1文で a 'superman syndrome' of 'It won't happen to me' という名称が挙げられ、その次の文でそれを具体的に Some workers believe themselves to be invincible or indestructible と説明しています。これが問題文と一致しますので、選択肢 G が正解です。invincible（無敵の）の語根 vince は「征服する」という意味で、例えば convince（説得する）は「完全に」(con)、「征服する」(vince) が語源です。

24 多要因原因論が紹介されている段落 D の第2文で The causative factors are classified as being either behavioural or environmental. と書かれており、これが問題文と一致しますので、選択肢 C が正解です。causative factors → causes、classified → put into ... categories と言い換えられています。

25 ILCI が紹介されている段落 C の第4文で took some of the blame for workplace accidents away from the workers and attributed it to fundamental mistakes made at executive or management level. と書かれています。つまり、労働者ばかりに責任を押し付けず、経営・管理レベルにも責任を求めるようになったということで、問題文と一致しますので、選択肢 B が正解です。attribute A to B (A を B に帰す) が鍵です。

26 段落 F で人的要因理論の3つの要素が挙げられており、そのうちの1つである inappropriate responses（不適切な反応）に関しては段落 H で説明されています。その第2文に Physical factors が原因になるとあり、その例として the size of the worker in relation to the load he is lifting が挙げられており、これが問題文と一致しますので、選択肢 F が正解です。

27 段落 E でまったくの偶然説が紹介されています。第2文で This theory seems to imply that accidents are inevitable と書かれており、これが問題文と一致しますので、選択肢 D が正解です。パッセージ中の inevitable が問題文の cannot be avoided に言い換えられています。

READING PASSAGE 3 | Questions 28-40　　本冊：p.120-124

| パッセージの訳 |

約20分で以下のページのリーディング・パッセージ3に基づく質問28-40に答えなさい。

GENERICIDE（商標権の喪失）
（ラテン語 gener- は genus「種類、起源」の語幹
-cide は「殺すもの」を意味する語形成要素）

A　ときに企業のブランド名が普通の消費者の心に非常に深く染み込んで、その時代の一般大衆の語彙に加わり、当該の製品や活動を総称的に表す包括的な語になることがある。一見したところ、これは成功したマーケティングの極みに思えるかもしれない。実際、世界中の企業が、覚えやすいジングルや記憶に残るキャッチフレーズやかわいいキャラをひねり出すのに毎年数十億ドルを費やし、特定の商品やサービスが必要だと消費者が気付いたときに真っ先に思い浮かべるのが必ず自社のブランドであるように努力している。

B　しかし、自社のブランド名が浸透し過ぎてパブリックドメインになる（公有に属する）企業は、深刻な影響を受けることもある。つまり、他ならぬそのブランドを商標登録する権利を失うのである。これが起こり得るのは、米国のように司法権が及ぶ多くの地域では、ブランド名が広く一般に用いられるようになること——法律業界では「商標の普通名称化」あるいはもっとあからさまに言うと「商標権の喪失（genericide）」として知られるプロセス——がないようにする責任が企業にはあるからである。このテーマに関するハーバード・ロースクールの概観によると、「大衆の大多数の心の中で、ある語が特定の出所や製造者ではなく、製品の幅広い種類やタイプを意味するとき、その語は総称的と見なされる」。法廷は判決を下す際、概して辞書の定義、メディアにおけるその用語の使用を吟味し、企業が自社の商標の使用を制限しようとしてきたかどうかを検討する。その語が総称的だと法廷が判断すれば、商標の独占権は剥奪される。いかなる企業も、無期限に商標を更新し続ける自動的権利は持たないのである。

C　長い年月の間に、数多くの企業がマーケティングにおけるこのありふれた望まない現象の犠牲になっており、貴重なブランド名と、それに続き商標の地位を失っている。オーチス・エレベータ社は1950年の裁判で、「エスカレーター」という用語を自社の特許と広告で総称的に用いたとして有罪判決を受け、「エスカレーター」の商標権を失った。1965年には、「ヨーヨー」は共通の言葉に深く染み込んでいるという判決が出され、その後ダンカン・ヨーヨー社は商標を無効にされた。現在パブリックドメインになっている家庭用品のリストの締めくくりは、ケロシン、ジッパー、サーモス、フィリップスヘッド・ドライバーである。

D　しかし商標の普通名称化は止められないプロセスではなく、ブランド名の管理を維持して総称になるのを防ぐために企業が採用できる戦略は存在する。そうした戦略の1つは、企業が独自の総称的な用語を考案することである。これは、当てはまる用語が存在しない、他に類のない製品を発明した企業にはとりわけ有用である。例えば1990年代初頭、任天堂がテレビゲーム市場を完全に独占したので、多くの消費者はそうしたすべての機器を指して「ニンテンドー」と呼び始めた。それに反応したこの会社は「ゲームコンソール」という総称的用語を広め、最終的にその語が定着して、このブランドはエスカレーターやジッパーと同じ道をたどらずに済んだ。しかしグリスウォルド＝ニッセン社はそれほど幸運ではなく、トランポリンを「リバウンド・タンブラー」として広めようとしたのだが、この総称的用語はまったく人気を得られず、同社は最終的に商標を失った。

E　放送事業者、言語の権威、より広範囲な一般大衆に対して、自社のブランド名を適切に使用するよう勧める企業もある。インターネット検索エンジンのグーグルは、「グーグルする」という動詞が広く使用されれば将来的に法的問題を招きかねないと懸念し、ジャーナリスト、辞書、さらにはスウェーデン言語評議会にまでも連絡を取り、商標の普通名称化を回避しようとしている。同社は2006年に、「実際にグーグル社と当社のサービスを指して言う場合にのみ、『Google』を使ってほしい」という請願を全員に送った。同様の方法でゼロックス社は、「ゼロックスする」という動詞を避けて「コピーする」という総称的表現を選ぶよう利用者に促すことに成功した。同社が目的を達する助けとなったのは一連の気の利いた広告で、その1つは次のようなものである。「ゼロックスの製品でゼロックスをゼロックスすることはできません。ですがゼロックスのコピー機でコピーをコピーする分には当社は一切気にしません」。

F　とても珍しいことだが、普通名称になった商標がパブリックドメインから奪還されることもあり得る。ミシンメーカーのシンガーとタイヤ会社グッドイヤーがその2つの例である。しかしどちらの場合も、商標が総称になったときから取り戻されるまで、長い年月が経過した。いずれの場合も、ブランド名は一般大衆の心の中では自社の特定のブランドに属すると特定されるのであって、そうしたすべての製品の総称的な名称と特定されるのではない、と証明することが企業には求められた。

G　しかし結局のところ、言語は使用する共同体が所有するのであり、特にインターネットの成長もあって、この共同体はますますグローバルになりつつある。従って、ブランドマネージャーがブランド名の不適切な使用を監視し抑制することはますます難しくな

っている。総称的用語であるインラインスケートではなく「ローラーブレード」や「ローラーブレーディング」と呼んだ作家を訓戒する手紙をかつて何百通と書いたことのある商標専門家ナイジェル・ジェニングズは、「事情は確かに変わりました」と語る。「あなたの要望が皆に無視されたために何かが総称になったのなら、まあそれが現実なのです。あなたはクヌート王のようなものです。失敗したのです」。

語注

- stem：語幹
- ingrained：染み込んだ
- lexicon：語彙
- catch-all：包括的な
- generic：一般的な、総称的な
- pinnacle：頂点、絶頂
- conjure up ...：〜を(魔法のように)作る
- catchy：覚えやすい
- jingle：ジングル
- public domain：パブリックドメイン《著作権などの知的財産権が消滅した状態》
- repercussion：影響、余波
- namely：すなわち
- jurisdiction：司法権が及ぶ範囲
- candidly：率直に、腹蔵なく
- overview：概観、要約
- denote：〜を意味する
- genus：種類、類
- privilege：特権、独占権
- unwanted：望まれていない
- revoke：〜を取り消す、無効にする
- kerosene：灯油
- thermos：魔法瓶
- Phillips-head screwdriver：プラスドライバー
- round out ...：〜を完成する、締めくくる
- terminology：用語
- gain traction：広く受け入れられる
- catch on：人気を得る、成功する
- avert：〜を回避する、防ぐ
- plea：嘆願、懇願
- vein：手法、やり方
- eschew：〜を避ける
- snappy：気の利いた、しゃれた
- recapture：〜を取り戻す、奪い返す
- elapse：(時が)たつ、過ぎ去る
- curb：〜を抑制する
- admonish：〜を諭す、〜に注意する
- King Canute：クヌート王《11世紀のイングランド王。王の権威で満ち潮を止めようとした》

Questions 28-34 ［解答］

28 ix	29 vi	30 viii	31 iii	32 i
33 x	34 v			

●問題文の訳

リーディング・パッセージ3にはA-Gの7つの段落がある。
段落A-Gに対する正しい見出しを下の見出しリストから選んで書きなさい。
i-xから正しい数字を選んで解答用紙の解答欄28-34に書きなさい。

見出しリスト

- i 大衆とメディアへのアピール
- ii 多額の宣伝予算は商標を推奨する
- iii 治療より予防の方がよい
- iv ブランド名は容易に語彙に加わる
- v ブランド名の変化する環境
- vi ブランド名の喪失は法によってどのように決まるか
- vii 商標の違法使用の法的影響
- viii 実際の商標権の喪失の例
- ix ブランド名が日常的用法の一部になる
- x ブランド名を取り戻す

28 段落A
29 段落B
30 段落C
31 段落D
32 段落E
33 段落F
34 段落G

解説

質問28-34のように段落の見出しを付ける問題がある場合には、まず段落の最初(トピックセンテンス)に注目します。百発百中とまではいきませんが、そういった意識を持って読むことで答えを導き出しやすくなることは間違いありません。質問35のように書かれていないものを探す問題は解答に時間を要しがちなので、時間が足りないと思ったら後回しにした方がよいでしょう。

28 段落に見出しを付けていく問題です。段落A冒頭の文で a company's brand name becomes so deeply ingrained in the minds of everyday consumers that it enters the popular lexicon と書かれていますので、ixが正解です。everyday は「平凡な」という形容詞、every day は「毎日」という副詞的な用法ですので気を付けてください。

29 段落Bの第1文に losing their right to trademark that particular brand、第2文には the legal industry という表現があります。第3文以降でブランド名喪失の法的プロセスについて述べていますので、viが正解です。

30 段落Cの第1文に numerous companies have fallen victim to this ... phenomenon とあり、その後第2文で escalator、第3文で yo-yo、第4文で Kerosene、zipper、thermos、Phillips-head screwdriver の例が挙げられていますので、viiiが正解です。fall victim to ...（〜の犠牲になる）という表現を覚えて使えるようにしましょう。

31 段落D冒頭の文で strategies that companies can adopt in order to maintain control of their brand names and avoid them becoming generic と書かれており、普通名称化の防止策について述べられているので、iiiが正解です。ブランド名が総称になる前に手を打って、独自の総称的用語を定着させたことを、iiiでは Prevention と表しています。

32 段落E冒頭の文で advise broadcasting services ... and the broader public on the appropriate use of their brand name と書かれており、メディアや大衆にアピールするという、段落Dとは別の防止策について述べられていますので、iが正解です。advise → Appeals, broadcasting services → the media と言い換えられています。

33 段落F冒頭の文で it is possible for a trademark that has become generic to be recaptured と書かれており、第2文以降は一度普通名称になった商標が取り戻された2つの事例について述べていますので、xが正解です。パッセージの recapture（取り戻す）がxでは Taking back と言い換えられています。

34 段落G第1文の is becoming ever more global や第2文の it is becoming increasingly difficult for brand managers to ... という現在進行形は変化を述べています。続く第3文でより明確に Things have certainly changed と書かれていますので、vが正解です。

Question 35 ［解答］

35 B

●問題文の訳

A, B, C, D から正しい文字を選んで書きなさい。
正しい文字を解答用紙の解答欄35に書きなさい。
次のどれがブランド名を失う法的理由ではないか。

A その種類の製品を定義するために名前が使われている。
B その企業が自社のブランド名を保つために努力してきた。
C 新聞とテレビがそのブランド名を総称的名前として使っている。
D その名前が1つのブランドだけを指すことを人々が忘れた。

解説

35 ブランド名を失う法的理由について、段落B第3文の a word will be considered generic when, in the minds of a substantial majority of the public, the word denotes a broad genus or type of product という部分が、AとDと一致します。続く第4文の use of the term in the media がCと一致します。Bについては、ブランド名を守るための企業努力の実例が段落DとEで取り上げられていますが、これらがブランド名を失う理由になるとは書かれていません。従ってBが正解です。

Questions 36-37 ［解答］

36 C **37** E （順不同）

●問題文の訳

A, B, C, D, E から2つの文字を選んで書きなさい。
正しい文字を解答用紙の解答欄36と37に書きなさい。
筆者によると、次のブランド名のうちどの2つがもはや商標ではないか。

A グーグル
B シンガー
C トランポリン
D ゼロックス
E フィリップスヘッド・ドライバー

解説

36 段落Cで商標権が失われた商品名の例が挙げられています。段落最後の文で Phillips-head screwdriver に関して now in the public domain と書かれていますので、Eが正解です。なお、質問36と37の答は順不同ですので、37にEを書いた場合も正解となります。

37 段落Dの最後の文で when they attempted to promote the trampoline as a 'rebound tumbler' ... they eventually lost their trademark と書かれており、トランポリンは商標を守ろうとする努力の失敗例として挙げられていますので、Cがもう1つの正解となります。

Questions 38-39 ［解答］

38 B **39** D （順不同）

●問題文の訳

A, B, C, D, E から2つの文字を選んで書きなさい。
正しい文字を解答用紙の解答欄38と39に書きなさい。
リーディング・パッセージによると、どの2つの戦略が商標権の喪失を避けるのに有用か。

A その製品の辞書の見出しを書くこと
B その製品の一般的な名前を作ること
C ブランド名を使ったと人々を裁判に訴えること
D 巧妙な広告キャンペーンを作り出すこと
E インターネット経由で人々にアピールすること

解説

38 段落D、Eで商標の総称化を防ぐ方法が挙げられています。そのうち、段落Dの第2文で One such strategy is for companies to invent a generic term と書かれていますので、Bが正解です。invent → make、term → name と言い換えられています。

39 段落Eの最後の文で You can't Xerox a Xerox on a Xerox. という、「ゼロックス」を動詞や一般名詞として使わないよう求める snappy（気の利いた）広告の成功例が挙げられていますので、Dがもう1つの正解です。snappy が clever に言い換えられています。

Question 40 ［解答］

40 C

TEST 3 ■ READING

● 問題文の訳

A, B, C, D から正しい文字を選んで書きなさい。
正しい文字を解答用紙の解答欄 40 に書きなさい。
このリーディング・パッセージの主な目的は何か。

A 商標権の喪失の避け方について助言すること
B 商標権の喪失に関する法律を説明すること
C 例を挙げて商標権の喪失を説明すること
D 商標権の喪失が不公平だと論じること

解説

40 目的や主題は全体に関わるものでなければなりません。このパッセージは段落 A、B で genericide という概念を紹介した後、C 以降すべての段落で具体例を挙げながら説明していますので、選択肢 C が正解です。選択肢 A の回避方法が触れられているのは段落 D、E だけですし、アドバイスしているわけでもありません。選択肢 B の法律は段落 B だけです。選択肢 D は述べられていません。

WRITING
TASK 1

> 解答例

The table shows the effectiveness of five different marketing plans for Internet broadband packages in March 2015, in terms of initial start-up costs, how many free offers were taken up by potential customers, and how much profit or loss was generated from subsequent sales. In general, telemarketing was by far the most costly and profitable strategy, while supermarket coupons and radio advertising made a loss.

Although telemarketing was the most expensive campaign to set up at $37,000, this method also generated the most new users, at 722, and a profitable result, with $58,600 in sales and $21,600 in profits over March. Direct mail-outs were slightly less expensive initially, at $24,000, and they resulted in 450 new users and a clear profit of $10,500. Local newspaper coupons were the cheapest campaign to create, at only $5,600, and they led to only 32 new users. However, this method produced a small profit of $2,650.

Both supermarket coupons and radio advertising were ineffective marketing strategies. They cost $15,000 and $16,400 respectively to set up, but resulted in a net loss of $1,500 for the former and $5,700 for the latter.

(187 words)

語注
- telemarketing：テレマーケティング《電話による通信販売》
- start-up：操業開始時の
- subsequent：それに続く
- mail-out：(広告などの)大量発送
- clear profit：純益
- ineffective：効果の上がらない
- respectively：それぞれ

●問題文の訳

このタスクは約20分で終えなさい。

> 下の表は、インターネットのブロードバンドパッケージを販売する企業の2015年3月における5つのマーケティング戦略の有効性に関する情報を示しています。
>
> 主な特徴を選んで説明することで情報を要約し、関連がある箇所を比較しなさい。

150語以上で書きなさい。

2015年3月のブロードバンドパッケージのマーケティング戦略

戦略	初期費用(ドル)	無料特典の利用数	フォローアップによる売り上げ(ドル)	利益／損失(ドル)
スーパーマーケットのクーポン	15,000	225	13,500	−1,500
ダイレクトメールの大量発送	24,000	450	34,500	+10,500
地元紙のクーポン	5,600	32	8,250	+2,650
テレマーケティング	37,000	722	58,600	+21,600
ラジオ広告	16,400	75	10,700	−5,700

解答例の訳

この表は、2015年3月におけるインターネットのブロードバンドパッケージの5つの異なるマーケティング計画の有効性を、初期立ち上げ費用、どれだけの無料特典が潜在的顧客によって受け入れられたか、それに続く売り上げからどれだけの利益または損失が出たか、という観点から示したものです。全体として、テレマーケティングが圧倒的に最も費用がかかり利益を上げた戦略だったのに対し、スーパーマーケットのクーポンとラジオ広告は損失を出しました。

テレマーケティングは37,000ドルと立ち上げに最も費用のかかったキャンペーンでしたが、この方法は3月の間に、722人という最多の新規利用者、58,600ドルの売り上げと21,600ドルの利益という好調な結果をもたらしもしました。ダイレクトメールの大量発送は、当初は24,000ドルとテレマーケティングよりやや費用が安く、新規利用者450人と純益10,500ドルという結果になりました。地元紙のクーポンはわずか5,600ドルと最も安くできたキャンペーンで、新規利用者はわずか32人となりました。しかしこの方法は2,650ドルという少額の利益を生みました。

スーパーマーケットのクーポンとラジオ広告は、どちらも効果の上がらないマーケティング戦略でした。それぞれ立ち上げに15,000ドルと16,400ドルの費用がかかりましたが、前者は1,500ドル、後者は5,700ドルの純損失という結果になりました。

解説

グラフは、ある月の間に企業が行った5つのマーケティング戦略の有効性に関する情報を示しています。各戦略にかかった費用、それにより無料特典が利用された数、その後に出た実際の売り上げ、そして最終的な収益が挙げられています。タスク1の表の問題では、情報の取捨選択と要約が鍵を握ります。この問題で最も重要なのは最終結果である収益で、収益がよかったかどうかを中心に考えて、最初にかかった費用と比較しながら論じていくとよいでしょう。この解答例は、表中の20の数値のうち14を引用しています。言及されていない残りの6つには、①最高・最低といった際立った数字ではない、②最も重要な情報（この表の場合には収益）を導き出すための副次的な情報である、といった特徴があります。

タスクの達成

この解答例では、①表の情報を正確に読み取り（5つのマーケティング戦略の費用・数量・売り上げ・収益）、②的確にまとめ、説明（黒字の3つと赤字の2つに分類し、収益順に5つを説明する）ことができており、タスクの要求を完全に満たしています。

論理的一貫性とまとまり

収益が最も大きかったものから損失が最も大きかったものの順に5つを並べて記述しており、論理的一貫性があり、明快な構成になっています。説明の際には5つの項目を大きく2つのグループに分類し、第2段落を黒字の3つ、第3段落を赤字の2つに充てることによって、まとまりのある記述となっています。

▶第1段落
第1文：表の概要（問題文・表中の表現の言い換え：gives → shows、strategies → plans、number → how many、used → taken up by potential customers、follow-up → subsequent）／第2文：main featuresの紹介（黒字幅最大の項目と赤字の2項目の対比）

▶第2段落
第1文：収益1位 telemarketing（初期費用最大だが売り上げ・収益も最大）／第2文：収益2位 direct mail-outs（初期費用はわずかに低い、確実な収益）／第3文：収益3位 local newspaper coupons①（初期費用・新規顧客最小）／第4文：同②（微益）

▶第3段落
第1文：損失の出た2項目（supermarket coupons and radio advertising）／第2文：それぞれの初期費用と損失額

語彙の豊富さと適切さ

この解答例では多様な語彙・表現が使用されており、語彙の豊富さと適切さを示しています。語注にあるものと以下に挙げるものは早速練習で使って試し、次回の受験に生かせるようにしましょう。

収益が話題になる際は、それに関する適切な語彙を使える必要があります。問題の表にある profit と loss はもちろん、costly (expensive の同義語)や profitable も確実に覚えておきましょう。数字を表すのに、the most new users, at 722 や、with $58,600 in sales (付帯状況の with)などの言い方をしているのも効果的です。また、戦略が成功したかどうかを述べるのに result in ...、lead to ...、ineffective、複数のものを比較するのに respectively や the former と the latter といった語彙も重要です。

文法の幅広さと正確さ

冒頭の The table shows を除き、全体を通して過去形を適切に用いることで、過去のデータを説明することができています。また、タスク1では比較級・最上級が重要な役割を果たすことがよくありますが、最上級を強調する by far the most ... や、より程度が低いことを表す less にその差がわずかであることを表す slightly を加えた slightly less ... を適切に用いることができており、文法の幅広さと正確さを示しています。

TASK 2

本冊：p.126

> 解答例

In the past several decades, migration from rural areas to urban centres has left a depopulated countryside, often to the detriment of more isolated, smaller regions, and has also led to uncontrolled development in urban areas. In the long term, however, these same migration patterns may allow for improved quality of life.

Many countries are experiencing a radical change from an agriculturally based economy to a more industrialised, urban one. This results in difficulties for rural life, as employment, social services and other opportunities start to disappear. The resulting migration, based on the desire for improved education and work prospects, also puts a strain on city infrastructures, which must now deal with greater numbers needing accommodation, education, health care resources and other social services. If migration happens quickly, this pressure is felt more strongly, as it takes time to develop new facilities for a rapidly increasing population. The immediate effect of migration to cities might therefore seem to be a lowered standard of living in both rural and urban areas.

However, the long-term effects of this migration have the potential to be more positive. People who move to cities have strong economic reasons for making this decision, and this key driver for migration will inevitably lead to urban development over the next few decades. It will result in improved city infrastructure in areas such as city water and telecommunication networks, residential buildings, schools and hospitals, as supply grows to meet demand.

In sum, population movement from rural to urban areas need not be disadvantageous to a country; the important variable is the rate of urban growth. Cities cannot change overnight, and too great an increase will put a burden on both urban and rural communities. However, with manageable growth, the country as a whole can enjoy the benefits of this significant economic change.

(303 words)

語注

- depopulate：〜の人口を激減させる
- to the detriment of ...：〜を犠牲にして
- put a strain [burden] on ...：〜に負担をかける
- standard of living：生活水準
- have the potential to do：〜する潜在的可能性がある
- telecommunication：遠距離通信
- meet demand：需要に応える
- in sum：要するに
- disadvantageous：不利な、不都合な
- variable：変動要因
- manageable：扱いやすい

● 問題文の訳

このタスクは約40分で終えなさい。次のトピックについて書きなさい。

> 今日多くの人が、よりよい機会を求めて地方から都会に移り住むことを選択します。
> これは国にとってメリットの方が多いでしょうか、デメリットの方が多いでしょうか。

解答では理由を述べ、自分の知識や経験から関連する例があればどのようなものでも含めなさい。
250語以上で書きなさい。

> 解答例の訳

過去数十年で、地方から都市の中心部への移住は田舎の人口を激減させており、より孤立した小規模な地域をしばしば犠牲にし、また、都市部での乱開発を招いています。しかし長期的には、まさにこの移住様式が生活の質の向上を可能にするかもしれません。

多くの国が、農業に基づく経済からより産業化された都市経済への根本的な変化を経験しつつあります。これにより雇用や社会福祉事業などの機会が消滅し始め、結果的に地方の生活に困難が生じます。それに起因する移住はよりよい教育と仕事の見込みへの願望に基づきますが、都市のインフラに負担をかけることにもなります。今や都市のインフラは、宿泊設備、教育、医療資源などの社会サービスを必要とする人の増加に対処しなければならないのです。移住が急速に行われれば、このプレッシャーはもっと強く感じられます。急増する人口のために新しい施設を整備するには時間がかかるからです。従って、都市への移住が直ちにもたらす影響は、地方と都会両方での生活水準の低下だと思われるかもしれません。

しかし、この移住の長期的影響は、もっと有益になる可能性があります。都市に移り住む人たちにはそう決心する強い経済的理由があり、

移住の鍵となるこの原動力は、必然的に次の数十年にわたる都市開発につながります。需要を満たすために供給が増加するので、都市の水道網と通信網、住宅建築、学校や病院といった分野での都市のインフラが改良される結果になります。

要するに、地方から都会への人口移動が国にとってデメリットであるとは限らず、重要な変動要因は都市の成長の速度です。都市が一夜にして変化することはあり得ず、大き過ぎる増加は都市の共同体にも地方の共同体にも負担となります。しかし、制御可能な成長であれば、国全体がこの重大な経済的変化の恩恵にあずかることができます。

解説

「地方から都会に移り住む人が多くいるが、これは国にとって利点と欠点のどちらが多いか」という質問に対して答えます。このタスクの表現がDoes this have more advantages or disadvantages ...?となっていることに注意してください。Discuss the advantages and disadvantages of ... という表現であれば、利点と欠点の両方を述べるだけでよいのですが、このタスクのような表現や、Do the advantages of ... outweigh the disadvantages?(～の利点は欠点を上回りますか)という表現である場合には、利点と欠点の両方を挙げた上で、どちらがより重要であるかということまで踏み込まなければなりません。この問題のようなテーマはよく問われるので、日ごろから利点と欠点を意識して、問われたらすぐに挙げられるようにしておきましょう。

タスクへの応答

この解答例では、①advantages→具体例、②disadvantages→具体例、③どちらが上回るか→理由、というタスクの内容に完全に取り込み、立場を明確に示し、論理的で明確な議論をする、という基準をすべて完璧に満たしています。

この解答例はadvantagesが上回るという主張ですが、逆にdisadvantagesが上回るという意見の場合には、これを参考にして、①第1段落最後の主題文をdisadvantagesが上回るというものにする、②第2段落と第3段落の順番を逆にする、③結論の段落でdisadvantagesが上回るという主張を表現を変えて述べ、簡潔に理由を述べる、という手順を踏めば出来上がります。

論理的一貫性とまとまり

見事な構成で、論理的一貫性とまとまりがあります。
▶ **第1段落：イントロダクション**
第1文：問題文の言い換え＋問題文のうちdisadvantagesの具体例(today → In the past several decades、move → migration、rural areas → more isolated, smaller regions、cities → urban centres、disadvantages → to the detriment of)／第2文：エッセイ全体の主題文(長期的にはadvantagesとなり得る)
▶ **第2段落：disadvantages(農村と都会両面から)**
第1文：農業経済から都会化した工業経済への根本的な変化／第2文：結果としての農村への悪影響／第3文：都会への悪影響①(インフラへの負担)／第4文：都会への悪影響②(急速な場合)／第5文：第2段落のまとめ(農村と都会の両方に悪影響)
▶ **第3段落：advantages(都会に焦点)**

第1文：都会化は長期的には利点／第2文：都市部の発展／第3文：具体的にはインフラの改善＋インフラの例
▶ **第4段落：結論**
第1文：主題の言い換え(都会化は必ずしも不利益にはならない)＋譲歩(速度が問題)／第2文：disadvantages(急速である場合、農村と都会両方に悪影響)／第3文：advantages(適度であれば国全体に恩恵)＝結論

語彙の豊富さと適切さ

この解答例では多様な語彙・表現が使用されており、語彙の豊富さと適切さを示しています。語注にあるものと以下に挙げるものは早速練習で使って試し、次回の受験に生かせるようにしましょう。

原因や結果を論じる上で重要なresult in ...、the long-term effects of ...、have the potential to do、inevitably lead to ...、状況がよいか悪いかを説明するto the detriment of ...、be disadvantageous to ...、enjoy the benefits of ... などに加え、論理的な文章で役立つ表現として、要点を述べるin sumや、変動要因を表すvariableという語が使われています。また、生活に関する話題で重要なput a strain [burden] on ...、standard of livingといった表現が使われています。

文法の幅広さと正確さ

特に以下のような文法や文構造が文法の幅広さと正確さを示しています。早速練習で使って試し、次回の受験に生かせるようにしましょう。
▶ **In the past several decades, ... has left**
時制に対する現在完了形の適切な使用。
▶ **In the long term, however, SV**
howeverは文頭に置いてもよいが、このように副詞句の後ろなど文中に置かれることが多い。
▶ **S, based on ..., V**
「S, 過去分詞＋～, V」という形で主語に説明を加える。
▶ **city infrastructures, which ....**
関係代名詞の非制限用法を用いて先行詞に説明を加える。
▶ **too great an increase**
tooがなければa great increaseとなるが、tooが付くとtoo great an increaseという語順になる。

SPEAKING

PART 1

本冊：p.127　🎧 28

回答例

E=Examiner（試験官）　　C=Candidate（受験者）

E: Good morning. Could you tell me your full name, please?
C: My name is Mai Tanaka.
E: Can I see your identification, please, Mai?
C: Here you are.
E: Thank you. That's fine, thank you. Now in this first part I'd like to ask you some questions about yourself. Let's talk about what you do. Do you work, or are you a student?
C: I'm a student.
E: And what do you study?
C: I study engineering, ah, civil engineering.
E: What do you plan to do after you have completed your studies?
C: Well, I hope to continue my studies of engineering in New Zealand. I plan to do a master's degree in Auckland.

E: I'd like to talk about computers now. Are there a lot of computer shops where you live?
C: No, there are not many computer shops near my house. Um, I don't live near many shops at all actually, but if I travel a few stops on the train I can get to Shinjuku, where there are several large electronics chains I can go to.
E: What do most people in your family use a computer for?
C: Just like everybody else, we use a computer to surf the Internet, watch YouTube videos or send Facebook messages — in other words, for fun. But my father also uses his computer a lot for his work and my brother for his studies. We are pretty active computer users, I suppose.
E: Do you think people spend too much time using computers in your country?
C: Not really. I think these days, you can't really live, work or study without using a computer, so I wouldn't say people use computers too much. Perhaps some people spend too much time just aimlessly surfing the Internet or messaging on social network services, though.
E: What are the most popular computer programmes that people use in your country?
C: It's difficult to say really, I think that probably most people use Microsoft Word and an Internet browser programme like Google Chrome or Firefox. Um, I don't know really, I suppose there are so many

回答例の訳

E: おはようございます。フルネームを教えてもらえますか。

C: タナカ　マイです。
E: 身分証明書を見せてもらえますか、マイ。
C: はい、どうぞ。
E: ありがとうございます。はい、結構です。さて、この最初のパートでは、あなたのことについていくつか質問させてもらいます。あなたが何をされているかの話をしましょう。社会人ですか、学生ですか。

C: 学生です。
E: 何を勉強していますか。
C: 工学、あー、土木工学です。
E: 学業を終えた後はどうする予定ですか。

C: えー、ニュージーランドで工学の勉強を続けたいと思っています。オークランドで修士号を取る勉強をする予定です。

E: パソコンについて話しましょう。あなたが住んでいる所にはパソコンショップはたくさんありますか。

C: いえ、近所にパソコンショップはあまりありません。んー、私が住んでいる所の近くには実際お店が全然多くないのですが、電車で数駅移動すれば新宿に行けます。新宿には大型の電子機器チェーン店が何店舗かあるので、そこに行けばいいです。
E: あなたの家族のほとんどは何のためにパソコンを使いますか。

C: 誰もがしているのと同じで、パソコンを使ってネットサーフィンをしたり、ユーチューブの動画を見たり、フェイスブックでメッセージを送ったりします。つまり、楽しむためです。ですが、父は仕事でも自分のパソコンをよく使いますし、兄は勉強のために使います。うちは結構積極的なパソコンユーザーだと思います。
E: あなたの国では、人々がパソコンの使用に時間を費やし過ぎていると思いますか。
C: そうでもないです。近ごろは、パソコンを使わずには生活も仕事も勉強もあまりできないと思いますから、パソコンを使い過ぎだとはちょっと言えません。もしかすると、ただ当てもなくネットサーフィンをしたりソーシャルネットワークサービスでメッセージを送ったりして時間を使い過ぎている人もいるのかもしれませんが。
E: あなたの国で人々が利用している、最も普及しているパソコンソフトは何ですか。
C: 何とも言えませんが、たぶんほとんどの人が使っているのは、マイクロソフト・ワードと、グーグル・クロームやファイアフォックスのようなインターネットブラウザーソフトだと思います。んー、よくわかりません、近ごろはいろ

122

programmes around these days for different purposes.

E: **Now, let's move on to talk about children. Do you enjoy spending time with children?**
C: Well, actually, I rarely have a chance to spend time with children. So, I haven't really thought about it before. But to be honest, I don't think I can truly enjoy spending time with children, because I simply don't know how to deal with them.
E: **What sort of activities do children enjoy doing?**
C: Most children just love to play, don't they? Anything that's fun for them like playing games, running around and climbing things. They like pretending to be adults, you know, role-playing. My nephews like to play video games a lot and they seem to be watching a lot of TV recently.
E: **Do you think children enjoy stories with animals in them?**
C: Yes, many children's stories are about animals or have animal characters in them.
E: **Why?**
C: Well, it's a tough question to answer, but I guess ... children are naturally attracted to animals because they are cute or colourful or interesting to look at.
E: **Do you think cities are a good place to bring up children?**
C: Um ... yes and no. I suppose there are both pros and cons to bringing up children in cities. They can be a good place because it's just convenient to live in a city and most importantly, there are more doctors than in rural areas. But on the other hand, I also think it's important for children to grow up with fresh air, open spaces and a lot of nature.
E: **Thank you.**

E: では、話題を子どもに移しましょう。あなたは子どもと時間を過ごすのが好きですか。
C: えー、実際のところ、子どもと時間を過ごす機会はめったにありません。ですので、これまでそれについて考えたことはあまりありません。ですが正直に言うと、自分が子どもと時間を過ごすことを本当に楽しめるとは思いません。子どもの扱い方がどうしてもわからないからです。
E: 子どもはどんな活動をすることを楽しみますか。
C: ほとんどの子どもはとにかく遊ぶのが好きですよね。ゲームをしたり、走り回ったり、物に登ったり、楽しいことなら何でも。大人のふりをするのも好きです、あのー、ロールプレイングですね。私のおいたちはテレビゲームをするのがとても好きで、最近はテレビをたくさん見ているようです。
E: 子どもは動物が出てくるお話が好きだと思いますか。
C: はい、多くの童話は動物についての話か、動物が登場する話です。
E: なぜなのでしょうか。
C: えー、答えるのが難しい問いですが、私が思うに……動物は愛らしかったり色とりどりだったり見て面白かったりするので、子どもは自然に引き付けられるのでしょう。
E: 都会は子育てにいい場所だと思いますか。
C: んー……はいといいえです。都会で子育てをすることには、いい点も悪い点もあると思います。都会に住むのはとにかく便利ですし、一番重要なことですが、地方よりもお医者さんがたくさんいますから、都会はいい場所だと言えます。ですがその一方で、子どもは新鮮な空気と広々とした場所とたくさんの自然とともに育つのが重要だとも思います。
E: ありがとうございました。

語注
- civil engineering：土木工学
- aimlessly：当てもなく
- pros and cons：いい点と悪い点

PART 2

本冊：p.127　29

回答例

E=Examiner（試験官）　　C=Candidate（受験者）

E: Now I'm going to give you a topic. I would like you to talk about it for one to two minutes. You'll have one minute to think about what you're going to say before you begin talking. Before you talk you can make some notes if you wish. Here is a pencil and some paper. Do you understand?

C: Yes.

[1 minute]

E: I'd like you to talk about someone you met who was interesting. Remember, you have one to two minutes for this. Don't worry if I stop you. I'll tell you when the time is up. Can you start speaking now, please?

C: It is so hard for me to pick one interesting person because I've met so many, but I'm going to talk about someone I once met on a plane flying to London. I was flying to England to do an English language course in London — about three years ago I think it was. I sat in the window seat next to an older man, who as it turned out came from New York. He was travelling to London on some kind of business; he didn't tell me what exactly. Anyway, he was in his fifties I suppose, and started talking to me just before the plane took off. He noticed how nervous I was and reminded me that you are more likely to get hit by a bus than fall out of the sky in an aeroplane. That made me laugh and relax, so we started chatting. We talked for quite a while, an hour or so if I recall correctly. He told me about his working life and how he had changed jobs many times before finding the perfect job as a hot dog seller. I was surprised because he looked quite wealthy — he told me that hot dog sellers in New York can make quite a lot of money. I think the most interesting thing about him was that he remembered so many of his customers and their preferences and even where they worked and their personalities. I remember thinking how fun such a simple job could be, especially the way he described it.

E: Thank you. Did you tell any of your friends about this man?

C: No, but I told my sister once I arrived in London. She laughed and said she wanted to meet him as well.

E: Thank you. Can I have the pencil and paper back, please?

回答例の訳

E: これからトピックを渡します。それについて、1分から2分話をしてほしいと思います。話を始める前に、何について話すかを考える時間が1分あります。話す前に、ご希望ならメモを取っても構いません。ここに鉛筆と紙があります。わかりましたか。

C: はい。

[1分]

E: あなたが出会った人で興味深い人について話してほしいと思います。繰り返しますが、話す時間は1分から2分です。私が途中で止めても、心配しないでください。制限時間が来たらお知らせします。それでは、スピーチを始めてもらえますか。

C: とても多くの興味深い人に出会ったことがありますから、1人を選ぶのはとても難しいですが、以前ロンドンへ行く飛行機の中で会った人について話します。私はロンドンで英語のコースを受けるために、飛行機でイングランドに向かっていました。3年くらい前のことだったと思います。窓側の席に座っていて、隣は年配の男性でした。その男性は、後でわかったのですが、ニューヨークから来ていました。男性は何か仕事の用事でロンドンへ行くところでしたが、どんな用事か正確には教えてくれませんでした。とにかく、男性は50代だったと思いますが、飛行機が離陸する直前に私に話し始めたんです。私がとても緊張しているのを見て取って、飛行機で空から落ちるよりバスに衝突される確率の方が高いんだということを思い出させてくれました。おかげで私は笑ってリラックスできたので、私たちはおしゃべりを始めました。かなり長い間話しました。記憶が正しければ、1時間かそこらです。男性は自分の職業人生の話、ホットドッグ売りという理想的な職を見つけるまで何度も転職したという話をしてくれました。男性がとても裕福に見えたので私は驚きました。ニューヨークのホットドッグ売りはかなりの大金を稼ぐことができるんだ、と男性は私に言いました。男性の最も興味深かった点は、お客さんとお客さんの好み、お客さんがどこで働いていてどんな性格だということまで、とてもたくさんのことを記憶していることでした。そんな単純な仕事がそんなに楽しいことがあるんだ、と思ったことを覚えています。特に男性の話しぶりでそう思いました。

E: ありがとうございます。この男性のことを友人の誰かに話しましたか。

C: いいえ、ですがロンドンに着いたらすぐ姉に話しました。姉は笑って、自分もその男性に会ってみたいと言いました。

E: ありがとうございました。鉛筆と紙を戻していただけますか。

語注

□ preference：好み

PART 3

本冊：p.128　30

回答例

E=Examiner（試験官）　C=Candidate（受験者）

E: We've been talking about someone you met who was interesting. We are now going to discuss some more general questions related to this topic. First, let's consider age and meeting people. Where do young adults and teenagers usually meet their friends?

C: In my country, most young people tend to meet at nightclubs or places where other young people often go like schools, university campuses and sports grounds — that sort of place. More and more young people have parties at their houses these days as well. Some of them may invite just a few friends over, while others may invite many.

E: How has the Internet changed relationships between people?

C: A lot! As you probably know, social network services like Facebook and Instagram play a big part in young people's social lives, and I think for some young people these services are the main way they communicate with their friends. This has changed the way people communicate in their relationships; people spend less time talking face to face and more time online chatting and messaging. This is probably not such a good development because meeting someone in the flesh, rather than online, is a much more, um, how can I say it, 'real' experience, isn't it?

E: Do older people enjoy meeting new people as much as younger people do?

C: I don't think they do, no. I think they probably like it, but they don't think it is as important as young people do. As you get older, I think, you tend to spend more time with family and your partner — there's less and less need for friends, though of course, having a few close friends is something people of all generations enjoy.

E: Let's move on now to talk about globalisation and relationships. Increasing numbers of people today are forming relationships on social network sites. Why is this happening?

C: Mainly because it is what everyone just 'does' these days. If you are not on Facebook, for example, you are kind of, not part of modern society almost. People are also really attracted to the idea of having many friends. I mean, many people on Facebook have hundreds of friends. This can make you feel liked and important. But, of course, the majority of

回答例の訳

E: あなたが出会った人で興味深い人について話してきました。これから、このトピックに関連するいくつかのもっと一般的な質問について議論をします。まず、年齢と人との出会いについて検討しましょう。若い大人と十代の人たちは、普通どこで友人と出会いますか。

C: 私の国では、ほとんどの若者がよく出会うのは、ナイトクラブや、学校や大学のキャンパスや運動場のような他の若者がしばしば行く場所、そういった場所です。近ごろは、自宅でパーティーを開く若者もどんどん増えています。ほんの数人しか友人を招待しない場合もあれば、たくさんの友人を招待する場合もあります。

E: インターネットは人間関係をどのように変えたでしょうか。

C: 大きく変えました！　たぶんご存じのように、フェイスブックやインスタグラムのようなソーシャルネットワークサービスは若者の社会生活で大きな役割を果たしていて、一部の若者には、こうしたサービスが友人とコミュニケートする主な手段になっています。これは、人々が人間関係においてコミュニケートする方法を変えました。面と向かって話すのに費やす時間は減り、オンラインでおしゃべりしたりメッセージを送ったりする時間が増えています。これはたぶんあまりいい進展ではありません。オンラインではなく生身の人と会うことの方がずっと、んー、何と言えばいいのでしょうか、「リアルな」体験だからです。そうではないでしょうか。

E: 年配の人たちは、新しい人との出会いを若者と同じくらい楽しむでしょうか。

C: いいえ、そうではないと思います。たぶん年配の人たちは出会いが好きなのだと思いますが、若者と同じようには、出会いを重要だとは考えていません。年を取るほどに、家族やパートナーと過ごす時間が増える傾向があると思います。友人の必要性はどんどん減っていきますが、もちろん、親しい友人が何人かいることは、あらゆる世代の人にとって楽しいことです。

E: では、グローバリゼーションと人間関係に話を移しましょう。今日では、ソーシャルネットワークサイトで人間関係をつくる人の数が増えています。どうしてこのようなことが起きているのでしょうか。

C: 主に、それが近ごろ誰もが単に「している」ことだからです。例えばフェイスブックをやっていなければ、ほぼ現代社会の一員ではない感じです。それに人は、友人がたくさんいるという考えに強く引き付けられるものです。つまり、フェイスブックをやっているたくさんの人には、友人が何百人もいます。これは、自分が好かれていて重要人物だという気持ちにさせることができるわけです。ですがもちろん、

your friends on social network services are not really 'friends', are they? I mean, you've probably never met most of them.

E: **It is often said that we live in a global village. How true is this really?**

C: It seems to be becoming more and more true as time goes by. Because of increased travel, migration and global business more people from more countries are spending more time meeting and communicating with each other. You can see this in practically any city in the industrialised world now; there are people from all over the world, living and working together and mostly communicating in English — the global language — just like we are now.

E: **Some people fear that globalisation will result in societies becoming increasingly similar. Is this a positive or negative development?**

C: Well, the main advantage of globalisation causing societies to become more and more similar is that there will be less and less ignorance and greater understanding between cultures. However, we should also be aware that each country has its own unique culture and customs. The world is interesting because we are all different, and we should respect each other. So there are both positive and negative sides to globalisation, but I'm optimistic about it. I believe someday we can all live in peace as a kind of 'world community' while still keeping our own cultural identities.

E: **Thank you, our time is up now. That's the end of the speaking test.**

E: 私たちは世界村に住んでいるとよく言われます。これは実際にはどのくらい本当なのでしょうか。

C: 時がたつにつれて、どんどん本当になりつつあるように思えます。旅行と移住とグローバルビジネスが増えたため、より多くの国のより多くの人がより多くの時間を、お互いに会ったりコミュニケートしたりすることに費やしています。今では、産業化された世界のほとんどの都市でこれが見られます。世界中からやって来た人たちがいて、一緒に生活して働き、ほとんどはグローバル言語である英語でコミュニケートしています。今私たちがしているのとちょうど同じように。

E: グローバリゼーションは、社会がどんどん似たものになる結果を招くと危惧する人もいます。これは肯定的な進展でしょうか、否定的な進展でしょうか。

C: えー、グローバリゼーションによって社会がますます似たものになることの主な利点は、無知がますます減り文化間の理解が増すことでしょう。しかし、それぞれの国には独自の文化と習慣があることも知っておくべきです。みんな違っているから世界は面白いのですし、お互いを尊敬するべきです。ですからグローバリゼーションには肯定的な面も否定的な面もあるわけですが、私はそれについては楽観的です。いつの日か、みんながある種の「世界共同体」として平和に暮らし、同時に自らの文化的アイデンティティーを保つことができると私は考えます。

E: ありがとうございます、制限時間が来ました。これでスピーキングテストを終わります。

語注

□ in the flesh：生身の、本人の
□ practically：ほとんど

解説

話の流暢さと論理的一貫性

パート2では言及すべきポイントが必ず4つ挙げられていますが、その中には5W1H（when、where、who、what、why、how）のどれかが含まれています。逆に言うと、5W1Hの全部は含まれていないわけですが、含まれていないものについて話していけないわけではありません。むしろ5W1Hすべてに触れた方が話しやすく、うまくまとまっている印象を与えることができます。この回答例では、話すべきポイントの中には含まれていないwhenについても軽く言及し、how（= how you met him）については詳しく述べています。特に2分間話がもたずに短く終わってしまう傾向がある場合には、このようにして5W1Hの6つのポイントすべてに触れることを意識するとよいでしょう。

語彙の豊富さと適切さ

※回答例内で（波線）で表示

以下のような単語や表現を練習で使い、本試験において使えるようにしておきましょう。

▶ 確実に使えるようにしたい基本語句

just like everybody else / in other words / can't really *do* without *doing* / to be honest / most importantly / but on the other hand / as it turned out / for quite a while / the way SV / play a big part in ... / as you get older / the majority of ... / be aware that SV

▶ 表現の幅を広げられる文

I wouldn't say (that) SV / It's difficult to say really / I rarely have a chance to *do* / I haven't really thought about it before. But SV / I simply don't know how to *do* / There are both pros and cons to *doing* / It is so hard for me to pick one ... / if I recall correctly / It seems to be becoming more and more true as time goes by. / There are both positive and negative sides to ... / I'm optimistic about ...

▶ 友だちとの出会い・コミュニケーションについて

invite just a few friends over / spend less time talking face to face and more time online / chatting and messaging / meeting someone in the flesh / be part of modern society / make *one* feel liked and important

▶ グローバリゼーションについて

people from all over the world / less ignorance and greater understanding between cultures / each country has its own unique culture and customs / live in peace / keep *one's* own cultural identities

文法の幅広さと正確さ

※回答例内で（下線）で表示

このスピーキングテストのパート2では、話すべき項目がすべて過去形になっています（where he/she was、who he/she was、what you did together、why you think this person was interesting）。このタイプの問題では、全体を通して時制（この場合、基本的には過去形）が正しく使えるかが試されます。この回答例では一貫して過去形が正しく使われていますが、それに加えて①過去の一時的状態を表現する過去進行形（I was flying、He was travelling）、②（時制の一致をせずに）現在でも変わらないことを表現する現在形（He ... reminded me that you are more likely to...、he told me that hot dog sellers in New York can make ...）、③「大過去」を表現する過去完了形（He told me ... how he had changed jobs many times before finding the perfect job）も自然に織り交ぜられており、時制を完璧に使いこなせることを示しています。

発音

※回答例内で（点線）で表示

この回答例の中では、特に以下の単語が語の発音が間違いやすいものです。音声を聞いて正しく発音できるようにしておきましょう。

▶ 発音に気を付けるべき語

travel（「ベル」ではない）、message（「セージ」ではない）、Google（「グル」ではない）、convenient（「ビ」ではない）、window（「ドー」ではなく「ドウ」）、business（「ジ」「ズィ」ではなく「ズ」）、nervous（「バ」ではなくvの音）、money（「ネー」ではない）、global（「ロー」ではなく「ロウ」、「バル」ではない）、together（「ギャ」ではない）

▶ 「シ」ではなく「スィ」と発音する語

seat、simple、university、similar

▶ アクセントに気を付けるべき語

Ínternet、YóuTube、nétwork、Mícrosoft、Fírefox、hót dog、níghtclub、Ínstagram、devélopment

▶ 発音・アクセント両方に気を付けるべき語

Fácebook（「フェー」ではなく「フェイ」）、sócial（「ソー」ではなく「ソウ」）

予想バンドスコア換算表

模擬試験の答え合わせを終えたら、およその予想バンドスコアを計算してみましょう。各技能のバンドスコアを出し、合計を4で割ると、オーバーオール・バンドスコアが出せます。

リスニング　リーディング

それぞれ40問出題され、1問1点として採点されます。

※下の表は、旺文社が独自に予想・作成したものであり、実際のスコア算出方法とは異なりますので、あくまで現在の実力を把握するための大まかな目安として捉えてください。

リスニングの正解数	バンドスコア（目安）	リーディングの正解数
39	9.0	39
37	8.5	37
35	8.0	35
32	7.5	33
30	7.0	30
26	6.5	27
23	6.0	23
18	5.5	19
16	5.0	15
13	4.5	13

ライティング　※本冊p.38もあわせてご参照ください。

TASK1、TASK2はそれぞれ以下の評価基準で採点されます。

1. Task Achievement（タスクの達成）《TASK1》／ Task Response（タスクへの応答）《TASK2》
2. Coherence and Cohesion（論理的一貫性とまとまり）
3. Lexical Resource（語彙の豊富さと適切さ）
4. Grammatical Range and Accuracy（文法の幅広さと正確さ）

❶各項目が4分の1ずつの比重になります。TASK1はp.130–131、TASK2はp.132–133に掲載されている各項目の評価基準を参考にして、どのバンドスコアに該当するかを確認しましょう。

❷各項目のバンドスコアをすべて足し、4で割ると各TASKのスコアが出ます。

スピーキング　※本冊p.46もあわせてご参照ください。

PART1 ～ PART3はまとめて以下の評価基準で採点されます。

1. Fluency and Coherence（話の流暢さと論理的一貫性）
2. Lexical Resource（語彙の豊富さと適切さ）
3. Grammatical Range and Accuracy（文法の幅広さと正確さ）
4. Pronunciation（発音）

❶各項目が4分の1ずつの比重になります。p.134–135に掲載されている各項目の評価基準を参考にして、どのバンドスコアに該当するかを確認しましょう。

❷各項目のバンドスコアをすべて足し、4で割るとスピーキングのバンドスコアが出ます。

IELTS Writing Band Descriptors (Public Version)

TASK 1

Band	Task Achievement	Coherence and Cohesion	Lexical Resource	Grammatical Range and Accuracy
9	• fully satisfies all the requirements of the task • clearly presents a fully developed response	• uses cohesion in such a way that it attracts no attention • skilfully manages paragraphing	• uses a wide range of vocabulary with very natural and sophisticated control of lexical features; rare minor errors occur only as 'slips'	• uses a wide range of structures with full flexibility and accuracy; rare minor errors occur only as 'slips'
8	• covers all requirements of the task sufficiently • presents, highlights and illustrates key features / bullet points clearly and appropriately	• sequences information and ideas logically • manages all aspects of cohesion well • uses paragraphing sufficiently and appropriately	• uses a wide range of vocabulary fluently and flexibly to convey precise meanings • skilfully uses uncommon lexical items but there may be occasional inaccuracies in word choice and collocation • produces rare errors in spelling and/or word formation	• uses a wide range of structures • the majority of sentences are error-free • makes only very occasional errors or inappropriacies
7	• covers the requirements of the task • (Academic) presents a clear overview of main trends, differences or stages • (General Training) presents a clear purpose, with the tone consistent and appropriate • clearly presents and highlights key features / bullet points but could be more fully extended	• logically organises information and ideas; there is clear progression throughout • uses a range of cohesive devices appropriately although there may be some under-/over-use	• uses a sufficient range of vocabulary to allow some flexibility and precision • uses less common lexical items with some awareness of style and collocation • may produce occasional errors in word choice, spelling and/or word formation	• uses a variety of complex structures • produces frequent error-free sentences • has good control of grammar and punctuation but may make a few errors
6	• addresses the requirements of the task • (Academic) presents an overview with information appropriately selected • (General Training) presents a purpose that is generally clear; there may be inconsistencies in tone • presents and adequately highlights key features / bullet points but details may be irrelevant, inappropriate or inaccurate	• arranges information and ideas coherently and there is a clear overall progression • uses cohesive devices effectively, but cohesion within and/or between sentences may be faulty or mechanical • may not always use referencing clearly or appropriately	• uses an adequate range of vocabulary for the task • attempts to use less common vocabulary but with some inaccuracy • makes some errors in spelling and/or word formation, but they do not impede communication	• uses a mix of simple and complex sentence forms • makes some errors in grammar and punctuation but they rarely reduce communication
5	• generally addresses the task; the format may be inappropriate in places • (Academic) recounts detail mechanically with no clear overview; there may be no data to support the description • (General Training) may present a purpose for the letter that is unclear at times; the tone may be variable and sometimes inappropriate • presents, but inadequately covers, key features / bullet points; there may be a tendency to focus on details	• presents information with some organisation but there may be a lack of overall progression • makes inadequate, inaccurate or over-use of cohesive devices • may be repetitive because of lack of referencing and substitution	• uses a limited range of vocabulary, but this is minimally adequate for the task • may make noticeable errors in spelling and/or word formation that may cause some difficulty for the reader	• uses only a limited range of structures • attempts complex sentences but these tend to be less accurate than simple sentences • may make frequent grammatical errors and punctuation may be faulty; errors can cause some difficulty for the reader

Band	Task Achievement	Coherence and Cohesion	Lexical Resource	Grammatical Range and Accuracy
4	<ul><li>attempts to address the task but does not cover all key features / bullet points; the format may be inappropriate</li><li>(General Training) fails to clearly explain the purpose of the letter; the tone may be inappropriate</li><li>may confuse key features / bullet points with detail; parts may be unclear, irrelevant, repetitive or inaccurate</li></ul>	<ul><li>presents information and ideas but these are not arranged coherently and there is no clear progression in the response</li><li>uses some basic cohesive devices but these may be inaccurate or repetitive</li></ul>	<ul><li>uses only basic vocabulary which may be used repetitively or which may be inappropriate for the task</li><li>has limited control of word formation and/or spelling</li><li>errors may cause strain for the reader</li></ul>	<ul><li>uses only a very limited range of structures with only rare use of subordinate clauses</li><li>some structures are accurate but errors predominate, and punctuation is often faulty</li></ul>
3	<ul><li>fails to address the task, which may have been completely misunderstood</li><li>presents limited ideas which may be largely irrelevant/repetitive</li></ul>	<ul><li>does not organise ideas logically</li><li>may use a very limited range of cohesive devices, and those used may not indicate a logical relationship between ideas</li></ul>	<ul><li>uses only a very limited range of words and expressions with very limited control of word formation and/or spelling</li><li>errors may severely distort the message</li></ul>	<ul><li>attempts sentence forms but errors in grammar and punctuation predominate and distort the meaning</li></ul>
2	<ul><li>answer is barely related to the task</li></ul>	<ul><li>has very little control of organisational features</li></ul>	<ul><li>uses an extremely limited range of vocabulary; essentially no control of word formation and/or spelling</li></ul>	<ul><li>cannot use sentence forms except in memorised phrases</li></ul>
1	<ul><li>answer is completely unrelated to the task</li></ul>	<ul><li>fails to communicate any message</li></ul>	<ul><li>can only use a few isolated words</li></ul>	<ul><li>cannot use sentence forms at all</li></ul>
0	<ul><li>does not attend</li><li>does not attempt the task in any way</li><li>writes a totally memorised response</li></ul>			

IELTS Writing Band Descriptors (Public Version)

TASK 2

Band	Task Response	Coherence and Cohesion	Lexical Resource	Grammatical Range and Accuracy
9	- fully addresses all parts of the task - presents a fully developed position in answer to the question with relevant, fully extended and well supported ideas	- uses cohesion in such a way that it attracts no attention - skilfully manages paragraphing	- uses a wide range of vocabulary with very natural and sophisticated control of lexical features; rare minor errors occur only as 'slips'	- uses a wide range of structures with full flexibility and accuracy; rare minor errors occur only as 'slips'
8	- sufficiently addresses all parts of the task - presents a well-developed response to the question with relevant, extended and supported ideas	- sequences information and ideas logically - manages all aspects of cohesion well - uses paragraphing sufficiently and appropriately	- uses a wide range of vocabulary fluently and flexibly to convey precise meanings - skilfully uses uncommon lexical items but there may be occasional inaccuracies in word choice and collocation - produces rare errors in spelling and/or word formation	- uses a wide range of structures - the majority of sentences are error-free - makes only very occasional errors or inappropriacies
7	- addresses all parts of the task - presents a clear position throughout the response - presents, extends and supports main ideas, but there may be a tendency to overgeneralise and/or supporting ideas may lack focus	- logically organises information and ideas; there is clear progression throughout - uses a range of cohesive devices appropriately although there may be some under-/over-use - presents a clear central topic within each paragraph	- uses a sufficient range of vocabulary to allow some flexibility and precision - uses less common lexical items with some awareness of style and collocation - may produce occasional errors in word choice, spelling and/or word formation	- uses a variety of complex structures - produces frequent error-free sentences - has good control of grammar and punctuation but may make a few errors
6	- addresses all parts of the task although some parts may be more fully covered than others - presents a relevant position although the conclusions may become unclear or repetitive - presents relevant main ideas but some may be inadequately developed/unclear	- arranges information and ideas coherently and there is a clear overall progression - uses cohesive devices effectively, but cohesion within and/or between sentences may be faulty or mechanical - may not always use referencing clearly or appropriately - uses paragraphing, but not always logically	- uses an adequate range of vocabulary for the task - attempts to use less common vocabulary but with some inaccuracy - makes some errors in spelling and/or word formation, but they do not impede communication	- uses a mix of simple and complex sentence forms - makes some errors in grammar and punctuation but they rarely reduce communication
5	- addresses the task only partially; the format may be inappropriate in places - expresses a position but the development is not always clear and there may be no conclusions drawn - presents some main ideas but these are limited and not sufficiently developed; there may be irrelevant detail	- presents information with some organisation but there may be a lack of overall progression - makes inadequate, inaccurate or over-use of cohesive devices - may be repetitive because of lack of referencing and substitution - may not write in paragraphs, or paragraphing may be inadequate	- uses a limited range of vocabulary, but this is minimally adequate for the task - may make noticeable errors in spelling and/or word formation that may cause some difficulty for the reader	- uses only a limited range of structures - attempts complex sentences but these tend to be less accurate than simple sentences - may make frequent grammatical errors and punctuation may be faulty; errors can cause some difficulty for the reader

Band	Task Response	Coherence and Cohesion	Lexical Resource	Grammatical Range and Accuracy
4	- responds to the task only in a minimal way or the answer is tangential; the format may be inappropriate - presents a position but this is unclear - presents some main ideas but these are difficult to identify and may be repetitive, irrelevant or not well supported	- presents information and ideas but these are not arranged coherently and there is no clear progression in the response - uses some basic cohesive devices but these may be inaccurate or repetitive - may not write in paragraphs or their use may be confusing	- uses only basic vocabulary which may be used repetitively or which may be inappropriate for the task - has limited control of word formation and/or spelling; errors may cause strain for the reader	- uses only a very limited range of structures with only rare use of subordinate clauses - some structures are accurate but errors predominate, and punctuation is often faulty
3	- does not adequately address any part of the task - does not express a clear position - presents few ideas, which are largely undeveloped or irrelevant	- does not organise ideas logically - may use a very limited range of cohesive devices, and those used may not indicate a logical relationship between ideas	- uses only a very limited range of words and expressions with very limited control of word formation and/or spelling - errors may severely distort the message	- attempts sentence forms but errors in grammar and punctuation predominate and distort the meaning
2	- barely responds to the task - does not express a position - may attempt to present one or two ideas but there is no development	- has very little control of organisational features	- uses an extremely limited range of vocabulary; essentially no control of word formation and/or spelling	- cannot use sentence forms except in memorised phrases
1	- answer is completely unrelated to the task	- fails to communicate any message	- can only use a few isolated words	- cannot use sentence forms at all
0	- does not attend - does not attempt the task in any way - writes a totally memorised response			

IELTS Speaking Band Descriptors (Public Version)

Band	Fluency and Coherence	Lexical Resource	Grammatical Range and Accuracy	Pronunciation
9	- speaks fluently with only rare repetition or self-correction; any hesitation is content-related rather than to find words or grammar - speaks coherently with fully appropriate cohesive features - develops topics fully and appropriately	- uses vocabulary with full flexibility and precision in all topics - uses idiomatic language naturally and accurately	- uses a full range of structures naturally and appropriately - produces consistently accurate structures apart from 'slips' characteristic of native speaker speech	- uses a full range of pronunciation features with precision and subtlety - sustains flexible use of features throughout - is effortless to understand
8	- speaks fluently with only occasional repetition or self-correction; hesitation is usually content-related and only rarely to search for language - develops topics coherently and appropriately	- uses a wide vocabulary resource readily and flexibly to convey precise meaning - uses less common and idiomatic vocabulary skilfully, with occasional inaccuracies - uses paraphrase effectively as required	- uses a wide range of structures flexibly - produces a majority of error-free sentences with only very occasional inappropriacies or basic/non-systematic errors	- uses a wide range of pronunciation features - sustains flexible use of features, with only occasional lapses - is easy to understand throughout; L1 accent has minimal effect on intelligibility
7	- speaks at length without noticeable effort or loss of coherence - may demonstrate language-related hesitation at times, or some repetition and/or self-correction - uses a range of connectives and discourse markers with some flexibility	- uses vocabulary resource flexibly to discuss a variety of topics - uses some less common and idiomatic vocabulary and shows some awareness of style and collocation, with some inappropriate choices - uses paraphrase effectively	- uses a range of complex structures with some flexibility - frequently produces error-free sentences, though some grammatical mistakes persist	- shows all the positive features of Band 6 and some, but not all, of the positive features of Band 8
6	- is willing to speak at length, though may lose coherence at times due to occasional repetition, self-correction or hesitation - uses a range of connectives and discourse markers but not always appropriately	- has a wide enough vocabulary to discuss topics at length and make meaning clear in spite of inappropriacies - generally paraphrases successfully	- uses a mix of simple and complex structures, but with limited flexibility - may make frequent mistakes with complex structures, though these rarely cause comprehension problems	- uses a range of pronunciation features with mixed control - shows some effective use of features but this is not sustained - can generally be understood throughout, though mispronunciation of individual words or sounds reduces clarity at times
5	- usually maintains flow of speech but uses repetition, self-correction and/or slow speech to keep going - may over-use certain connectives and discourse markers - produces simple speech fluently, but more complex communication causes fluency problems	- manages to talk about familiar and unfamiliar topics but uses vocabulary with limited flexibility - attempts to use paraphrase but with mixed success	- produces basic sentence forms with reasonable accuracy - uses a limited range of more complex structures, but these usually contain errors and may cause some comprehension problems	- shows all the positive features of Band 4 and some, but not all, of the positive features of Band 6